Relatos

Biografía

Lucía Etxebarria nació en 1966. Sagitario con ascendente en Sagitario, lo que según los astrólogos la convierte en independiente, viajera, activa, divertida, torpe y sincera hasta el extremo de llegar a ser bastante metepatas. Adora los animales, no come carne y vive en un ático del barrio madrileño de Lavapiés en compañía de dos perros mestizos y algún que otro inquilino esporádico. Antes de poder dedicarse profesionalmente a la escritura, realizó durante diez años todo tipo de trabajos alimentarios: camarera, traductora e intérprete, redactora en revistas musicales de ínfima tirada y jefa de prensa en diversas multinacionales, entre otros. Hasta el momento ha publicado tres novelas, dos libros de cuentos, uno de poesía, dos ensayos sobre literatura y feminismo y una biografía de Courtney Love.
Con su última novela, *De todo lo visible y lo invisible*, consiguió el Premio Primavera de Novela 2001.
Sus novelas se han traducido a catorce idiomas.

Lucía Etxebarria

Una historia de amor como otra cualquiera

Fotografías de Lucía Etxebarria

ESPASA

Vía de las Dos Castillas, 33. Ática, Ed. 4. 28224 Pozuelo de Alarcón (Madrid)

Diseño de la cubierta: adaptación de la idea original de Tasmanias
y Ángel Sanz Martín
Ilustración de la cubierta: Pocateja. Ilustración basada en un fotograma
de la película *El caso de Thomas Crown*, de Norman Jewison, 1968
Fotografía de la autora: Gloria Rodríguez
Fotografías del interior: Lucía Etxebarria
Primera edición en Colección Booket: abril de 2004

Depósito legal: B. 8.363-2004
ISBN: 84-670-1376-1
Impresión y encuadernación: Litografía Rosés, S. A.
Printed in Spain - Impreso en España

A J. D. Robson, AML

y

A todas las mujeres que confiaron en mí
para contarme sus historias.
A todas las amigas que estuvieron ahí
cuando las necesitaba.
A mi madre y a mis hermanas.

ÍNDICE

Una historia de amor como otra cualquiera

La niña me culpa por no haberlo sabido. Debía haberlo sabido... Yo era la madre, yo era la esposa, y debía haber sabido que el padre, que el marido... Nunca podré compensarla, sabe usted... Podría vivir hasta los doscientos años y no tendría tiempo suficiente para compensarla.

Me culpa la niña, digo, aunque ella nunca lo diga, me culpa sin decirlo con la boca cerrada y los ojos abiertos, apuntándome a mí, me culpa la niña, pero lo cierto es que cuando sucede una cosa como ésta todo el mundo echa la culpa a la madre, por mucho que el daño, en sustancia, lo haya hecho el padre. Pero estoy segura de que ella piensa que la culpa la tuve yo, que no vigilé, que no protegí o que sabía más de lo que decía saber. Pero yo no sabía nada, de verdad que no sabía nada. Y cuando yo me paro a pensar en la historia, siempre acabo pensando que la culpa de todo no la tuve yo, ni mi niña, desde luego la niña no... Y a veces, qué quiere que le diga, acabo pensando también que la culpa, además de tenerla el padre, la tuvo también el qué dirán. Quizá sea por quitarle hierro al asunto o quitarle culpa a mi marido, porque es difícil odiar a alguien a quien se quiso y porque las dudas todavía me zumban por la cabeza, que a veces creo que me va a estallar... no sé, ni a mi peor enemigo le deseo dudas como éstas.

En mi casa, en la de mis padres, digo, estaban obsesionados con el qué dirán. Valíamos en tanto los demás dijesen que valíamos, y la opinión ajena acababa por ser más importante que la nuestra propia. Creo que todo venía porque a mi padre le daba vergüenza admitir de dónde veníamos, porque en el fondo, y eso lo decía todo el mundo, venía a ser como la usura, porque en los años de la posguerra la gente tuvo que vender las joyas por nada, por lo que les dieran, para comer, y muchos en el barrio decían que mis padres habían hecho dinero aprovechándose de la desgracia de otros, porque la joyería, que era un negocio de clase y de gente bien, vino después de lo de la casa de empeños, que era un negocio muy mal visto, que yo no sé por qué, porque dinero a interés también lo prestan los bancos y nadie se mete con los banqueros, todo lo contrario, trabajar en un banco es de lo más respetable, como la joyería, pero lo de los empeños era otra cosa, eso era usura, o eso decían. Usurero o judío le llamaban a mi padre los del barrio a sus espaldas, y así son las cosas o más bien así eran, que ya ha llovido, y a mi madre se la llevaban los demonios cada vez que alguien le recordaba lo de la casa de empeños, que su marido era joyero, decía, joyero y no otra cosa.

A mí me parece que la insistencia tan exagerada en que fuésemos los más virtuosos y los más morales del barrio, en que nadie pudiera decir nada malo de nosotros, en que nadie nos tomara por unos sorches de medio pelo, les vino de ahí, como si tuviéramos que compensar de alguna manera lo de haber venido de donde veníamos.

Y por eso nosotras, las dos hermanas, sus hijas, no podíamos dar que hablar, y teníamos que ser, o más bien comportarnos, como unas chicas bien, y no sólo unas chicas bien, sino de las mejores de entre las chicas bien, y no podíamos llevar la falda por encima de la rodilla, ni salir sin medias en verano por mucho que nos asáramos, que una señorita siempre lleva medias, con calor o sin calor, ni podíamos llegar a casa un solo sábado más tarde de las nueve y media, ni dejar de ir a misa un solo domingo, ni quedarnos sin comulgar en una sola misa, pues la que no comulgaba era porque estaba en pecado y mi madre no quería que nadie pensara que nosotras pudiéramos estar en pecado, y no podíamos hablar con ninguno de los tenderos, ni con el pescadero, ni con el panadero, ni con nadie, más allá que para pedir el pan o el pescado o la carne o el cambio, porque si hablábamos una palabra de más, entonces mi madre se ponía de los mismos nervios y decía que debíamos ser inflexibles, que a los hombres no había que darles alas, que aunque de momento nos doliera lo que ella decía, a la larga se lo agradeceríamos.

Mi madre, mi madre... Mi madre era una señora tan fría que parecía conservada en hielo, en la atmósfera helada de su vida irreprochable como dicen que se mantienen los cuerpos que se encuentran en los glaciares. Cuando invitaba a otras señoras al café largo y la tertulia de los jueves, por ejemplo, se quedaba allí, en medio del salón, fría y rígida, y le iba dando turno a cada una, marcando el tiempo con una sonrisa helada, para promover la charla de todas, pero ella nunca decía, no opinaba, no se mojaba, no permitía que nadie supiera lo que estaba pensando, y se quedaba allí, inmóvil como un ídolo en medio del salón. Ella era de las que piensan que nada puede cambiar si no cambia a peor, y que decidir por uno mismo es una cosa de muy mal gusto. Para ella, qué quiere que le diga, el buen hacer y el saber estar consistían en la ciega conformidad con la tradición... la tradición de otros, por supuesto. Desde que tuvimos dinero y pudo dejar de trabajar se había decidido por la nada, y regía su vida a partir de una arcaica probidad y un puñado de principios inflexibles sobre la moral y las buenas costumbres. Y sus amigas, si es que a eso se le puede llamar amigas, igual, ídem de lienzo, aburridas como sermones, debían de considerar la inercia como señal de distinción, incluso si eso significaba que acabaran enfermando casi de inactividad, qué le voy a contar, la mente cerrada a la imaginación y el corazón a la experiencia. Hasta sus ropas carísimas eran aburridas, y parecían más bien un tributo a la importancia y al dinero de sus maridos que una cuestión de buen gusto, porque eran lo suficientemente bonitas como para que se viera que eran caras, pero siempre sobrias y muy parecidas las unas a las otras, una especie de armadura para protegerse de lo desconocido y para hacerse más cercanas, más iguales a las de su clase. A mí siempre me resultó como un poco paradójico que mi madre, que criticaba tanto la coquetería y la vanidad y que no nos dejaba a nosotras ni pintarnos ni peinarnos con moños altos, mostrara tal ansiedad a la hora de seleccionar, ordenar y lucir apropiadamente su extenso vestuario. Tanta obsesión absurda y sin sentido porque, a la larga, no se trataba más que de trajes oscuros, rectos, largos, cortados sin escote y con la manga por debajo del codo hasta en verano, sin dejar ver nada más que tela, pero está claro que los vestidos no eran para estar guapa, sino para darse importancia y demostrar a los demás quién era una.

Las reuniones de los jueves no eran más que sesiones de cotilleo, esas tardes de tomar el café con las amigas, café con pastas carísimas, encargadas especialmente a Mallorca, a pesar de que mi madre ni las probara, porque engordaban. El café largo y la tertulia suponían el único alivio semanal, dejando aparte la misa, de unas señoras que entretenían su existencia en examinar con minuciosidad hasta el último detalle de las vidas ajenas, emitiendo unas opiniones sobre los hechos y milagros de cada quién de un decidido y un agresivo que daba miedo, como si ellas estuvieran en posesión de la verdad, e ignorando a las personas que no consideraban afines a su círculo y a sus ideas hasta reducirlas a la nada, a la invisibilidad total. Una panda de tiralevitas y correveidiles amargadas, eso es lo que eran todas, qué quiere que le diga.

Mamá pasaba el día endilgándonos sermones sobre el qué dirán con una voz grave y solemne que daba lustre y relieve a casa sílaba, cada vez que abría la boca era para poner punto final. Después de toda una vida entregada al dominio de las pequeñeces había acabado por hacerse con un aire tal de autoridad que ahora sé que era artificial, pero que entonces me inspiraba un miedo atroz. Y yo me sentía como enterrada viva bajo las imposiciones de la tribu, espiada constantemente, hasta el mismísimo moño estaba de dimes y diretes y de miradas entre visillos y silabeos de misales, y de aquellas mujeres de olfato fino como perros de caza, todo el día rastreando las faltas de otro, desmenuzando los pormenores de los asuntos de los demás, harta vivía yo de sentirme como si estuviera todo el día representando una función ante un público muy educado que jamás aplaudía.

Por eso fue que yo tuve que llevar en secreto lo de que me veía con Eugenio, que lo conocí en el mercado, precisamente, que él solía ir al bar que había en el centro mismo del mercado, a tomarse un carajillo con el frutero y a mirar pasar a las criaditas que iban y venían de hacer la compra. Me entró él un día que fui con mi hermana, porque nosotras teníamos criada, claro que sí, pero mi madre se empeñaba en que también hiciéramos compra y cocinásemos y barriésemos y planchásemos, y todo, para que el día de mañana fuésemos mujeres de bien y amas de nuestra casa, y luego se pasó días siguiéndome, echándome miradas y diciéndome de todo como un torbellino, preciosa, lindura, que no se paraba en barras, y yo sin darle pie, como si oyera llover, como si no fuera conmigo, y tardó meses hasta conseguir hablar conmigo, y algún mes más en verme a solas, pero entonces yo no sabía que el mismo jueguecito se lo traía con otras varias, y yo pensaba, tonta de mí, que estaba coladito por mis huesos, que tanta insistencia no podía querer decir otra cosa, y me dejé querer, halagada, encantada, pero había que tener cuidado porque la gente del barrio hablaba, hablaba mucho, miraban tras las cortinas, miraban desde el portal y cuchicheaban, y allí donde se juntaran más de dos ya se estaría hablando de un tercero, historias que correrían rápido calle arriba y calle abajo, donde uno decía esto el otro diría aquello, y al final la historia engordaba y engordaba y poco tenía que ver lo que al final se contaba con lo que de verdad había sucedido, puro chisme, y yo vivía con el corazón en la boca porque sabía que a mi madre no le iba a gustar nada enterarse no ya de que me veía con un hombre, sino de que ese hombre era mayor que yo y, para colmo, fontanero; porque mi madre quería para mí un chico bien, formalísimo y con carrera, por más que mi padre no hubiera acabado ni de estudiar la secundaria, aunque nosotras habíamos ido a colegio de pago, y de monjas, por supuesto, que de ahí me vino a mí el gusto por la lectura y el bien hablar y los buenos modales, buena instrucción en el colegio y firme educación en casa, como decía y repetía mi madre a quien quisiera oírla. Mi marido nunca leyó nada aparte del *Marca*, por cierto, un patán de la cabeza a los pies, y nunca pudo entender por qué a mí me gustaba tanto hacerlo. ¿Pero qué iba a hacer yo sino leer, si no tenía cosa mejor que hacer en todo el día?

Pues eso, que acabé casada con un fontanero que no leía y apenas había acabado la enseñanza básica y no con el chico bien y de carrera que mi madre quería para mí. Pero yo creo que de todas formas, de alguna manera, a mí me tiraba lo mío, y mis padres no eran los señores bien que pretendían ser, sino gente que decía *de que* al hablar y *al igual* en lugar de *a lo mejor* y no tenían apellido compuesto sino que se llamaban Gutiérrez y Morales, y por eso creo yo que a la larga a mí me iba a resultar más fácil entenderme con un fontanero que con un estudiante de derecho, porque de casta le viene al galgo, estaba cantado.

Yo era muy joven entonces, dieciséis años, una niña como quien dice, y él se dio mucho arte para engatusarme, porque iba detrás del dinero, supongo, y yo, que del mundo no tenía ni idea, que ni siquiera me pintaba, fui y me colé de medio a medio, tonta de mí, que era ceguera la mía, porque ya se vio cómo salió luego la cosa, que es que ni escogido con candil, de verdad. Yo no sé si eran los movimientos o los ojos o la forma de sonreír, pero me encandiló, que sin ser guapo Eugenio, de joven era así como muy resultón, no sabría cómo explicarle, un algo muy especial tenía cuando miraba, como si te acariciara sin tocarte, esa mandíbula, ese vozarrón y esas espaldas que gastaba y que aún gasta, es que aturdía, oiga, y que yo, verlo y ponerme encarnada era todo uno, que era yo mirarme él y perder yo la cabeza, ya ve usted qué tontería, sobre todo si lo pienso ahora, después de lo que pasó. Pero Eugenio tenía una mirada que mareaba, me echaba unos ojos que partían el alma, como muy tiernos, pero a la vez miraba con un desahogo, con un empaque que no había cosa igual, como de artista de cine. Sí, se daba mucho arte para engatusar, y por eso caí yo como caí, y es que era una niña, diecisiete años cuando me preñó, ya le he dicho, una niña como quien dice. Y eso que no me dio tiempo a mucho, porque ya le digo que yo estaba muy vigilada, y si quería verle tenía que inventarme un montón de excusas y conseguir que mi hermana dijera que iba a salir conmigo, pero el caso es que Eugenio donde ponía el ojo ponía la bala, en todos los sentidos, porque sólo lo hicimos dos veces y mal, que yo casi no me enteré, como quien dice, a trancas y barrancas, en el coche de un amigo suyo, un seiscientos era, creo, que yo dije que no hasta el último momento, pero él era y siempre ha sido de ésos que piensan que si una mujer dice no en realidad quiere decir que sí, y sólo con dos veces ya me quedé preñada, que también fue mala pata la mía.

Y claro, cuando me quedé en estado aquello fue una campanada de las gordas, imagínese, y cuando mis padres se enteraron de que el padre de la criatura era el fontanero aquel de medio pelo del que medio barrio hablaba, fíjese, qué le voy a decir, duelo sobre duelo, pero enseguida lo arreglaron todo para casarnos enseguida, para que no se notara que yo me casaba con un bombo, y mi madre se pasó días llorando porque no iba a tener la boda que ella quería, la que había soñado para su hija la mayor, la boda con un abogado o un ingeniero, yo vestida de blanco, con un velo de larguísima cola y muchas damitas de honor, en una iglesia enorme con muchos invitados y alguien cantando el *Ave María* y banquete después, y hasta reseña en el *Diario*, en las páginas de sociedad, en enlaces, pero al final fue todo de lo más deslucido, en la iglesia del barrio, con un cura que leyó la fórmula en un suspiro y nos casó así, visto y no visto, una cosa casi clandestina, aunque yo iba de blanco, eso sí, pero con un velo corto y sin damitas, y de invitados los menos, porque a mis padres la familia de Eugenio les daba vergüenza, y no hubo banquete sino una comida en casa para los íntimos, y mi madre venga a llorar, y no precisamente de alegría.

Ya casados, a Eugenio se le pasó el amor de la noche a la mañana, como quien dice, que cualquiera diría que yo, a él, ni frío ni calor. Al principio no quería ni acercarse porque decía que le daba asco que yo estuviera embarazada y luego porque yo estaba todavía dando de mamar... Qué quiere que le diga, muy apasionado de novios, si es que alguna vez fuimos novios, claro, porque lo nuestro pasó de aventura a matrimonio en un ay, sin dar tiempo a formalizar nada en el ínterin... Sí, un toro era, pero ya casados, a seco y desapegado no le ganaba nadie, como si se hubiera metido en la cama con un carabinero, media vuelta y buenas noches, además, si le escarbabas un poco enseguida salía el bruto, que él lo era un rato largo, y vago para más inri, que eso se lo vi enseguida, que mentía mejor que Judas, y se le ocurría cualquier excusa para salir a beber y a emborracharse, encallado en la barra hasta que le echaban, que muchas veces volvía a casa de noche cerrada ya, la niña acostada hacía horas y la cena recalentada sobre la mesa, ni se sabía la de veces que habría ido y vuelto de la mesa del comedor a la cocina, y yo harta de esperar, pero callada, porque si me quejaba ya sabía lo que vendría, cállate que a ti no hay dios que te aguante, y a ver quién trae los cuartos a esta casa... Y había que tener cuidado con él porque cuando bebía se le ponía la mano larga, en cuanto abría yo la boca él se enfurecía, y me levantaba el brazo, un gesto repetido y violento, zas, zas, zas, y alguna vez me dio. De aquella que decidí estar calladita, que a mí se me abrían las carnes, pero no quería que mi nombre se mentara en bocas ajenas, y no decía nada, ni en casa ni fuera, ni se lo contaba a nadie, todo era fingir y callar para que nadie supiera que mi matrimonio no iba bien, para no darle más cuartos al pregonero de los que ya le había dado, para que no se hablase más de mí en el barrio, que ya sabía yo que en cuanto te dabas la vuelta hacían corrillo, siempre yo tan preocupada por el qué dirán, que eso me lo había metido mi madre a fuego en la cabeza, como quien dice. Yo me callaba y fingía, y me decía a mí misma que ojos que no ven corazón que no siente, y de esa manera crecí de golpe y porrazo, que a los dieciocho años y con una criatura ya sabía yo que el matrimonio no era ni de lejos el refugio seguro en el que me habían enseñado a creer, y ya imaginaba que al casarme había hecho oposiciones a la desgracia.

Pero yo seguía empeñada en que todo iba bien, quería, por así decir, tener el matrimonio perfecto para intentar compensar lo de haberme casado preñada y con un fontanero además, cosa más vulgar, un hombre sin pulir, y por eso nunca dejaba que nadie me viera llorar jamás, ni siquiera que me vieran triste o deprimida, y salía al mercado con la cabeza bien alta, tirando muy orgullosa del carrito, viviendo en discreto pero contándole a todo el que quisiera oírme las mil maravillas de mi marido y lo contenta que yo estaba, guardando las apariencias, ya sabe. Y me convertí en una mujer de sustancia, que de dos sacaba cuatro, y me dejaba los ojos cosiendo hasta las tantas para ir bien vestida y que también lo fuese la niña... y si no tuve más niñas que vestir es porque después de casados casi no volvimos a hacerlo, muy de cuando en cuando, de pascuas a ramos, que a mí eso no me importaba porque el asunto nunca me gustó demasiado, aunque sí echaba de menos a veces el haber tenido otra criatura, pero cuando pensaba en eso sólo tenía que acordarme de lo mal que lo pasé en el parto para que se me pasaran las ganas de crío. Si yo le contara cómo fue el parto de mi hija... No le extrañe que la quiera tanto, con lo que sufrí para traerla al mundo... Nada más llegar al hospital ya temblaba, que fui sola porque mi marido estaba de farra aquella noche y no quise llamar a mi madre para no tener que reconocerle que no sabía dónde podía encontrarlo, piense que en aquel entonces no había móviles ni nada de eso y por no tener nosotros no teníamos ni teléfono en casa, y allí, dieciocho años, una niña como quien dice, me presenté en el hospital yo sola, en un taxi, conforme estaba, con lo puesto, el camisón de dormir y el abrigo encima, y tuve que dejar que manos extrañas me afeitaran el pelo de ahí abajo, un sitio que hasta entonces sólo habíamos tocado yo y mi marido, y el médico, claro, y mi marido casi no, como ya le he dicho antes, que lo hicimos pocas veces y casi sin tocar, y no me dejaban ver, no me daban explicaciones, las enfermeras me gritaban, y luego me clavaron agujas y me pusieron allí con las piernas abiertas y aquel dolor que me retorcía por dentro y que duró horas, y las enfermeras que me gritaban y me daban órdenes, no imagina qué mal lo pasé, no me quedaron ganas para más partos. Pero luego la niña me compensó de todo, de verdad, y en lo tocante a mi marido, aprendí a llevarle con un poquito de mano izquierda, a ser flexible, a tener correa, a hacer como que no me enteraba de a qué horas llegaba o que no me importaba, y a morderme los labios si me gritaba porque la comida no le gustaba, y a poner siempre al mal tiempo buena cara, que yo, aquí donde me ve, tan delgada, tan menuda, tengo en realidad más fibra de la que aparento, y mucho aguante, así que en el barrio todos creían que yo vivía muy feliz y yo misma me lo llegué a creer a ratos. Y el tiempo se me iba en coser y limpiar, y en leer novelas de cuando en cuando, siempre que podía, de las que me prestaba mi hermana, porque el dinero no nos sobraba y no podía gastarlo en libros, que le juro que mi niña iba la más mona del barrio, e inclusive yo, por mal que esté que yo lo diga, modestia aparte, iba siempre bien vestida, y no precisamente porque me comprara vestidos caros, porque el dinero no nos sobraba, ya se lo he dicho, sino porque copiaba los figurines del *Burda* y me los cosía yo misma, y como yo siempre he tenido buen tipo, eso a la vista está, que de cara ya sé que no soy muy para allá, pero de tipo no estoy mal, algo escurrida, poco mujer si se quiere, pero de tipo mono, elegante, que a algunos hombres les parece poca cosa, a mi marido sin ir más lejos, pero las mujeres me lo envidian, yo lo sé, y como además he sido siempre muy apañada, pues yo iba bien siempre, hecha un figurín, que me daba mucho arte para lo de arreglarme, sin dinero pero con maña, que mi marido sería muy resultón, eso no se lo quita nadie, aunque ahora se haya echado a perder, pero en muchas cosas le daba yo ciento y raya, porque a él el dinero se le escapaba como si tuviera agujeros en las manos y yo, sin embargo, era como una hormiguita, ya se lo he dicho, y aunque me tenía que apañar como podía, no di nunca la impresión de ir corta de dinero, muy al contrario.

Si no hubiera sido por la niña, creo, no lo habría soportado, pero lo soportaba, y nadie sabía lo triste que yo estaba por dentro, ni mi familia siquiera, porque siempre me veían tan compuesta, siempre con la sonrisa en la boca y la niña siempre tan educada, tan mona, tan bien peinada con su lacito en la cabeza, que parecía un angelito, y nadie podía decir nada de mí, porque mi marido bebería y lo que fuera, pero yo no salía de mi casa más que para llevar y traer a la niña del colegio y para ir a la compra y a misa y a casa de mis padres, y yo misma me convencía de que las cosas habían salido bien, de que no estaba triste con la vida que llevaba, y además poco a poco empezamos a hacer dinero porque, por mucho que mi madre, que le tomó ojeriza a mi marido desde que le echó la vista encima, dijese siempre que Eugenio era un sinsustancia que a nada llegaría, la verdad es que un fontanero puede llegar a ganar mucho, y mi marido lo ganaba, aunque se dejara la mitad en el bar, que al fin y al cabo era dinero limpio, que no se le iba en impuestos ni en tonterías, como él decía, que lo que cobraba se lo quedaba sin tener que dar cuentas a nadie y que en la fontanería nunca hay paro, que todo el mundo acaba por necesitar antes o después que le arreglen unas cañerías o le cambien un grifo. Luego se asoció con uno y montaron una empresa de reformas, y ahí sí que empezó a entrar el dinero en casa, a chorros como quien dice, no le quiero ni contar, porque casi todos esos asuntos se cobran en negro, y mi marido inteligente no sé si es, pero listo un rato, que para esas cosas tiene más conchas que un galápago, amén de que, qué quiere que le diga, claro está que en esta vida cuentan más los amigos que los títulos. Y si echo la vista atrás, no sé en qué se me pasaron a mí los años, pero se pasaron, y todo parecía ir bien, o más o menos bien, mientras la cría fue pequeña, a él le veía poco o nada, pero ya me había acostumbrado, y casi prefería verle lo menos posible, pero verle contento cuando le veía, y yo llegué a ser más o menos feliz, o al menos yo creía que era feliz, y si alguien me hubiera preguntado le hubiera dicho inmediatamente que estaba muy enamorada de mi marido, pero sin dudarlo un segundo y con la mano en el corazón. Qué quiere que le diga, no estaba peor que mi hermana a pesar de que el suyo fuera director de sucursal de un banco, al fin y al cabo teníamos todo lo que había que tener, dos dormitorios, dos coches, una hija preciosa educada en un colegio de pago, un chalet adosado, una televisión en cada cuarto, un perro de raza y un apartamento en Torrevieja.

La niña, sobre todo la niña, era la razón de mi vida, mi orgullo, mi alegría, y por eso me puse yo tan mal cuando creció y cambió de aquella manera y dejó de comer y se quedó tan flaca, desmesurándosele las ojeras, un armazón de huesos flotando en la ropa, tan rara... hosca, huraña, desabrida... Desnortada como quien dice, todo el día encerrada en su cuarto y replegada en un silencio de caracol, no quedaba nada de la que había sido el primor de la casa. Llamé al psicólogo a regañadientes, no porque yo quisiera, y llevé a la niña a la consulta a escondidas porque no quería que nadie se enterara, ni la familia siquiera, o mucho menos la familia, que si mi madre se enteraba iba a decir que mi hija estaba loca y yo no quería que nadie dijera eso de mi hija. Ya me lo habían sugerido en el colegio y no les había querido hacer caso, pero cuando la llevé al médico, porque estaba asustada de lo flaca que se iba poniendo la niña, que ya no tenía más que la piel y los huesos, cualquier día le venía lo que fuera, la cogía sin defensas y sanseacabó, eso pensaba yo, el de cabecera me dijo que la cosa era mejor que la viese un especialista, y el psiquiatra aquel que me recomendó no hizo otra cosa que atiborrar a la niña de pastillas, que si pastillas para dormir, que si pastillas para la ansiedad, que si pastillas para la depresión, que si para calmarse, que si para animarse, un delirio de pastillas de todos los colores que teníamos por casa, que yo creo que las pastillas aún la enloquecían más, porque la niña no mejoraba, todo lo contrario, de pronto le salía el genio de dios sabía dónde, porque la verdad es que por lo general estaba muy apática, callada y como triste, con la mirada perdida, apagada, los ojos abesugados, que creo que se los embotaban las pastillas, pero cuando se enfadaba, entonces no sabe usted cómo se ponía, me gritaba a mí y se ponía a llorar por cualquier cosa con unos hipidos roncos y profundos, como de animal, que partían el alma. Esto empezaría más o menos cuando la niña cumplió los catorce, y siguió así, subiendo y bajando, a veces peor, a veces mejor, hasta que acabé por acostumbrarme a la situación, como si fuera un castigo de dios por vete a saber tú qué pecado que yo habría cometido, porque a mí la situación me destrozaba, porque yo quería a la niña a morir, qué quiere que le diga.

Ya tenía la niña veinte años cuando el médico sugirió internarla porque la situación había llegado a un extremo intolerable que yo no sabía manejar, se pasaba el día encerrada en casa y llorando, dejó de ir a la universidad, que no sé si llegó a ir mucho, la matrícula sí la hizo, pero las clases ni las pisó, no comía, no hacía nada, y el médico me dijo que aquello era una depresión profunda. Yo me resistía como una leona a llevarla a ningún sitio, pero lo que me convenció al final fue que la propia niña me dijo que a ella no le importaba, que quizá le viniera bien. Aún me acuerdo, que la llevé yo misma allí, en una clínica a las afueras de Madrid, en Somosaguas estaba, carísima, y después de firmar los trámites de entrada, un papel que tuvo que firmar la niña diciendo que entraba allí de forma voluntaria, la vi desaparecer por aquel pasillo blanco, con dos enfermeras acompañándola, una a cada lado, y al mío un doctor joven que me decía que no me preocupara, que la niña iba a estar bien. Nunca le perdoné a Eugenio que aquel día no nos acompañara, nunca. Bien podía él haber dejado el trabajo por unas horas, que al fin y al cabo era su propio jefe, ¿no?, pero él nunca pareció darle mayor importancia a lo de Martita, cosas de la edad, decía, ya se le pasará, cualquier día se saca novio y verás cómo se le pasa la murria esa de un plumazo. A mí me dejaban ir a verla una vez por semana, los sábados, y no falté una sola vez, y la verdad es que la vi mejorar a ojos vistas, parecía animada, estaba más llenita, tenía buen color, de vez en cuando se reía y todo, y se veía que las enfermeras le habían cogido cariño, por cómo la trataban. Yo, que había esperado todo lo contrario, un sitio sórdido, horrible, lleno de locos, como en la película aquella del nido del cuco, fui la más sorprendida con el cambio, y no entendía por qué no podía volver a casa, porque los médicos me insistían en que el proceso, el proceso, decían, sólo acababa de empezar, así que tuve que esperar dos meses. Sólo la podía ver las dos horas de cada sábado, y la echaba de menos horrores, como usted no podría ni imaginar.

Fue precisamente uno de los sábados de visita cuando me empezó a hablar del tema. Yo le había preguntado que si estaba contenta, que si creía que la clínica le estaba haciendo bien, y ella me dijo que sí, que estaba aprendiendo mucho sobre sí misma, eso lo recuerdo muy bien, la frase se me quedó grabada, y no sé cómo salió la cosa exactamente, pero tuvimos una conversación muy larga y muy profunda, qué te hecho yo, le dije yo, en qué he fallado, si yo siempre he procurado lo mejor para ti, si te he querido más que a nadie, si a lo mejor ése es el problema, que siempre te he mimado demasiado y te he hecho débil. No es eso, mamá, no tiene nada que ver con eso, mamá. Y de repente se quedó muy callada, se cortaba el silencio, estuvo un rato larguísimo con la cabeza y los ojos bajos, mirando al suelo, y luego lo dijo muy bajito, la voz en un hilo, frágil, casi un quejido. Tiene que ver con otra cosa, mamá, o con muchas cosas. Lo de mi violación, por ejemplo. Me clavó los pies en el suelo y me dejó sin habla, el estómago encogido. Al principio creí que no lo había entendido bien. Qué violación, le dije, si a ti nunca te ha violado nadie, si nunca has dicho nada, qué me estás contando. No sé cómo explicarle, era como si la hubiera escuchado pero no, era una cosa tan increíble que lo primero que pensé, dios me perdone, fue que todo era un delirio de la niña, que se lo estaba inventando, porque sonaba inverosímil, si la niña casi no salía de casa y nunca había vuelto del colegio con un ojo morado o con marcas o moratones o la ropa rota, qué se yo, lo que una espera después de una violación. Era demasiado increíble como para creerlo, y yo no quería creerlo. Al fin y al cabo la niña estaba en un loquero, ¿no?, podía estar inventándoselo para llamar la atención, eso es lo que yo quería creer, y aún recuerdo que, mientras volvía a casa dándole vueltas al asunto —era una hora de trayecto, sabe, daba mucho tiempo para pensar— me decía a mí misma que era imposible, que si algo hubiera pasado yo me habría dado cuenta, y cuando llegué a casa estuve mirando los álbumes de fotos de la familia, a ver si algo encontraba, qué pensaba yo que iba a encontrar, qué absurdo, como si esas cosas salieran en las fotos. Pero aún no estaba preparada para lo peor.

¿Sabe? A mí ni siquiera me resultaba raro que su padre no hubiese ido a verla, fíjese usted, tan acostumbrada estaba a él que cuando dijo que los hospitales le deprimían ni siquiera intenté convencerle, yo sé que suena rarísimo, pero ya le he dicho que yo llevaba años viviendo de esa manera, fingiendo, guardando las apariencias, hecha a todo. Cada vez que iba a ver a la niña yo disculpaba a su padre, papá te envía besos, pregunta mucho por ti, pero lo cierto es que ella tampoco parecía muy interesada por que él viniera ni se quejaba de su ausencia, por eso no me pareció importante que él no fuera. Le juro que yo nunca pensé que él fuera un mal padre, nunca, siempre le compró a la niña regalos carísimos por su cumpleaños, y le consentía todos los caprichos, y jugaba mucho con ella cuando estaba en casa, y hasta le había comprado el perro porque ella se empeñó en su día en que quería un perrito y perro tuvimos desde entonces, que yo no me quejo, oiga, que lo adoraba, la compañía que me hizo el animal, la pena que me dio cuando murió, no imagina usted... Por eso no entendí cuando la niña me dijo que al salir no quería ir a casa, que quería quedarse en casa de su tía, de mi hermana, porque necesitaba espacio para pensar, eso me dijo, y yo le dije que ni hablar, que tenía que volver a su casa, y ella que no y que no, y yo que sí y que sí, y entonces ella que se ponía a llorar a moco tendido, y no había manera de sacarle ni por cuánto ni el porqué ni la razón de aquel empeño, todo se le volvía decir que no le preguntara, y así pasaron varios sábados hasta que por fin un día me lo soltó a gritos, rabiosa, me dijo que no quería volver a ver a su padre, y me lo contó todo. Yo rígida, palabra, me quedé sin respiración, tenía el corazón en la garganta, el corazón que se me atravesaba y no me dejaba respirar, paf, paf, paf, y un manto de silencio que me envolvía como si fuera un sudario, después ella no dijo nada, y yo tampoco, nada, las dos mirando al suelo, incapaces de abrir la boca después de lo que se acababa de decir.

Qué quiere que le diga, al principio no quería ni creérmelo. Pensaba que era una locura de la niña, que deliraba, que aquello no podía ser. Ni siquiera me atreví a comentarlo con el padre, para que se haga usted una idea. Pero luego me paraba a pensar en que Eugenio me buscó a mí cuando yo tenía dieciséis años, una niña, y que dejó de buscarme después de parida, una mujer, y Martita a los catorce ya era una mujer hecha y derecha, ya sabe que las niñas ahora desarrollan más pronto que antes... Y entonces pensaba que era imposible, que Martita era su hija y yo no lo era, que por mucho que a Eugenio le gustaran muy jóvenes, que eso lo he sabido yo desde siempre porque tengo ojos en la cara y veía cómo las miraba, que se le iban los ojos detrás de cualquier cría en minifalda, eso no quería decir que se fuese a acostar con su hija, que eso era contra natura, una aberración. No tenía a nadie con quien hablarlo, a mi madre no, desde luego, ni a mi hermana. Pensé en ir al cura, pero no estaba muy segura de él, le tenía miedo a su lengua larga y desatada, además el cura de la parroquia podía ser el mismo que a mí, de pequeña, me había preguntado tantas cosas cuando iba a confesar, que si me tocaba, que si en quién pensaba cuando lo hacía, y no tendría yo ni once años, me asustó tanto que ya no quería volver a confesar y lo hacía obligada por mi madre, pero hablando lo mínimo, por si acaso. Intenté volver a hablar con Martita, pero no quiso, y los dos siguientes sábados se negó a tocar el tema, yo quería pensar que lo habría soñado, pero no, no podía olvidar cómo me lo contó todo, de un tirón, sin lágrimas, los ojos bajos y esquivos, evitando los míos, como si le diera vergüenza lo que contaba. Me dijo que él se había ofrecido a enseñarle a besar como besaban los mayores, y que al principio a ella le había gustado, le había gustado tener un secreto, le había gustado que su padre le hiciera caso, que la considerara especial, quería llamar la atención de su padre, ganarse su afecto, el de aquel padre que paraba tan poco por casa. Cuando la cosa fue a más ella pensó que la culpa había sido suya, por no haber sabido decir que no a tiempo, por no haber gritado, qué sabía ella. No podía contárselo a nadie, por supuesto, y decidió enterrarlo en el olvido, como si fuera una cosa soñada. No pienses que acabé aquí sólo por eso, me decía, hay gente que pasa por lo mismo y lo supera, hay más razones, supongo, el sentirme sola, el verte a ti siempre tan triste, el no saber quererme a mí misma. Quizá si yo hubiera sido otra me lo hubiera tomado de manera distinta, o habría gritado cuando se metió en mi cama, o lo habría contado antes, yo qué sé. Pero si lo hubiera contado no me habrías creído, estoy segura, me dijo. Te acuerdas, me dijo, de la bronca que me echaste una vez porque quemé la alfombra de mi cuarto. Te dije que había sido con las tenacillas de rizar y tú ni siquiera te paraste a pensar en que yo nunca me rizaba el pelo, que eras tú la única que usaba las tenacillas. En realidad, quemé la alfombra cuando intentaba quemar mis bragas. Y se veía bien que la quemadura estaba hecha con fuego, no con unas tenacillas. Eso decía la niña, yo casi no me acordaba de la alfombra ni de la quemadura ni de las tenacillas, ni mucho menos de unas bragas quemadas que hubiera visto en la basura o algo parecido. No sé, yo echaba la vista atrás y por más que me exprimía la memoria no acertaba a recordar nada, ni una sola pista, nada raro que probase que aquello podía haber sucedido, más bien al contrario, qué quiere que le diga.

Por fin me decidí a hablar con Eugenio, no sabe lo que me costó, pasé dos semanas sin dormir porque ni a decírselo me atrevía y él, tal y como yo esperaba, lo negó a boca llena, con mayúsculas, indignadísimo. Que la niña estaba loca, que la historia se la habría oído contar a cualquier otra en la clínica y que la estaba repitiendo para llamar la atención o para vengarse de dios sabría qué. Había una parte de mí que creía que aquello podría ser verdad, y otra que pensaba que era imposible que una niña se inventara cosa semejante, menos aún una niña tan buena como ella. Me estaba volviendo loca, en un mes me eché diez años encima. No sabía qué creer, de verdad, y qué quiere que le diga, lo peor es que nunca estaré segura, porque pruebas nunca hubo y mucho menos confesiones por parte de mi marido, era la palabra de la hija contra la del padre. Y si me decidí a pedir el divorcio no fue porque creyera absolutamente, a ciegas, en la palabra de Marta, sino simplemente porque, puestos a elegir, quería más a mi hija que a su padre, y había que tomar partido por la una o por el otro. También porque me sentí culpable. Verá, no sé si pasó o no pasó, pero si sé que siempre estuve tan pendiente de lo que pasaba fuera que nunca miré hacia dentro, tan obsesionada por guardar las apariencias que me negué a aceptar que la casa era un infierno. Y puede que aquello sucediera de verdad, o puede simplemente que mi hija estaba tan triste viviendo así que se lo inventó sólo de lo mal que se encontraba, pero, en cualquiera de los casos, la culpa fue mía, por mantener un matrimonio que de matrimonio no tenía nada. Si me hubiera separado otro gallo nos cantara, la culpa fue mía por hacer que mi hija creciera en una casa sin amor, con una madre amargada y siempre pegada a sus faldas por pura soledad, tan necesitada de su cariño para compensar el que no tenía que casi ni la dejé vivir. Por eso le dije a Eugenio que quería el divorcio, fue por eso por lo que se lo dije, porque me sentía culpable, ya ve.

No fue tan fácil, ¿sabe? Entonces no se divorciaba casi nadie, la ley del divorcio la acababan de aprobar, como quien dice, y estaba muy mal visto lo de divorciarse, más en un ambiente como el mío, tan católico. Él, además, no quería ni hablar del tema, y yo no podía contarle a nadie la verdadera razón de mi decisión, aunque razones no me faltaban: que él no me era fiel lo sabía todo el barrio, qué quiere que le diga, y tampoco tenía pruebas, por eso no podía alegarlo. Lo ideal hubiera sido un divorcio de mutuo acuerdo, pero él se negó de plano, muy en hombre, decía que nadie lo echaría a él de su casa como no fuera con los pies por delante, que me fuera yo si quería, que si quería pensar por mi cuenta que me lo ganara y me fuera a pensar a otra parte, que mientras el dinero fuese suyo el techo también lo era, y mientras viviéramos los demás bajo su techo los que de él dependieran habrían de pensar como él mandara. Pero mi abogada me dijo que nada de irme yo, que si me iba aquello sería abandono conyugal y entonces yo lo perdería todo, la casa y la pensión y todo, y a punto de hacerlo estuve de todas formas, porque ya estaba harta de la situación, aunque entonces no habría tenido de qué vivir, porque yo, fuera de mi casa, no he trabajado nunca en nada, y no estaba a aquella edad como para empezar a fregar suelos, que yo estaba acostumbrada a otra clase de vida, además.

Entretanto la niña ya había salido de la clínica y se había ido a vivir con mi hermana, a la que le había yo dicho que me quería separar de mi marido y que prefería que la niña no estuviera en casa para que no viera las discusiones. Mi hermana puso el grito en el cielo, que si el matrimonio era para toda la vida, que si había que aguantar, que si los principios y los valores, que si las bendiciones y los sacramentos. Empeñada estaba en hacerme reaccionar en decente, todo el día de dios pinchando e incordiando, y se puso de parte de mi marido, por supuesto, y eso que de toda la vida lo había mirado por encima del hombro, ella y el resto de la familia, padres y cuñado. En fin, me hizo pasar las de Caín, mi propia hermana. Me dijo la abogada que podíamos tener para largo, que lo del divorcio podía durar años porque si él no se quería ir habría que conseguir la separación primero, y sólo después de la separación vendría el divorcio, dos años o más podrían pasar y, entretanto, ¿qué iba a hacer yo con la niña?, ¿dónde iba a quedarse? Porque ella no quería volver a casa, decía que no le iba a sentar bien, pero no mencionaba al padre nunca, ni volvió a hablar de aquello ni me daba explicaciones, probablemente porque pensaba que yo no las necesitara. Yo tampoco volví a hablar nunca del tema, como si no hubiera existido, como si la conversación en la clínica no hubiera tenido lugar. Yo me quería separar porque no era feliz, y punto. Un calvario, no se lo puede usted ni figurar, a contrapelo de todo el mundo, mi madre, mi hermana, las amigas, que nadie entendía mi decisión. Y Eugenio que seguía en sus trece, que él no se iba. Hasta que un día le dije que si no se iba le contaría a todo el mundo lo de la niña, y ahí él se puso hecho una fiera, creí que me pegaba otra vez, gritando que yo estaba loca y la niña también, que cómo se me podía a mí siquiera pasar por la cabeza que él pudiera haber hecho cosa semejante, con los ojos brillantes de pura rabia, se puso todo rojo, el cuello hinchado, daba miedo. Lo peor es que él tenía razón, porque yo de verdad no le creía capaz de hacerlo, y en aquel momento pensé que quizá me estaba equivocando, que la niña podía haber mentido o habérselo imaginado todo, o confundir en un delirio realidad con fantasía, vaya usted a saber. Así que me marché a la habitación de la niña, que era donde dormía entonces porque lógicamente ya no dormíamos juntos, y me encerré allí, con la cabeza enterrada en la almohada para que él no oyera los sollozos y llorando me quedé dormida. Pero el caso es que a los dos días él hizo las maletas y desapareció, y después me llamó la abogada para decirme que le había llamado el abogado de él y que todo se arreglaría, y ahí empecé a pensar que si se había ido quizá era porque tenía miedo de que yo hablara de más, y que si tanto miedo tenía podría ser que la niña no mintiera. El caso es que nunca hablamos de eso, ni él ni yo ni la niña y yo, el tema no volvió a tocarse, nunca, nunca más, y yo me quedé con la casa y con una pensión misérrima que para muy poco me da, pero la niña empezó pronto a trabajar, y con su sueldo nos las arreglábamos.

De esto hace ya años, mi hija ya no vive conmigo, como usted ya sabe. Eugenio se volvió a casar al poco, con una chica muy joven, ni veinte años tendría, y menos que aparentaba, muy calladita, muy pocacosa, como era yo, del tipo que le gustan, y según creo le va bien. Han tenido otro niño y quieren tener más. El tema se quedó aparcado en la tierra de nadie de lo que no se nombra y yo nunca sabré la verdad de todo el asunto. Pero lo que hice, lo hice por amor, por amor a mi hija, y no me arrepiento, porque pienso que uno debe estar al lado de los que quiere incluso cuando duda de ellos, que eso es el amor, y si mi hija se inventó la historia, o la soñó, antes prefiero mil veces haberme equivocado a pensar que podría haberla perdido. Y no le digo que a él no le quisiera, porque le quise, no se vive con alguien tantos años sin quererle, ya sabe, aunque sólo sea porque el roce hace el cariño, y además, yo no he estado en la vida con otro hombre, ni estaré, pero amor, lo que se dice amor, amor de verdad sólo hay uno en la vida, y a quien yo he querido con locura, a quien sigo queriendo de verdad, esa es mi hija y siempre será mi hija, qué quiere que le diga, y no me arrepiento.

ALICIA O LOS DISFRACES DEL AMOR

Al principio la tomé por un travestí. Y no era para menos, con esas tetas y esos labios de silicona, y el pelo tan teñido y tan cardado que parecía un pelucón aunque no lo fuera, y la falda ajustadísima y los plataformones... Lucía ese aspecto inequívoco de las *fashion victims,* esas personas que se sienten fieramente independientes y absolutamente necesitadas de destacarse de entre la masa pero que, por otro lado, son imitadoras apasionadas que necesitan seguir las coordenadas que se les marquen, de forma que siempre viven en perpetuo desconcierto, intentado ser muy originales sin llegar a serlo en tal exceso como para ir fuera de onda. Creo que nunca la habría reconocido si ella no se hubiera acercado a mí. «¿No sabes quién soy?», me dijo, clavándome sus ojos exagerados (todo rímel y sombras) en los míos sorprendidos (redondos como platos). «Soy Alicia, ¿no te acuerdas?, de la facultad, hija. Estábamos juntas en clase.» Alicia llegaba acompañada de un séquito de musculocas de lo más *fashion*, todos vestidos a la última y con el pelo cortado y teñido en Coufiño: una mariliendre típica. Nada que ver con la chica lacia y pocacosa a la que conocí tantos años atrás.

Habría podido ser bonita —entonces— de no haber sido por dos golpes de mala suerte: el primero, la tetraciclina que tomó su madre durante el embarazo, que se reveló en los dientes renegridos de la hija que había gestado. El segundo, una pelota que se le estrelló a la niña en plena cara durante un partido de voleibol a los nueve años, partiéndole la nariz. Ni los ojos brillantes, ni la boca bien perfilada, ni el pelo abundante lograban hacer olvidar unos defectos tan obvios. Para colmo tampoco tenía un cuerpo espectacular, era más bien plana, escurrida de caderas, el tipo de flacucha que se queda en sosa sin llegar a elegante, pues no era lo suficientemente alta y tampoco sabía andar con gracia. Acabó convertida en el juguetito de los chicos de la pandilla del bar, que se acostaban con ella y la largaban al día siguiente porque en realidad querían hacérselo con Susanita la divina (un prodigio de senos y caderas que en la vida se hubiera dignado a irse a la cama con ellos) o, en su defecto, conmigo, que tampoco me acostaba con ninguno, pero no porque pensase que no estaban a mi altura, como creía Susana, ni porque estuviese esperando a perder la virginidad con el amor de mi vida, como creían muchos —ilusos...—, sino porque ya sabía que no me gustaban los hombres aunque todavía no me hubiese atrevido a salir del armario. Estoy hablando de los años ochenta y entonces resultaba muy difícil decir en alto según qué cosas y más aún en según qué ambientes. En fin, que Alicia era «una chica muy simpática», ese tipo de eufemismo que todavía se usa para describir a la que no está buena y tampoco tiene excesivas luces (no es que fuera tonta, pero era demasiado tímida como para demostrarlo); y, para colmo, todo el mundo sabía que había pasado ya por muchas manos, que Alicia era mercancía de saldo, usada, algo para utilizar como desahogo en las noches de borrachera, pero no una chica de la que ninguno pudiera enamorarse.

Dos años estuvo —primero y segundo de carrera— acostándose con todo lo que se le ponía a tiro, nunca supe ni sabré bien si buscando afecto, si intentando compensar a base de conquistas su complejo de fea (que lo tenía, y mucho, resultaba evidente cuando se tapaba la boca al reír para no enseñar los dientes o en la manía de llevar siempre el pelo en la cara para disimular la nariz) o, simplemente, impulsada por una mera cuestión genética: las hay que nacen, dicen, con una carga hormonal superior a la media y con una libido más desarrollada. El caso es que no parecía feliz. Bebía demasiado y, cuando lo hacía, acababa muchas veces llorando a lágrima viva.

Por fin la alegría pareció llegar a su vida... en forma de novio, como suele suceder en semejantes casos. Novio despampanante, para mayúscula sorpresa de todos nosotros: rubio, ojiclaro, formato armario, natural de Olite, provincia de Navarra, rico para más señas y bienhallado a altas horas de la madrugada en un bar de la calle de Huertas. Se veían dos veces al mes, una en Madrid y otra en Olite, y la cosa, pese a la distancia, o quizá precisamente por ella, quién sabe, parecía marchar a las mil maravillas, e igual de bien continuó durante los tres años siguientes, hasta que Alicia acabó la carrera.

Como ella se había licenciado en Filología Alemana con buenísimas notas no le resultó nada difícil encontrar trabajo, por aquel entonces había pocos traductores-intérpretes de alemán y la mayoría eran muy malos, además, en el *boom* de los ochenta muchas empresas alemanas vinieron a instalarse en el país. El producto de sus primeros seis meses de trabajo lo invirtió Alicia en lo que siempre había sido el sueño de su vida: cambiarse la cara. En principio quería operarse la nariz y blanquearse los dientes, pero en la clínica la convencieron de que, ya puesta a entrar en quirófano, podía de paso ponerse unos implantes en el pecho y le harían una rebaja sustancial en el precio, una especie de «llévese tres y pague dos». Se rellenó también con silicona los pómulos, el mentón y los labios, y el resultado fue una nueva Alicia, una Alicia de perfil griego y espléndida dentadura exhibida en frecuentes sonrisas, una Alicia especie de Barbie andante, una Alicia que a mí no me decía gran cosa, pero que podía haber presentado sin mayor problema el concurso del Euromillón y haber recibido a diario cien cartas de admiradores.

Cuando por fin fue guapa, o por fin se vio guapa (porque todos sabemos que lo de la belleza es algo muy relativo, y a mí la Alicia remodelada no me inspiraba nada, como ya he dicho), se encontró de la noche a la mañana con un montón de hombres a sus pies, hombres que no mostraban el tipo de actitud que ella había conocido en el pasado, que no sólo se acercaban a ella en los bares o en las fiestas a última hora, cuando parecía que ya no quedaba esperanza de pillar cosa mejor. Hombres distintos, que ansiaban exhibirla, pasearla de su brazo, llevarla a cenar, dejarse ver con Alicia. Hombres de todo tipo, altos y bajos, rubios y morenos, maduros y jóvenes; hombres de virilidad pujante y ojos ansiosos, hombres de carne alzándose como una cifra exacta, hombres cuyo roce suponía un estremecimiento de vértigo; hombres nuevos, atentos, serviles incluso; tal cantidad de hombres como para que el novio navarro perdiese de pronto su categoría de milagro, de respuesta a las plegarias tantos años elevadas silenciosamente al cielo, y se convirtiese en uno más, ni mejor ni peor, ni más guapo, ni más bueno, ni más listo ni más rico que otros tantos.

Y así llegó el conflicto, pues el navarro insistía en que se casasen, lo cual significaría que ella tendría que irse a vivir a Olite, porque él iba a heredar las bodegas familiares y lógicamente no podía dejar de vivir en el pueblo. Aquel plan que en el pasado se le antojara tan perfecto —esposa de un próspero empresario de provincias, madre de dos niños altos y rubios como su padre— se le aparecía a Alicia de repente como una condena, la muerte en vida, ahora que alternaba en fiestas varias y bares de diseño y restaurantes de lujo, ahora que había conocido, gracias a su trabajo, tantos hombres interesantes, tantos rincones nuevos. Y no es que no le quisiera, porque sí le quería, pero era curiosa y joven y sentía que ante ella se desplegaba un abanico de posibilidades que no quería malgastar. Se encontraba escindida entre su recién descubierto apetito de vida y su complejo de culpa, porque ¿cómo iba a dejar a aquel hombre tan bueno, que la quiso cuando nadie la quería, que nunca le había dado un disgusto y que, muy al contrario, había sido todo afecto, ternura y comprensión? Tampoco se sentía capaz Alicia de dar largas e ir posponiendo la boda, porque no le gustaba la mentira, y ya había empezado a ser infiel, y sabía que el primer desliz se repetiría, que habría un segundo y un tercero y que, si posponía el enlace, seguiría mintiendo y mintiendo.

Se planteaba muchísimas preguntas sobre sí misma. En el fondo nunca le habían gustado las tareas domésticas, se le daba fatal algo tan simple como hacer una cama y, aunque en el futuro tuviera servicio y no tuviera por qué hacer ninguna, el caso es que no se veía limitándose a la administración de la casa, prisionera en un apacible entorno de rumiante apatía. Era muy respetada en su trabajo, cada vez viajaba y cobraba más, y en Olite, por supuesto, no podría ni soñar con ser intérprete simultánea. En realidad había creído que le gustaría ser esposa y madre cuando aquella oferta parecía ser la única posibilidad de cariño que se le ofrecía. Pero ahora que aparecían tantas opciones nuevas...

Lo peor era que se estaba mintiendo a sí misma, porque el caso es que ninguno de sus nuevos pretendientes parecía ir precisamente ofreciendo o buscando cariño, sino más bien otra cosa. Era el sexo lo que le llamaba tanto la atención. Una nueva perspectiva del sexo que nunca había conocido. La sensación de poder que sentía al ser ella la que elegía o rechazaba, al ser ella la deseada en lugar de la deseante.

Por fin halló valor para decírselo a su novio después de haberle dado vueltas y más vueltas al asunto. Se sintió cobarde al elegir un restaurante como escenario en el que anunciar su decisión. Lo hacía para que él —que tenía, como buen vasco, un sentido muy acendrado del ridículo— no pudiera ponerse a llorar, o a gritar, o... La verdad es que Alicia no acertaba siquiera a imaginar cómo reaccionaría. Se dio cuenta entonces de que por mucho tiempo que hubieran pasado juntos, en realidad casi no conocía al hombre con el que había pensado en formar una familia. Para ser más exactos, no es que se diera cuenta, fue más bien que se atrevió a admitirlo, porque lo había sabido todo el tiempo, pero no lo quiso ver, asustada ante la idea de perder a aquel dechado de virtudes, en la época en que su novio le había parecido la última cocacola en el desierto.

Tardó mucho en explicárselo, pese a haber ensayado aquel discurso más de cien veces, sin embargo luego se fue perdiendo en circunloquios y explicaciones suplementarias, en rodeos y desvíos para evitar abordar el tema central, y fue él quien se lo tuvo que preguntar a bocajarro: «Tú lo que quieres es que lo dejemos, ¿no?», y ella, enormemente triste, no encontró fuerzas ni para contestar y se limitó a asentir con la cabeza. Él se quedó inmóvil frente a ella, los ojos desmedidos, pálido como un sudario, todavía con el tenedor en la mano, paralizado por el susto o la sorpresa. Ella se sentía mal, pero no por él, sino por ella. Sólo quería que el momento acabara, apurar aquel mal trago de una vez. De repente le despreciaba a él, por débil, y se despreciaba a sí misma por despreciarle a él, por no ser capaz de albergar un sentimiento noble hacia aquel hombre que tan bien la había tratado. Él le agradeció el detalle de habérselo dicho a la cara en lugar de habérselo comunicado por carta —una forma de resolver el engorroso trámite que habría sido, sin duda, mucho más fácil para ella—, y ella se quedó atónita, pues en ningún momento se le había pasado por la cabeza una solución así, tan cobarde, tan absurda. Casi le odió por ser tan bueno, por tomárselo con tanta elegancia, por ser incluso capaz de encontrar algo agradable en la forma de abordar la ruptura, por hacerla sentirse, por contraste, tan ruin y despreciable.

Tras la ruptura, Alicia entró en una crisis terrible: sentía que la culpabilidad estaba a punto de comérsela viva, por no hablar de un sentimiento de miedo a lo desconocido que la acechaba. ¿Y si había perdido el último tren? ¿Y si no volvía a encontrar un hombre dispuesto a casarse con ella, a darle hijos? Sabía de sobra que Goyo era un gran partido y que a su madre, la de ella, le costaría mucho perdonarle a Alicia la barbaridad que ésta había cometido habiéndole dejado —barbaridad, claro está, considerando la acción siempre según las ideas maternas y no las de Alicia—, pero en el fondo Alicia pensaba que si tan escasos eran los Goyos que había en el mundo, esas raras joyas cuyas virtudes las madres bien pensantes no cesaban de alabar a las hijas, no sería ella quien fuese a reducir aún más su número restando uno de ellos a las filas de los solteros. Bien era cierto que en algunos momentos casi se arrepentía de lo que dijo en aquel restaurante, y sentía la tentación de llamar a Goyo y proponerle borrón y cuenta nueva, pero no se trataba de momentos demasiado duraderos y, además, se arrepentía entre cenas y copas y eran los lujosos coches de sus nuevos amantes los que llevaban su arrepentido corazón a consolarse en algún local de moda. No se atrevía a llamarle porque él le había pedido por favor que no lo hiciera y porque además no sabía exactamente lo que quería decirle. No estaba segura de lo que había hecho, pero sí sabía que, de momento, no quería volver con él. El goce físico sofocaba los escrúpulos y silenciaba la memoria.

Se preguntaba a sí misma si alguna vez estuvo enamorada. Al principio estaba tan fascinada por la novedad del asunto, tan contagiada del entusiasmo que sentían sus amigas, su madre, sus hermanas, sus tías, cuando les presentaba a tan soberbio mozo, que en ningún momento dudó de que lo que sentía (esto es: un orgullo que se le escapaba por los poros mezclado con un miedo ansioso, infantil, a que aquel sueño se acabara un día de repente, tan de sorpresa como había llegado) fuera amor. Pero años después aquella emoción que les unía le parecía poca cosa comparada con lo que se suponía que debería ser, con la emoción extática que se reflejaba, por ejemplo, en algunas canciones, en poemas, en películas. Ellos dos no compartían lecturas, ni ideas políticas, ni gustos musicales, ni sentido del humor, y ni siquiera su vida sexual —ahora que podía compararla con sus experiencias más recientes en lugar de con aquellos sórdidos polvos de adolescencia, mal saldados entre la borrachera y el mediocre entusiasmo del contrario— fue nunca nada del otro mundo. En realidad, ni siquiera se explicaba qué era lo que él podía haber visto en ella. Alicia, evidentemente, quedó fascinada —al menos al principio— por su belleza y su posición social. Pero... ¿él?, ¿qué sentía él?, ¿qué le atrajo de ella? Quizá la total sumisión que —complejo de inferioridad obliga— ella siempre había demostrado, su disponibilidad absoluta para plegarse a sus deseos, las reservas de linfática paciencia de las que había hecho gala para aguantarle sus rabietas cuando las tenía, para dejar que él escogiese las películas que verían juntos —normalmente historietas yanquis de acción que ella secretamente detestaba—, la música que escucharían en el coche —aquellos coñazos de cintas de Bruce Springsteen de tan ingrato recuerdo— o los restaurantes en los que cenarían —parrilladas argentinas y mesones, a pesar de que a ella no le gustase la carne—. Por muy culpable que se sintiera, no le apetecía volver a aquella vida. Quería elegir ella las películas, ver cintas de arte y ensayo subtituladas y aburridísimas, escuchar conciertos de música de cámara en el Monumental, cenar en restaurantes japoneses, alzar la voz cuando le viniera en gana, no tener que escoger con cuidado los temas de conversación para evitar contradecir u ofender a su novio, no dar cuentas de por dónde entraba o con quién salía.

Ahora era libre. Para lo bueno y para lo malo. Para el placer y la culpabilidad.

Agobiada por aquel pensar y repensar y volver a pensar y repensar en lo que pudo ser y no fue, en si se habría o no equivocado, en la inmadurez que suponía el dejar al novio de toda la vida, soso pero estable, en aras de un sentimiento profundo que imaginaba pero que en realidad nunca había sentido, acabó por escribir a Miren, una chica de la cuadrilla con la que solían salir en Olite. La verdad es que ellas dos nunca habían sido muy íntimas, pero Alicia se sentía tan agobiada, tan necesitada de un desahogo que en Madrid no tenía con quién compartir (ya que los amigos de facultad apenas conocían al novio —cuando Goyo la visitaba en Madrid se empeñaba siempre en salir con ella a solas— y no podrían por tanto valorarle o defenderle), tan ávida de confrontar con alguien las dudas que tanto la agobiaban, que pensó que nadie mejor que Miren (que vivía a cinco minutos de la casa de Goyo y le veía, como quien dice, día sí y día no) para decirle si había hecho bien o mal, si a él se le veía destrozado o si, por el contrario, parecía llevar la cosa con estoicismo o incluso, quién sabe, con cierta alegría, con cierto poso de alivio por haberse librado de una chica que le convenía tan poco.

Grande fue la sorpresa de Alicia cuando Miren le llamó por teléfono y le insistió en que debían verse cara a cara, sugiriéndole que la invitara a Madrid para que pudieran hablar del tema. Llegó a pensar que Miren aprovechaba la coyuntura para sacar un fin de semanita gratis en la capital. Al fin y al cabo Olite podía hacerse un sitio tan aburrido —por bonito que fuera, que lo era— que semejante idea resultaba plausible. En cualquier caso, si Miren necesitaba divertirse, escapar por un rato del tedio del pueblo, también Alicia necesitaba desahogarse, por lo que finalmente aceptó la idea y se dispuso a recibir a la conocida en su flamante apartamento de soltera urbana.

«No podía decírtelo por carta ni por teléfono», le dijo Miren, «como comprenderás, tratándose de un tema tan delicado...». La atónita Alicia le dio la razón. No, no podía habérselo dicho de otra manera, y todavía no acertaba a decidir si debía agradecérselo o no, aunque en el fondo supiera que Miren había hecho lo que tenía que hacer.

La historia que le contó Miren se remontaba a tiempo atrás, cuando Miren todavía salía con Iñaki, el mejor amigo de Goyo. Un fin de semana de verano en el que los padres de Iñaki no estaban porque habían ido a una boda de unos parientes en Bilbao (en el recuerdo poco importaba si se trataba de una boda o un bautizo o si tuvo lugar en Bilbao o en Vitoria) ella se quedó a pasar la noche con él (aduciendo en su casa alguna excusa estúpida, del tipo de que se iba a estudiar a casa de una amiga o algo así) y no pudo sustraerse a la tentación de revolver en sus cajones, más por aburrimiento (él llevaba horas encerrado en el baño y ella no sabía qué hacer) que porque esperara encontrar algo interesante. Una libretita negra llamó su atención. Hojeándola, se sorprendió al descubrir que junto a las anotaciones habituales en estos casos (cumpleaños de mamá, recoger análisis, examen de estadística, llevar el coche a revisión...) se repetía, insistentemente, una letra que figuraba en muchos días: una G mayúscula. No entendía qué podía significar. Pensó en una chica de la pandilla que se llamaba Gotzone, pero enseguida desechó la posibilidad por ridícula: Gotzone e Iñaki casi no se hablaban, y si hubiera habido algo entre ellos se habría notado de alguna manera.

Después de mucho darle vueltas, cayó en la cuenta de que se tenía que referir a Goyo. Por alguna razón, Iñaki apuntaba las veces en las que se citaba con su amigo, o quizá las que dormía en su casa, cosa que hacían a menudo porque estudiaban la misma carrera (empresariales en la Universidad de Navarra) en el mismo curso e incluso hacían todos los días juntos en el coche de Goyo el trayecto de Olite a Pamplona para ir a clase: eran inseparables. Esta inseparabilidad había suscitado muchas veces los celos de Miren. No es que pensara nada raro, pero se daba cuenta de que, para Iñaki, Goyo era más importante que ella, y no se le escapaba que entre ellos dos existía un grado de complicidad, de compenetración, al que ella nunca podría aspirar. No había comentado esto nunca con nadie porque daba por hecho que a todo el mundo le parecería ridículo y que incluso algunos —su madre, por ejemplo— encontrarían normal esa afinidad tan íntima entre muchachos, pues había quien pensaba que el hombre y la mujer estaban hechos para entenderse de otra manera, en la cama, pero que en realidad eran tan distintos como para que resultase imposible concebir una verdadera amistad —estrecha, cerrada, como la que unía a Goyo e Iñaki— entre hombre y mujer.

Desde el descubrimiento de la libretita negra a Miren le empezó a reconcomer una inquietud que le bullía por dentro como una gusanera. Al principio no quería reconocerse a sí misma el motivo último de su sospecha, le parecía una barbaridad pensar semejante aberración de nadie, y sobre todo de su propio novio. Miren no le puso nombre a su recelo y lo único que se atrevía a pensar es que le resultaba incómodo el afecto enorme y profundo que Iñaki profesaba a Goyo, un cariño tan grande que hacía que el que sintiera por ella resultase anémico en comparación, porque Iñaki le dedicaba a Goyo más tiempo, más esfuerzo, mejores palabras, más atentos ojos. Pero empezó a pensar lo que siempre había temido, una sospecha que había ido germinando en el subsuelo de su corazón, una tierra abonada por el sordo dolor, tan cotidiano, de sentir a Iñaki tan cercano y sin embargo tan inaccesible en muchos sentidos: empezó a creer que Iñaki no la quería. Cierto era que la trataba bien y con respeto, pero la pasión —en la cama y fuera de ella— brillaba por su ausencia.

A partir de entonces empezó a acariciar la idea de dejar a Iñaki. Quería buscar otro tipo de hombre que la hiciese sentir más querida, más deseada, más persona. ¿Y si no lo encontraba? Tanto le daba. En su opinión, más valía estar sola que mal acompañada, mejor tranquila y soltera que prometida pero siempre agobiada por ese constante sentimiento de no estar a la altura de lo que se esperaba de ella. Pero se sentía exactamente igual a como se había sentido Alicia: se culpaba por la inmadurez que suponía el dejar al novio de toda la vida, a esa relación excesivamente predecible, aburrida a veces, pero estable al fin y al cabo, sacrificar esa tranquilidad en nombre de una pasión futura que podría llegar o no, que quizá ni siquiera existiera; encontraba infantiles sus celos y no se atrevía a dar el paso para propiciar la ruptura definitiva.

Y empezó a mirar a Iñaki con otros ojos y a prestar atención a detalles que hasta entonces no le habían pasado desapercibidos, pero a los que había preferido no conceder importancia: las miradas que se dirigían a veces Iñaki y Goyo cuando estaban rodeados de gente, unos guiños cómplices y unas sonrisas cálidas que no venían a cuento, y todas las ocasiones que aprovechaban para rozarse y tocarse de manera aparentemente casual, mientras que a ella le costaba conseguir incluso que Iñaki le cogiera la mano en público. Estuvo así meses, observándoles con celo de inquisidora, acosada por unos amargos accesos de retrospección en los que todo el pasado de su relación se le representaba como una farsa y culpándose a sí misma por pensar lo que pensaba, lo que no quería reconocer que pensaba. Era como si hubiese relegado aquella sospecha a un rincón muy remoto de su subconsciente desde el cual los gritos de la suspicacia le llegaban sordos y amortiguados, apenas un leve murmullo apagado bajo las voces y los clamores de otros pensamientos que estaban en la superficie y que reclamaban su atención de forma más urgente, lo que diría su familia si dejaba a su novio, por ejemplo, o lo que ella misma perdería si le dejaba, pues todo el mundo pensaba que había cazado a uno de los mejores partidos de la provincia. De no haber estado tan alerta probablemente no habría reparado en el detalle que le abrió los ojos, el que la condujo a la resolución del misterio que no era tan misterio.

Sucedió en Donosti, una noche que había salido toda la cuadrilla a celebrar el cumpleaños de Goyo. Primero fueron a cenar, luego de chiquitos, y a las tres de la mañana acabaron tomando copas en una discoteca en la que, por lo visto, acababa la fiesta todo Donosti y que se llamaba Komplot. Se trataba de un local enorme con dos barras, y cada una de las cuales parecía atraer a una clientela distinta: una para los más pijos (los típicos cachorros bien de Donosti con sus camisas bien planchadas de caballito bordado en la pechera, los náuticos en los pies, el Burberry´s amarrado a la cintura y sus amigas con su melenita alisada y sus pendientes de perlita) y la otra para los modernos (chicos y chicas de pelo muy corto, camisetas ceñidísimas y pantalones de colores). Todos habían bebido mucho: Goyo, Iñaki, Miren y el resto de la pandilla. Estaban bailando en la pista, agitándose y descoyuntándose al compás del *Desátame,* cuando a Miren le llamó la atención la mirada de Iñaki, fija en Goyo, que había ido a pedir una copa a la barra más «alternativa» y estaba charlando animadamente con un jovencito moreno, muy guapo. De improviso, Iñaki dejó de bailar y, abriéndose paso a través de los danzantes de una forma muy brusca, casi casi a empellones, se presentó en la barra y se colocó entre Iñaki y el chico mono, que desapareció de pronto como si le hubiesen pillado en falta o como si un macho de mayor jerarquía hubiese aparecido reclamando su territorio. La manera en la que Iñaki agarró del brazo a Goyo, la forma en que se dirigía a él, como amenazándole, gritándole al oído, y el empujón agresivo con el que Goyo se deshizo de su amigo... No, por mucho que ella no quisiera verlo, por mucho que no quisiera saber, no se le escapaba, en aquel ambiente, lo que estaba presenciando: una disputa de enamorados. Cierto que no tenía ninguna prueba tangible, evidente, pero su intuición le decía que no estaba equivocada, que la verdad se presentaba allí, en aquella barra, agitando los brazos, reclamando su atención, y que ya resultaba imposible del todo ignorarla.

No habló de aquello con nadie, ni siquiera con Iñaki, sabía de sobra que él lo negaría todo y que incluso la habría acusado a ella de intrigante, de loca, de suspicaz. Cuando le dejó adujo las razones típicas: que no estaba segura, que no creía estar enamorada, que necesitaba tiempo... Y él, tal y como ella había esperado, se mostró triste, pero no desolado ni particularmente ofendido.

Como Alicia vivía en Madrid y Goyo pasaba solo la mayor parte del tiempo, los lazos entre Goyo (ennoviado en teoría y libre en la práctica) e Iñaki (recién abandonado por su novia de toda la vida) se afianzaron, confirmándole a Miren lo que había sospechado: se les veía juntos a todas horas, como si fuesen una pareja de la Guardia Civil, e incluso la cuadrilla ya empezaba a hacer chistes al respecto, chistes inocentes como llamarles «Hernández y Fernández», nada más ofensivo que eso. Pero Miren estaba cada vez más segura de que la decisión tomada era la correcta, de que ella no había sido más que una cortina de humo, de que incluso si se hubiera casado con Iñaki, como todo el mundo esperaba, no habría sido para él más que una amiga muy querida y el pasaporte hacia la respetabilidad que el entorno —su familia católica de toda la vida, su universidad del Opus— y su propia conciencia modelada en el bien y el orden le exigiría.

—Tenía que decírtelo —le dijo Miren— porque cuando leí la carta me di cuenta de que estabas atravesando la misma crisis que yo, que te comía el mismo sentimiento de culpabilidad, y pensé que deberías saberlo. También creo que necesitaba desahogarme, contárselo a alguien y, como comprenderás, no podía hacerlo en Olite. Nadie me habría creído, y si lo hubiesen hecho aún sería peor.

—¿Has sentido rencor alguna vez? —le preguntó Alicia.

—He llegado a sentir tantas cosas, tantos sentimientos mezclados, confusos, que ya ni sé lo que sentía. Me sentía engañada, y decepcionada, pero también me sentía aliviada cuando por fin lo dejamos. Además, ya no le quería. Eso ayuda.

A la luz de la confesión de Miren, Alicia revisó desde otro prisma la historia de su relación con Goyo. Si las sospechas de Miren fuesen ciertas, entonces había encontrado la solución al misterio de lo que Goyo pudo ver en ella. Alicia resultaba una tapadera fácil: agradecidísima hasta los huesos y además residente en otra ciudad, con lo cual no invadiría su espacio. Sí, quizá Miren tuviera razón. Ahora que lo pensaba, esa explicación hacía encajar milagrosamente muchas piezas dispersas. El desapego, la frialdad, la indiferencia de Goyo que ella en su día atribuyó al carácter vasco. Incluso el hecho de que casi nunca hubieran discutido. No, él no sentía nunca celos ni reparaba en lo que ella se ponía, le daba igual si llevaba la falda más larga o más corta o el escote más pronunciado, no pareció enterarse de que ella le fuera infiel, y eso que seguro que resultaba más que evidente el cambio de actitud y las excusas absurdas de Alicia para evitar ir a Olite (aunque, claro, ella tampoco se había dado cuenta de la infidelidad de él, si es que existió), y tampoco pareció haberle alterado mucho el espectacular cambio físico de Alicia, como si no le provocara ni frío ni calor. Lo había notado, por supuesto, y había felicitado entusiasmadamente a Alicia por el cambio e incluso se permitió aconsejarle sobre nuevos peinados que realzarían su recién estrenada fisonomía, pero su nueva belleza, si es que la hubiera, no se tradujo nunca en un cambio más importante, en ningún alarde de pasión o al menos de admiración, sino sólo en una serie de reacciones exageradamente epidérmicas. No, él no sentía nunca celos, llegaba tarde a las citas, miraba mucho el reloj, llamaba por teléfono secretamente en cuanto ella se iba al baño, parpadeaba cuando hacía el amor... Se comportaba, en suma, como un amado y no como un amante. En cuanto a lo de Iñaki... Sí, tenía visos de ser verdad. Ella también había encontrado, como Miren, excesiva la cercanía entre ambos, y al principio de la relación había experimentado los mismos resquemores...

... Y la misma culpabilidad por sentirlos y el mismo deseo de enterrarlos.

No podía evitar imaginarlos juntos y, peor aún, no podía evitar que la idea le excitara. Sus duros y lisos cuerpos de atleta, hechos y largos, jóvenes, formados sin exceso por el ejercicio (tenis, frontón, fútbol los domingos por la mañana), los muslos torneados y firmes, los músculos equilibrados de las pantorrillas, poco vello en el cuerpo de Goyo excepto en las axilas, quizá un felpudo deliciosamente rizado en el caso de Iñaki, como se le podía suponer según el negrísimo cabello espiralado y la sombra de él en los nudillos que Alicia recordaba ¿o imaginaba?; los dos erectos, turgentes, restregándose salvajemente, jadeando, besándose las bocas y los sexos y los pezones durísimos como carozos de aceituna; las pollas enormes, inmensamente satisfechas en la oscuridad cerrada y cómplice de la noche mientras los padres del uno o del otro dormían el sueño de los justos en la burguesa y confortable grisura de su cama, bajo el crucifijo que presidía sus noches —blancas desde hacía años—, ignorantes de que a pocos metros su dilectísimo y formalísimo hijo —el estudiante modelo, el hijo ejemplar, el dechado de virtudes...— se corría en el vientre o en la espalda o quizá en el ano de su mejor amigo mordiendo la almohada para amortiguar los gemidos de placer. No, ella no sentía rencor, encontraba la historia divertida y no dejaba de verle el punto morboso. Al fin y al cabo ambos, Alicia y Goyo, se habían ayudado, se habían proporcionado mutuamente respetabilidad. La fea de la clase y el mariquita del pueblo legitimados a los ojos de los otros gracias a la nueva novia y novio, agradecidos los dos al destino por lo que les deparó: a ella un chico que no hacía preguntas sobre su pasado y a él una chica que no las hacía sobre su presente.

Lo importante no había sido el amor, sino su representación. Una representación de la pasión de forma que ésta resultara un engendro equidistante entre lo que deseaban y lo que deseaban sentir.

De todas formas, necesitaba confirmarlo, saber si aquello era verdad o meras sospechas de una Miren celosa que alimentaban las fantasías de una Alicia caliente o excesivamente imaginativa. Por eso el fin de semana siguiente se presentó en Olite sin avisar. No quiso llamar advirtiendo a Goyo de su llegada porque pensó que él le pediría que no fuese a verle. Decididamente, se quedaría en casa de Miren e intentaría localizar a Goyo haciéndose la encontradiza en cualquiera de los bares o cafeterías por los que solía parar. Al fin y al cabo, Olite es un pueblo pequeño y no sería difícil dar con él. Tenía que preguntárselo, cara a cara.

Miren no acabó de entenderlo. Decía que él nunca lo reconocería, que no tenía sentido preguntarlo, pero aun así aceptó acoger a Alicia en la casa de sus padres durante el fin de semana. Después de todo, no podía negarse: a una invitación correspondía, en buena lógica, otra invitación.

Alicia llegó a Olite el viernes por la noche, noche que pasó casi en blanco imaginando las mil y una versiones posibles de su encuentro con Goyo. Salió a buscarle, acompañada por una Miren escéptica y resignada, a las doce de la mañana del sábado, convencida de que se lo encontraría en el bar de costumbre, en donde la cuadrilla solía quedar para empezar la ronda de chiquitos de la mañana y para decidir si esa noche saldrían por Olite o se escaparían a Pamplona.

En el bar no estaba ni Goyo ni nadie de la cuadrilla, pero al cabo de media hora lo vio entrar por la puerta acompañado de Iñaki y ambos —detalle revelador— con el pelo mojado, como si acabaran de salir de la ducha. La expresión de Goyo al verla fue igualmente reveladora: se puso blanco como un papel y se quedó literalmente boquiabierto. Luego se acercó a ella muy sonriente pero visiblemente nervioso.

—Pero, ¿qué haces tú aquí? —le preguntó.

—Ya ves. He venido a verte.

—¿Y cómo no me has avisado?

—Porque quería darte una sorpresa. Anda, invítame a un vino.

Se tomaron un vino los cuatro juntos en un ambiente de lo más ligero y distendido, como si todavía fueran dos parejas y nunca se hubieran separado, aunque bajo aquella aparente cordialidad festiva subyacía una corriente de recelo tenso que se les notaba a los dos chicos más de lo que ellos hubieran querido: Iñaki tartamudeaba ligeramente y Goyo se atropellaba al hablar, como si quisiera amortiguar a base de palabras la incertidumbre del momento.

—¿Me invitas a comer? —preguntó Alicia.

—No puedo. He quedado a comer con mis padres.

—Llámales y diles que he venido. Si quieres les llamo yo. Tengo algo muy importante que decirte, a solas. Y como supongo que para esta tarde-noche ya habrás quedado...

—Pero, ¿qué pasa? ¿A qué viene tanto misterio? ¿Qué es eso tan importante?

—No te lo puedo decir con gente delante. Por favor...

—Está bien.

Goyo llamó a su casa desde el teléfono móvil y anunció que no iría a comer. Después llevó a Alicia a un caserío que estaba en el monte, a pocos kilómetros del pueblo, y que tenía mucha fama. Se le notaba muy inquieto, y no era para menos, pero Alicia no quería adelantarle nada.

Por fin, una vez sentados frente a la mesa, él no pudo contenerse más.

—Alicia ... No estarás embarazada, ¿verdad?

A ella le entró tal ataque de risa que se le atragantó la sidra y Goyo tuvo que darle las palmaditas de rigor mientras todos los allí presentes se quedaban mirándola estupefactos y la casera acudía precipitadamente —toda sudores y preocupación— para intentar auxiliarla.

—No, no estoy embarazada —le tranquilizó Alicia, una vez se hubo recuperado y ya retornada la casera a su cocina—. No tiene nada que ver con eso. La verdad es que no sé por dónde empezar... Pero te tengo que hacer una pregunta muy indiscreta que puede que te moleste.

—Tú dirás.

—¿Iñaki y tú estáis liados?

Entonces fue él el que por poco se atraganta. Reaccionó como si le hubieran pegado una bofetada. Cerró los ojos de golpe y adquirió una expresión extremadamente tensa, como si los músculos de la cara se le hubiesen paralizado. Al cabo de unos segundos de silencio, pareció volver en sí.

—¿Quién te ha dicho eso? —preguntó él, muy despacio, con voz ahogada.

—No me lo tuvo que decir nadie. Me di cuenta yo —respondió Alicia, a quien la reacción exagerada de Goyo le parecía prueba suficiente. Si se lo hubiera tomado a risa o le hubiese largado un *¿Quéeeeeeee?* sorprendido, habría sido distinto.

—¿Y por eso decidiste dejarme? ¿Porque crees que soy maricón?

—Y por muchas otras cosas, Goyo.

—Yo no soy maricón, te juro que no soy maricón. No me importa lo que te hayan dicho —la voz le temblaba y los ojos le brillaban, parecía a punto de llorar—. De verdad...

—No me tienes que contar nada si tú no quieres. Además, no te he dejado por eso, no le des más vueltas —Alicia le tomó la mano por encima de la mesa, intentando tranquilizarle. Sentía pena por él.

Él no lo había admitido, pero tampoco lo negó en ningún momento. Es decir, negaba que fuera «maricón», como él decía, pero nada aclaraba o desmentía a propósito de su relación con Iñaki. A Alicia le pareció que sería demasiado cruel insistir en un tema que probablemente a él mismo le dolía, con el que no sabía enfrentarse, que nunca podría compartir, impenetrablemente aislado como estaba en el vacío de los inflexibles principios heredados, principios tan obsoletos como una cosmogonía medieval pero, aun así, para él irrenunciables; y además, tampoco le ayudaría a ella adoptar una postura de inquisidora ahora que ya no estaban juntos. No necesitaba seguir preguntando o investigando: estaba segura de que Miren tenía razón.

Cambió el billete y regresó a Madrid aquella misma tarde.

Y nunca más volvió a pisar Olite.

Desde entonces Alicia se había sometido a unas cuantas operaciones más, entre ellas una liposucción de rodillas a tobillos para acentuar la forma de las piernas y otra pequeña en la cara externa e interna de los muslos. Se hizo adicta a los *peelings,* a los masajes con aceites esenciales, a los tratamientos con ampollas vegetales, a las sesiones de fitoterapia. Se pasaba el día en la *esthéticienne* y la peluquera. Probó tantos cortes y tintes diferentes como para que su pescadero llegara a preguntarle si era actriz o algo, a ver por qué cambiaba tan a menudo de personaje, y no dejó de experimentar ningún tratamiento de belleza nuevo por muy caro que resultara. Nunca parecía encontrarse lo suficientemente atractiva.

Paralelamente desarrolló una afición casi enfermiza por los bares de ambiente. Conoció a un amigo gay, intérprete como ella, y se aficionó a acompañarlo en su itinerario de fin de semana. Pronto no salía por otros lugares. La mayoría de sus amantes eran gays. Algunos se acostaban con ella por probar, otros porque iban tan borrachos o tan drogados como para que les importara hacérselo con un chocho, otros porque creían en la consigna del todo vale... Casi ninguno repetía, aunque todos la consideraban una gran amiga y estaban más que encantados de acompañarla de tiendas o de pasarse por su casa a tomar café. Sus esporádicos encuentros sexuales resultaron, para su sorpresa, mucho más satisfactorios que los que mantuviera en el pasado con heterosexuales. En primer lugar, porque para los gays Alicia suponía una experiencia nueva, desusada, y el hecho de haberla escogido significaba, tanto para ellos como para ella, que le habían otorgado una especie de distinción: ella se sentía halagada y ellos se esforzaban probablemente mucho más de lo que lo habrían hecho con un polvo anónimo en un cuarto oscuro. Además, descubrió que la mayoría de los gays no practican la penetración a menudo, sino sólo con las parejas más estables y, por lo tanto, eran mucho más dados a exploraciones sensuales antes que al puro y duro metesaca. Había, además, una complicidad, una alegría como de travesura infantil, que nunca Alicia había asociado antes al sexo. Aparte de estos escarceos, Alicia disfrutaba de una vida social trepidante: salía prácticamente cada noche a estrenos, a inauguraciones, a desfiles de moda. En verano hacía viajes en grupo a Ibiza o a Mikonos y casi empalmaba los treinta días con sus noches en una juerga continua. Sabía perfectamente que mucha gente calificaría su vida de superficial y vacía, y que incluso en el propio ambiente había quien la criticaba y la consideraba una intrusa, una mariliendre, pero no parecía importarle demasiado.

No volvió a ver a Goyo o a Iñaki, pero sabía de ellos por referencias. Goyo tenía una novia nueva, una niña bien de Pamplona muy dulce y calladita, e Iñaki seguía solo, o eso decía. Se había ido a vivir a Vitoria y pasaba por Olite muy de cuando en cuando. Cada vez se distanciaba más de la antigua cuadrilla. Además, vestía de forma muy diferente, con trajes de Dolce & Gabbana y camisetas negras ceñidas. Incluso se había cambiado las antiguas gafas de pasta por un modelo ultraligero con pinta de carísimo. Llevaba el pelo muy corto, a la última moda, y gesticulaba mucho al hablar, o eso decía Miren, la cual, por cierto, estaba a punto de casarse con Jon, otro integrante de la cuadrilla, también hijo de bodeguero.

Imposible saber a quién buscaba Alicia dentro de sí misma o por qué vivía tan empeñada en reinventarse, qué tipo de cruce intergéneros estaba intentando llevar a cabo viviendo una vida de hombre gay, luciendo un aspecto de *drag queen* y sobrellevando un alma absolutamente femenina, si era la libertad lo que perseguía en los bares de ambiente, el fantasma de su antigua traición o una revancha con su propio pasado. Cuando me contó su historia, entre trago y trago de *gin-tonic,* borrachísima y encantadora, no parecía cuestionarse mucho su existencia de vértigo o sus motivos. Decía pasárselo muy bien y estar encantada con su ritmo de vida. Ni se planteaba casarse o tener hijos.

«De momento, no; y en el futuro ¿quién sabe?», me dijo. «De todas formas, cielo, la diversión no es familiar ni continuista ni hogareña, y a mí, bonita, qué quieres que te diga, a mí me *encaaaaaanta* la diversión.»

Gael o la obsesión de unas noches de verano

Dicen que la obsesión es el más peligroso de los sentimientos humanos.

La primera obsesionada fue Eva. Conmigo. Eva era la prima de Rubén, que se bajó hasta Altea para pasar un fin de semana y acabó quedándose quince días; una muchachita necia, vana, inclinada por naturaleza a lo clandestino y mucho más atraída, sospecho, por el peligro y la dificultad del asunto que por mis propios encantos. En principio Eva debía dormir en el sofá, porque no había otro sitio en la casa que compartíamos, pero acabó instalándose en mi cama, que era doble, con la excusa de que los muelles del sofá desfondado le hacían daño en la espalda. Qué más te puedo explicar... En fin, que es una pena que no se pueda denunciar a una mujer por intento de violación. El caso es que yo acabé harta de ella (nunca me han gustado los acosos) y amenazando con volver a Madrid si la prima no me dejaba en paz, y Eva, ofendida, desapareció una noche para irse sola de bares, y a la mañana siguiente apareció por casa del brazo de un increíble espécimen del sexo masculino que tenía un cuerpo de vértigo y el tipo exacto de labios carnosos que prometen imperios de dicha y consuelo con su solo roce. Aferrada al galán como a un trofeo, Eva se deshacía en mimos y carantoñas, pero sin dejar de mirarme, pues me estaba dedicando todo aquel delirio matinal de ojitos, babas y sandeces, aquel festival de sonrisas empalagosas y exagerados achuchones, porque quería decirme «no me importas tanto como tú te crees» y «mira lo que es capaz de conseguir la chica a la que tú has despreciado». Entretanto, Rubén le dirigía al recién llegado una sonrisa luminosa que yo creía simplemente producto de la instintiva hospitalidad de la juventud, que es producto a la vez de la no menos instintiva curiosidad. Abejita por su parte no decía nada, los labios bien pegados y los ojos muy abiertos, como si intentase entender el espectáculo antes de decidirse a disfrutarlo.

Pero de nada le sirvió a Eva aquella representación tan estudiada, pues dos días después se volvió a Madrid, sin haber conseguido impresionarme.

El que sí se impresionó fue Rubén, que se convirtió en el segundo obsesionado. Enterado de que aquel prodigio rubio como la llama que Eva nos había traído a modo de trofeo de su expedición al pueblo, aquel bellísimo objeto de exhibición y consumo, estaba localizable, pues trabajaba de camarero en uno de los bares de la plaza, el primo de Eva empezó a descolgarse cada noche por el susodicho local, a primera hora, antes de que empezara a llegar la gente, para hablar con el chaval de lúbricos labios. Por la mañana, en la playa, nos atorraba a Abejita y a mí con la descripción detallada de la conversación. (Abejita, se me ha olvidado decirlo, era la tercera compañera de piso, y la llamábamos así a cuenta de una camiseta a rayas amarillas y negras que se ponía para dormir.) «Entiende», decía y repetía Rubén, obtuso y persistente en su cantinela. «Seguro que entiende. Si se ha liado con Eva, que es el tío más tío que hayamos conocido, ¿cómo no se va a liar conmigo?» No le había visto tan mordido por una manía desde aquella vez que se encontró con su padre en el cuarto oscuro del Venial, y como no dejaba de martirizarnos con el recuento de su obsesión, acabamos por creer que era más razonable hacer aquello de unirse al enemigo que uno no puede derrotar, y por fin, un sábado, nos dejamos caer los tres por el bar decididos a que Gael cayera, cargando con unos éxtasis potentísimos que, según nuestro camello, podrían poner caliente hasta a una nevera, y muy decididos los tres a probar su eficacia. El plan era recoger a Gael cuando el bar cerrara y organizar una fiestecilla en casa, a ver qué pasaba, así que del dicho y hecho no medió mucho trecho y, acompañados por unas turistas suecas, unos colgados de Benidorm, el discjockey y el resto de los camareros, improvisamos en el piso nuestro *chill out*.

En casa, la fiesta se organizó en un visto y no visto. Yo miraba a Gael obnubilada, asimilando de pronto el impacto de su belleza, que no había sabido entender bien la primera noche, cuando estaba demasiado enfadada con Eva y demasiado borracha de mi propio orgullo como para resultar permeable a cualquier otra emoción. No sólo era guapo, es que tenía unos ojos de escándalo, brillantes como brasas y velados por un abanico de pestañas. Los ojos del resto de los integrantes de la fiesta parecían extrañamente inmaduros en comparación con los suyos, y me asustó pensar en cuántas cosas y de qué naturaleza podrían haber intervenido en la creación de aquella mirada, tan intensa que quemaba, o eso me parecía, porque me la clavaba a veces, fija, inmóvil, como si estuviera esperando algo de mí.

La cosa parecía marchar bastante bien (Rubén se había pasado un buen rato susurrando al oído de Gael unas gracias que el camarero reía estrepitosamente, ambos muy juntitos en el sofá desfondado) hasta que yo decidí irme a la cocina a fregar unos cuantos vasos. Agachada sobre el fregadero, sentí cómo por la espalda repentinamente alerta subía y bajaba el estremecimiento de saberme observada, y casi al segundo sentí también, de una manera menos intuitiva y mucho más física, unos brazos rodeándome la cintura y una presión rectilínea —inconfundible, inmensa, inmediata, irrefrenable— en las nalgas. Casi no me dio tiempo a darme la vuelta cuando ya tenía los labios prendidos en un espejismo, y la secreta premura de la sangre —febril, fatal, femenina— ascendiendo hasta acelerarme el corazón, que latía tan desbocado como insubordinado, porque yo no quería ceder a la carrera de aquel órgano, yo quería que se impusiera la cabeza porque, por muy puesta que yo fuera, no se me escapaba que Rubén podría matarme si me liaba con «su» objetivo, así que me deshice del camarero de un empujón y volví trotando al salón como si no hubiera pasado nada.

El que no volvió al salón fue Gael. De alguna manera, debió de encontrarse con Abejita en el camino que iba de la cocina al salón y acabó la fiesta en su cama.

Durante unos días reinó en la casa un silencio tenso como las cuerdas de un violín. Rubén se negaba a hablar a Abejita, fulminándola, cada vez que coincidían en el pasillo, con unas miradas asesinas destiladas desde lo más hondo de su desilusión y su despecho y Abejita (la tercera obsesionada) pensaba demasiado en Gael como para darle excesiva importancia a aquel mutismo cerrado. Pero Gael no llamó nunca, ni se dignó a dirigir la palabra a Abejita en el bar más allá de un ¿cómo estás? lacónico. Así que, unidos en la desgracia y por la rabia, Rubén y Abejita acabaron por volver a hablarse, y todos (digo «todos» porque yo me mostré solidaria) tomamos la decisión de no volver por el bar de la plaza para evitar la visión de aquella Némesis en forma de galán.

Pero yo lo veía de todas formas. En sueño y en vigilia. Lo veía de noche, en mis fantasías nocturnas, y de día, en mi imaginación. Más de una vez la visión en el mercado de un perfil perfecto o de un rizo rubio que caía sobre una frente recta me aceleraba el corazón, pero instantes después descubría que el rasgo que tanto me había conmovido pertenecía a un desconocido, tan drástica e irrisoriamente diferente a Gael que me preguntaba a mí misma si no me estaría volviendo loca. Finalmente, la visión real se impuso a la imaginaria porque, como era de prever en un pueblo tan pequeño, acabé por chocarme de narices con el mismo Gael, el mismísimo Gael de carne y hueso. Una vez en el supermercado, otra en la tienda de periódicos, la tercera comprando un helado. Mis ojos le evitaban al principio pero acababan posándose en los suyos, que me devolvían húmedos el cumplido, en lo que parecía un rápido intercambio de sobreentendidos. El hecho de que nos entendiéramos sin pronunciar una sola palabra nos acercaba más que cualquier explicación.

Resultaba evidente que ninguno de los dos había olvidado la escenita de la cocina, así que me convertí en la cuarta obsesionada. Saber que lo tenía allí, al alcance de la mano, como quien dice, que me bastaría con pasarme por el bar una noche para tenerlo, pero no atreverme a dar el paso para no ofender a mis compañeros de piso, me estaba trastornando. Seguía viéndole a todas horas, imaginándolo en cada esquina, buscándolo de día y soñándolo de noche, mi inconsciente traspasado por la aguda espina del deseo. A veces creo que esa obsesión, aquella monomanía, aquella forma de pensar insistentemente en el placer me proporcionaba, en realidad, una satisfacción mucho más sutil que su propia realización.

Por fin, la última noche del verano, me decidí. Total, al día siguiente nos marchábamos, y si teníamos una bronca a cuenta del tal Gael, por lo menos no estaríamos viviendo en la misma casa a la hora de resolverla. Me presenté en el bar luciendo una minifalda que le había robado a Abejita y que me resultaba sumamente incómoda, pues nunca o casi nunca he llevado yo faldas, y mucho menos cortas. Me lo encontré en la barra —los ojos incitantes, los labios entreabiertos— cariñoso y dispuesto, tan encantadores y naturales su saludo y su trato como si me hubiese estado esperando todo aquel tiempo. Empezamos por hablar de pequeñeces, de la playa atiborrada y de los gustos de los suecos, de lo difícil que era trabajar en un bar y de lo no menos difícil que era convivir a tres en un apartamento enano, por mucho que una lo hiciera con sus dos íntimos amigos. Sin embargo pronto me di cuenta de que, tanto como la belleza de Gael hacía arder la admiración, sus palabras enfriaban la conversación, porque el chico no parecía tener muchas luces y parecía demasiado pagado de sí mismo.

«Salgo en media hora», me dijo por fin, zanjando la conversación. «Espérame, y nos vamos a la playa.»

Pero, ya en la playa, y con semejante mole sobre mí, chupeteándome el cuello, las atareadas manos magreándome las tetas, empecé a encontrar absurdo todo aquello. ¿Qué hacía yo con aquel chulo de playa que no había hojeado en su vida otro libro que la guía telefónica? ¿De verdad lo deseaba o sólo creía desearlo porque los demás sí lo hacían? Además, ¿qué iba a ser yo aparte de una más de sus muescas, una entre mil aventuras de barra, una de las tantísimas a las que ya se habría tirado y se tiraría en una tumbona de playa? Me había obsesionado con alguien que no era más que un chiquillo malcriado, un crío despótico con un inmenso apetito por las gratificaciones primarias y una creencia inamovible en su intrínseco derecho a procurárselas. Sentí mi cuerpo distante, extraño como yo misma, en aquella playa extraña, vestida (yo, o la réplica de mí que parecía yo ser aquella noche) de aquella extraña manera. De modo que me levanté de pronto y, estirándome la exigua falda como bien o mal podía, le dije que no me encontraba bien y que necesitaba volver a casa, sola. Adiós Gael, guarda esos labios por si vuelvo el próximo verano, le dije sin decirlo, más bien para mí misma, pues acababa de descubrir que existe un sentimiento humano más poderoso que la obsesión.

El orgullo.

ZAPATOS O LOS DISFRACES DEL DESTINO

No se trató del mejor verano de mi vida. Y creo que el mejor verano de mi vida, como el mejor amante, está aún por llegar. He tenido veranos buenos y malos; ninguno, que yo recuerde, especialmente maravilloso, excepto los de la primera infancia. En cualquier caso, voy a contar una historia verídica.

Durante tres años mantuve una relación que hoy no podría calificar de *amorosa*, puesto que ahora, recobrada la sensatez, pienso que quien ama no humilla a su pareja, ni la acosa, ni la hace sufrir. Digamos pues que mantenía *una relación* (sin adjetivo) con un hombre ciclotímico, inmaduro, extremadamente celoso y muy dado a los arrebatos de mal genio, cuya influencia me cambió el carácter de tal manera como para que mis amigos empezaran a preocuparse viendo cómo la antigua alegría de las fiestas iba languideciendo y marchitándose a ojos vistas, como quien dice.

Aquel amante tenía varias formas de conseguir de mí lo que quería, y las alternaba: la ternura zalamera, los gritos y las amenazas, la frialdad y los labios apretados, las barreras de palabras que erigía para defenderse de sus propios sentimientos, la distancia que me oponía a veces, como si yo fuera una extraña... Y yo no sabría decir a qué comportamiento, a qué táctica, acabé por tenerle más miedo.

La tía de mi amiga Olga vive en San Sebastián pero, devaneos de señora rica, tiene la costumbre de pasar el verano en Biarritz, que no sé de dónde le viene la manía, porque, al fin y al cabo, un sitio está prácticamente al lado del otro y tiene el mismo clima, como quien dice, y casi el mismo paisaje, o sea que debe de ser por la cosa de aparentar o por ver caras nuevas, vete tú a saber, aunque no creo que caras nuevas vea muchas porque, a la postre, me parece que se va a encontrar en Biarritz a la mitad de su cogollito exquisito de Donosti, autoexiliados estivales como ella. El caso es que mi amiga dispone de un piso estupendo en primera línea de playa. Viéndome tan mal como yo entonces estaba, casi habría que decir que me suplicó que fuera a verla en lugar de afirmar que me invitó a pasar una semana en la ciudad.

Mi amigo Nacho es la prueba viviente de que, contrariamente a lo que muchos opinan, la amistad entre hombre y mujer existe, y no hace falta para que tal milagro suceda que uno de los amigos sea gay. Si bien los dos somos heterosexuales, la posibilidad del sexo nunca se planteó (más allá de algún encuentro infructuoso y abortado a tiempo en alguna noche de borrachera) y desde luego no interfirió jamás en nuestra mutua admiración y nuestra disponibilidad del uno para el otro.

Como la amistad se nutre, entre otras cosas, de gustos comunes, no me fue difícil convencer a Nacho para que subiera a Donosti conmigo: él me llevaría en coche y a cambio yo le conseguiría, vía Olga, alojamiento gratis mientras durara el festival, ya que es casi imposible conseguir un buen hotel en la ciudad mientras el evento dura a no ser que se haya reservado con meses de antelación.

Y eso, que allí nos vimos Olga, Nacho y yo, escuchando a Metheny primero, saliendo de tascas después, los tres solteros y treintañeros y no demasiado frustrados por ello ni obsesionados por imperativos de reloj biológico alguno, y contradiciendo así lo que la gente dice de que los solteros que se acercan a los cuarenta están todos locos o tristones, contentos de estar juntos, encantados de habernos conocido, yo olvidada por fin de mis problemas sentimentales, Nacho y Olga también de los suyos. Y cuando volvimos a casa tras la primera noche en la ciudad, achispados los tres y compartidos nuestro primer concierto y nuestra primera juerga donostiarra, reparé en que la pantalla de mi móvil me avisaba que tenía almacenados tres mensajes de voz. Adiós a la alegría que tan poco tiempo me había durado.

Se trataba de mi amante, borracho perdido e indignado porque no me localizaba. Días antes habíamos tenido una bronca mayúscula y habíamos decidido de común acuerdo dejarnos de ver por un tiempo. Digo de «común acuerdo», pero en realidad se trató más bien de una imposición suya, imposición que yo decidí acatar porque había asumido hacía tiempo el rol de débil en la relación. Pero él era como el perro del hortelano aquel que no comía ni dejaba comer: no quería verme, pero tampoco quería que otros lo hicieran, y por eso se le oía tan enfadado. Evidentemente, no le había gustado no encontrarme en casa, doliente y a la expectativa, y no pillarme colgada del teléfono ansiosa y pendiente de una llamada suya. Quizá esperaba que yo me comportara como solía hacerlo, que me quedara en casa sufriendo por su ausencia, incapaz de salir o de disfrutar de ninguna actividad que no realizara en su compañía, y se había enfadado mucho al ver que sus previsiones no se habían cumplido.

Le llamé, a las dos de la mañana, consciente de que era tarde para llamar a cualquiera, a cualquiera menos a mi amante-verdugo, que acostumbraba a salir de copas hasta las tantas puesto que el dinero familiar le permitía vivir fingiendo que se dedicaba al arte, y le eximía del trabajo diario en una oficina o en cualquier otro lugar que exigiera a sus empleados el cumplimiento de un horario y de unas responsabilidades. Me preguntó, de muy malos modos, que dónde estaba. Le dije, con la lengua de trapo que el alcohol achispa, que en San Sebastián, y en un visto y no visto ya se estaba él deshaciendo en una serie de improperios dictados por el alcohol o los celos, o por la combinación de ambos factores, a saber. No encontré manera de hacerle razonar. Cuanto más amable me mostraba yo, más desagradable se ponía él, supongo que porque le reafirmaba verme sufriendo y le hacía sentirse superior, o al menos más fuerte.

Me puse a llorar de tal manera, sollozando e hipando a lágrima viva, como para que Nacho, asustado ante semejante estado de nervios, me obligara a desconectar el teléfono. Luego se sentó frente a mí y me repitió el discurso que me había repetido ya miles de veces sin conseguir nada: que me estaba arruinando la vida, que aquel hombre evidentemente no me quería, y que no me quedaba más remedio que cortar con esa relación de una vez.

Pero yo le escuchaba como quien oye llover, asintiendo con la cabeza gacha más por educación que por convencimiento. Sabía que él tenía más razón que un santo tan bien como sabía que yo no haría nada por cambiar aquello. Porque cada vez que Nacho o cualquier otra de mis amistades me soltaba sermón idéntico o parecido, yo comprendía que estaban en lo cierto, y hacía firmes propósitos de enmienda, y me juraba cortar por lo sano con aquella historia, pero luego me vencía el dolor de corazón y a la mañana siguiente volvía a llamar a mi amante.

Nacho hablaba en voz baja y regular, sin aspavientos ni agitación, y de repente, en mitad del discurso, abandoné mi postura indiferente y empecé a prestarle atención, porque de pronto sentía cómo cada palabra de Nacho, nada más pronunciarla, se clavaba en mi conciencia con el impacto de un disparo. Yo le escuchaba con la cabeza entre las manos y los ojos bajos, fijos en los dibujos de la alfombra, sin atreverme a alzarlos para no mostrar las incipientes lágrimas y para no tener que enfrentarme cara a cara con la verdad, que sabía reflejada en los ojos de mi interlocutor.

Mientras Nacho hablaba conmigo, toda la historia de mi relación se me representó de súbito como una larga contienda en procura de algo que nunca podría conseguir. Este descubrimiento no tenía nada de repentino, pues ya llevaba tiempo habitando en la zona limítrofe de mi conciencia, la que separa lo inconsciente de lo consciente, lo que sabemos pero nos negamos a ver y lo poco que nos atrevemos a admitir. Pero yo había preferido darle la espalda con ese instintivo apego del corazón a las quimeras de las que vive, negando que hacía tiempo que el tal corazón, por muy apegado que estuviera, ya se había embalado cuesta abajo por la pendiente del desencanto, quisiera yo admitirlo o no.

Había creado un fantasma. Mi relación estaba muerta, pero no enterrada, porque yo me había empeñado en maquillarla e intentar conferir apariencia de vida al cadáver, como el empleado de la funeraria que acicala a un muerto para que sus seres queridos puedan conservar hasta el último momento la ilusión de que el finado no se ha ido del todo. Y de pronto todo el futuro se presentó ante mí, como una baraja de cartas del tarot desplegadas sobre una mesa, y recorriendo su interminable vacío me encontré con la consumida mujer que lo habitaría, la amargada en la que ya me estaba convirtiendo, la que se moriría en vida porque no encontraba las fuerzas para dejar al hombre que la estaba envenenando lentamente.

Cuando Nacho dio por finalizado su discurso, mi silencio resultó tan expresivo como sus palabras, y cayó sobre la escena con el peso de las cosas obvias. Nos quedamos así un rato largo, sin decir nada y sin mirarnos, yo observando tercamente a la alfombra y Nacho sintiéndose impotente. Por fin, yo me levanté, le di las gracias con fría y cortés educación y me fui a dormir, agotada física y emocionalmente, convencida de que no tendría la fuerza de voluntad necesaria para acabar con aquella historia que me estaba consumiendo viva.

A la mañana siguiente, Olga, Nacho y yo decidimos salir a pasear a la playa. Nos sorprendió mucho encontrar, justo frente al portal del edificio, un par de zapatos negros perfectamente alineados. Lo curioso es que se trataba de unos zapatos nuevos, del número treinta y ocho y medio, que es precisamente el mío y que muy pocos fabrican, firmados por la diseñadora Athena Alexander, que siempre me ha gustado pero cuyos modelos son dificilísimos de encontrar. Sorprendidos ante el descubrimiento, intentamos buscar una explicación al hecho de que alguien hubiera dejado tirados en la calle unos zapatos tan caros y prácticamente sin usar.

Pensamos en una historia romántica: el chico que se ofrece a subir a su novia hasta casa cruzando el umbral del edificio con ella en brazos, como quien entra a una novia. Quizá un vecino, al ver los zapatos desperdigados por la acera (la chica los deja caer, mientras patalea, entre la alegría y la vergüenza, fingiendo que se resiste pero encantada de que él la alce), los hubiese alineado en una esquina.

Pensamos en una inglesa borracha que, harta de las ampollas que estarían martirizándole los pies, se deshizo de los zapatos en dos literales patadas para decidir seguir su camino sin ellos.

Pensamos también en una señorita de buena familia que acabara de dejar a su novio y que hubiera decidido deshacerse de todos sus regalos. Tal vez un poco triste al pensar que tan magníficos zapatos no iban a tener ya pie que los calzara, decidiera dejarlos en lugar visible a la espera de que alguien los encontrara, los apreciara y se los llevara.

En fin, que pasamos la mañana imaginando historias sobre el par de zapatos perdido y hallado.

El caso es que yo decidí quedármelos, no sólo porque me gustaban mucho, sino porque me sentaban como un guante.

Llamé por la tarde a mi amigo Francisco, especialista en temas esotéricos, y le conté la historia convencida de que el hallazgo de los zapatos revestía una significación especial. Él me dijo que unos zapatos que esperan a la puerta algo significan (y era obvio que aquellos zapatos me esperaban, puesto que es raro que yo encuentre unos zapatos de mi horma —demasiado ancha— y de mi número —ese medio que no quiere ni ser treinta y ocho ni treinta y nueve— y que además se adapten a mi gusto extravagante), que unos zapatos preparados para que alguien emprenda con ellos camino preludian un cambio radical en la vida, la señal de que se anuncia un desvío en el próximo recodo del camino, donde los pasos se torcerán para bien e iniciarán un nuevo rumbo.

Explicación irracional, dirán algunos, locura esotérica, delirio poético... Puede. En fin, que digan lo que digan, pero el caso es que nunca más volví a llamar a aquel amante aunque durante tres años había conocido discusiones telefónicas mucho más airadas y sonadas que la de la noche anterior y me habían soltado bienintencionados sermones tanto o más convincentes que el que Nacho me había largado. Pero sé que el hallazgo de los zapatos fue determinante para mi cambio de vida, no sé si porque realmente se trataba de una marca del destino o si porque la certeza de que el destino me alentaba a tomar una decisión de una vez por todas me acicató, y fue mi propia sugestión, mi propia creencia en un destino trazado de antemano, la que me animó a cambiar de rumbo, y así mi propia voluntad se hizo destino, aunque el destino no exista, o aunque exista pero no fuera su mano quien hubiera colocado los zapatos a mi puerta. Pero, ¿por qué no podía el destino disfrazarse de novia atribulada, de inglesa borracha o de señorita bien?, ¿no sería que las acciones de cada uno no responden al azar sino que determinan a veces las de otros de una manera que nunca el uno podría haber sospechado?

En fin, yo nunca lo sabré y, sinceramente, tampoco me importa.

TORTITAS CON NATA

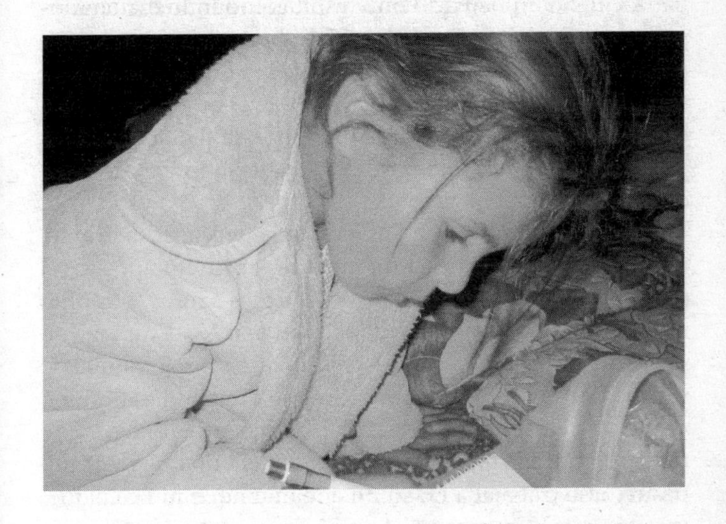

Aquel primer jueves me llamaron al despacho de la señora directora en plena clase de matemáticas. Entró el bedel a buscarme, cuchicheó algo al oído de la seño y luego la seño me dijo que la señora directora quería verme. Yo estaba algo nerviosa —bueno, bastante—, pero también contenta, porque no me gustan las matemáticas, y como sabía que no había hecho nada malo, tampoco creía que la dire me llamase para echarme ninguna bronca. Eso sí, no se me ocurría para qué podía querer verme, y todo el camino del pasillo lo hice detrás del bedel dándole vueltas a la misma cosa: ¿para qué querría verme a mí la dire?

A la dire la llaman La Rabo porque es muy alta y delgada y tiene un peinado muy raro, como todo cardado y puesto para arriba, que le hace la cabeza enorme, así que parece un rabo andante. Cuando se lo conté a mi madre no le hizo ninguna gracia y me hizo jurar que yo nunca la llamaría así. Pero es que todo el mundo la llama La Rabo, y resulta imposible olvidarlo. Yo es que ya ni me acuerdo de cómo se llama de verdad.

En el despacho de La Rabo estaba ella, claro, la dire, y también un señor muy alto, muy alto, muy guapo, muy guapo, con el pelo todo blanco y los ojos azules, que olía muy bien y que recordaba un poco a Papá Noel, aunque el señor no tenía barba y no iba vestido de traje rojo sino azul y con corbata. La dire me preguntó si conocía a aquel señor, y yo no le conocía de nada, así que le dije que no. Entonces la dire dijo que el señor decía que era un amigo de mi padre, que trabajaba en su misma oficina, que decía que me conocía. Y como a mí el señor me gustaba, dije que sí, que era verdad, que me había olvidado pero que ya me acordaba, que el señor trabajaba con mi padre, que les había visto juntos alguna vez, que mi padre me había presentado pero que se me había olvidado el nombre del señor. Alberto, me llamo Alberto, dijo él, ¿no te acuerdas? Claro, ya me acuerdo, dije, Alberto. Alberto dijo que había venido a buscarme por encargo de mi padre y dijo, no debes preocuparte, cariño, que no pasa nada, y tenía una voz tan bonita y tan suave que no me preocupé. Y además a mí nadie me llama cariño, o nunca me lo llamó antes que él, o eso me parece.

Luego continuó explicándome que mi madre se había caído en casa porque se había desmayado, o algo así, y que la habían llevado al hospital para hacerle unas pruebas, que mi padre se había marchado corriendo al hospital y que le había encargado a él (al señor de la barba) que trabajaba con él (con mi padre, digo) que fuese a buscarme al colegio para llevarme al hospital. Y el señor me volvió a decir no debes preocuparte, cariño, y me explicó que la caída no era grave, que no era nada serio, que él sólo había venido a buscarme para que mi padre se quedara más tranquilo.

Y no me preocupé.

La Rabo sonrió y el señor de la barba que parecía Papá Noel me tomó de la mano y salimos del colegio. En la puerta tenía aparcado el coche, que era rojo y enorme y de esa forma rara que tienen los coches que salen en las películas, o sea, con el morro muy largo y estrecho y alas en los lados y así. Me puse muy contenta, la verdad, no porque mi madre se hubiera caído, sino porque me había librado de la clase de matracas, que es que no puedo con ella, de verdad, y además iba a montar en aquel coche tan guay. Entonces el señor, Alberto, me dijo que antes de hacer otra cosa quería llevarme a desayunar. Yo no le dije que ya había desayunado porque tenía hambre, aunque la verdad es que yo tengo hambre casi siempre, así que Alberto me llevó a un VIPS y allí nos sentamos en una de las mesas, no en la barra, y Alberto me preguntó que qué quería tomar. Le dije que si podía pedir tortitas con nata y él me respondió, con una sonrisa, que podía pedir lo que quisiera, así que pedí tortitas con nata y un batido de fresa. Le expliqué que mi padre nunca me deja pedir tortitas, porque engordan, y luego me arrepentí de habérselo dicho, porque pensé que igual Alberto, al saberlo, tampoco me dejaría comer tortitas. Pero Alberto se rió y me dijo que no me preocupara, que yo estaba muy bien así, que ya tendría tiempo de adelgazar cuando fuese mayor, porque me parecía a mi madre, y mi madre era delgada, así que a lo mejor de mayor acababa como mi madre, que las niñas casi todas adelgazan cuando pegan el estirón. Y yo le pregunté que cómo es que sabía que mi madre era delgada, que si la conocía. Y me dijo que la conoció hace muchos años, antes de que se casara con mi padre. Entonces fue cuando me explicó que mi madre no se había caído ni nada, y que él ni era amigo de mi padre ni trabajaba con él, pero que de mi madre sí había sido amigo. Yo le pregunté que si amigo o novio y me dijo que una cosa entremedias, y pensé que debía ser como lo mío con Javi o así. Y luego siguió explicándome que durante muchos años no había visto a mi madre, desde que se casó con mi padre, pero que sabía que mi madre había tenido una hija y que siempre había querido conocerme porque le picaba la curiosidad por saber si la hija sería tan guapa como la madre, y que por eso había ido a buscarme al colegio y se había inventado la historia de la caída y el hospital. Y le pregunté, ahora que me había visto, si creía que era la hija tan guapa como la madre, y él dijo que más, que mucho más, y a mí la respuesta me hizo tanta ilusión que noté cómo me ponía colorada, porque todo el mundo dice que mi madre es muy guapa, hasta los niños de mi clase y los tenderos del mercado, pero nadie dice nunca que yo lo sea, y además a mí aquel señor sí que me parecía guapo, guapísimo, y además olía bien. Luego me vino a la cabeza que era imposible que yo fuera más guapa que mi madre, porque mi madre está más delgada que yo, y se lo dije, aunque no dije nada de su fama de guapa, y él dijo que eso no importaba, y yo no seguí hablando, pero me habría gustado decirle que en mi casa sí que parece que importe, la verdad, con mi padre todo el santo día quejándose porque estoy gorda, diciéndome que no tengo que comer donus ni bollos ni chuches, y a mí siempre me ha parecido que mi padre tiene algo así como un enfado continuo conmigo porque yo no sea tan delgada como mi madre, como si le hubieran estafado o algo así, porque está claro que a mi padre mi madre le gusta muchísimo más que yo, de manera que las palabras de Alberto me pusieron contentísima, y entonces fue cuando le pregunté si podía pedir más tortitas con nata.

Yo había prometido no contarle nada a nadie de nuestro secreto, y al día siguiente, cuando la dire, La Rabo *in person*, me preguntó por mi madre, le dije que mi madre estaba bien, gracias, y que la caída no había tenido ninguna importancia, que los médicos habían dicho que todo iba bien. Estaba dispuesta a continuar contando trolas y a inventarme algo de alguna radiografía o así, pero la directora no me preguntó nada más, así que no seguí, y te digo que casi, casi que lo sentí, de verdad, porque es que estaba inspirada, la verdad, y me hubiese podido salir una historia de lo más guay.

Alberto había quedado en venir a recogerme el siguiente jueves a la hora de comer y yo estuve nerviosísima, la verdad, durante toda la semana, y mucho más aún, está claro, la mañana del jueves, que me la pasé entera mirando por la ventana y ni atendí a las clases ni nada.

A la hora de comer no seguí a la fila del comedor, como siempre, sino que me puse el abrigo y me fui con los otros, con los que comen en casa, como si lo hiciese todos los días, y ya en el pasillo la cotilla de Berta del Barrio me preguntó que adónde iba, que por qué no comía en el comedor como todos los días, y yo me inventé que había quedado con mi madre para acompañarla al hospital porque le iban a hacer unas pruebas por lo de la caída, y pensé que una vez que una se inventa la primera trola lo de seguir con las demás ya no tiene ningún misterio, es todo cuestión de práctica, y luego me fui corriendo y salí por la puerta del cole tan campante, a encontrarme con Alberto que me estaba esperando justo enfrente, de pie al lado de su bólido rojo.

Me llevó a comer a un restaurante lujosísimo, de esos con camareros con pajarita y un montón de cubiertos y de vasos encima de la mesa. Yo no había estado nunca en un restaurante como aquél excepto en una comunión, la de Jorge Echevarría, que es el forrado de la clase y que celebró la suya en un sitio que se llama Mayte Commodore y que es muy caro y muy guay, pero está claro que no era lo mismo ir a una comunión que estar comiendo a solas con un señor tan guapo y que olía tan bien, y cuando Alberto me preguntó que qué quería comer le dije que espaguetis con tomate y una hamburguesa, porque en mi casa no puedo comer espaguetis porque mi padre dice que engordan y mi madre ha conseguido que odie las ensaladas a fuerza de plantármelas en la mesa todos las noches para cenar, que es que mi madre es muy pelma cuando quiere, no sabes cómo, y Alberto puso una cara muy rara y dijo que lo de los espaguetis se podía solucionar, como si hablase de un problema muy gordo, pero que no creía que allí hubiese hamburguesas, que si quería podíamos ir a un burguerking, y yo hubiese preferido ir a un burguer, la verdad, pero algo dentro de mí me hizo notar que por algo, por algo que yo no entendía bien pero que sí podía sentir en el corazón (sentirlo con el corazón aunque no lo entendiera con la cabeza, no sé si me entiendes, algo así como cuando la abuela me habla de la santísima trinidad y las vírgenes y los santos y el cristo que deja que lo maten para limpiar nuestros pecados, que yo nunca he entendido qué tiene que ver que a uno lo maten con los pecados de los demás, y yo no la entiendo nada pero la siento), bueno, que no entendía pero sentí que aquel restaurante molaba más que un burguer, y es que era como un restaurante de esos que se ven en las series de la tele o así, y Alberto era igualito que cualquiera de los protas de una de esas series, y entonces me di cuenta de que es verdad que en esas series no comen hamburguesas, y le dije que me daba igual, que prefería quedarme allí y que pidiera él lo que quisiera, y noté que me estaba poniendo colorada y ya no pedí nada más. Y cuando llegó el camarero Alberto pidió *espagheti a la boloñesa* (el nombre me lo aprendí de memoria) y un pastel de carne para la señorita, y cuando me di cuenta de que la señorita era yo, pues me puse orgullosísima, la verdad.

Alberto me preguntaba muchas cosas sobre mi casa y sobre mi madre y sobre mi padre y al principio me daba vergüenza contestarle, pero luego me solté y me puse a hablar y a hablar, y es que hablar con Alberto resultaba muy fácil, mucho más fácil que con cualquier otra persona mayor que yo hubiese conocido hasta entonces, porque no interrumpía nunca, y cuando yo paraba, entonces me hacía alguna pregunta que tenía que ver con lo que yo había dicho hasta entonces, así que yo tenía que seguir hablando. Y entonces le hablé de mi padre y de mi madre, de la obsesión esa que tienen los dos con lo de que adelgace, que se la saben hasta en el colegio porque mi madre se ha encargado de que en el comedor me den una comida especial, de régimen, y de que me da mucha vergüenza tener que comer verduras y ensaladas y filetes a la plancha delante de todo el mundo cuando los demás niños comen cosas normales, y de las peleas que tienen mis padres día sí y día no, y de que yo quiero tener un hermano pero no me dejan, porque a mi padre no le gustan los niños, creo, aunque a mí me dicen que es porque los niños son muy caros y no tenemos dinero, pero yo creo que es por mi padre, porque no le gustan los niños, que yo desde luego sí que no le gusto, aunque él lo quiera disimular, pero yo sé que le gusta mi madre mucho más, y le hablé del colegio, de Berta del Barrio que es mi mejor amiga y la más guapa de la clase y la más lista (aunque sea una cotilla), y de Javi el Maño, que me pidió para salir una vez en el patio del colegio, pero yo le dije que no, y acabé por contarle también a Alberto que los chicos le piden salir a Berta y no a mí, a mí sólo Javi el Maño, que no me gusta nada, y creo que a los chicos no les gusto porque estoy gorda, porque mi padre siempre dice que de mayor querré estar delgada porque a los hombres les gustan las mujeres delgadas, y entonces Alberto me dijo que lo que decía mi padre era una tontería, y era la primera vez que me interrumpía desde que yo empecé a hablar, decía que era una tontería porque yo no estaba tan gorda y porque no a todos los hombres les gustan las delgadas, que a algunos también les gustan gordas, y yo le respondí que a él sí que le gustaba mi madre, y mi madre es delgada, y él dijo que era verdad, que a él le gustaba mi madre, pero que también le gustaba yo, y que además no le gustaba mi madre porque estuviera delgada, sino por otras cosas.

Para entonces ya habíamos acabado los espaguetis. El camarero me había traído una cocacola, como yo había pedido, pero Alberto me dejó pegarle un sorbito a su vino, que no es que me guste mucho el vino, la verdad, pero me apetecía probarlo porque en casa no me dejan. Y luego el camarero me trajo el pastel de carne, que, la verdad, se parecía más a una hamburguesa que a un pastel, y me preguntó muy amable si a la señorita le habían gustado los *espagheti* (la señorita era yo, claro) y ya ni me puse roja ni nada porque empezaba a acostumbrarme a todo, al vino, a los cambios de cubiertos, a los camareros con pajarita que iban de mesa en mesa y a que me llamaran de usted. Y Alberto me dijo que de postre no podía pedir tortitas con nata porque allí no había y que tenía que conformarme con un trozo de tarta de chocolate. Lo de conformarme lo decía por decir, claro, porque la tarta de chocolate, la verdad, estaba más buena aún que las tortitas, y estaba claro que Alberto me iba a dejar repetir.

Cuando me dejó a la puerta del colegio (yo iba que estallaba y sabía ya que me iba a quedar dormida en clase, de todo lo que había comido) me dio un beso y me dijo que no me preocupase más por lo del peso, que a fin de cuentas él no estaba delgado y nunca le había importado. Y entonces caí en la cuenta por primera vez de que Alberto estaba gordo, y era verdad que a mí me gustaba de todas formas, así que pensé que debía de tener razón él y no mi padre, que hay cosas que importan más que el peso para que te guste una persona.

Yo había jurado no decir nada a nadie y que lo de Alberto iba a ser un secreto secretísimo, pero el caso es que nadie puede guardar secretos cuando su mejor amiga es alguien como Berta la cotilla, que cada jueves se mosqueaba porque yo no me quedara a comer en el colegio, sobre todo porque al tercer jueves pasé de inventarme más trolas (es que lo de la caída de mi madre estaba claro que ya no iba a colar, sobre todo porque ella a mi madre la conoce, que para algo somos vecinas), y simplemente le dije que me tenía que ir y que no le podía decir adónde porque era un secreto. Así que ella me dijo que como no le dijera adónde iba se iba a chivar de que me escapaba, y acabé contándoselo todo, y la verdad es que igual podía no habérselo contado, porque acabó chivándose igual. Creo que se lo contó a su madre, y su madre se lo contó a la mía, no sé cómo fue la cosa, el caso es que mi padre me echó una bronca tremenda cuando se enteró y me dijo que nunca, nunca, debía ir a ninguna parte con desconocidos y me hizo prometer cienes y cienes de veces que Alberto y yo sólo habíamos ido a comer y que eso era todo, y no sé exactamente qué era lo que le preocupaba tanto que hubiese podido pasar, pero debía de ser algo muy grave, porque sólo insistía en eso una y otra vez, en que le prometiera que no habíamos hecho nada más que comer juntos, y ni siquiera me echó la bronca por comer tortitas y espaguetis y tarta, sólo por irme sola con un señor desconocido. Y al día siguiente no fui a clase porque me hicieron ir al despacho de la psicóloga del colegio, la señorita Eva, que me hizo contarle punto por punto todo lo que había pasado con Alberto y me preguntó varias veces si no había pasado nada más que eso, si Alberto no me había besado o me había tocado, o si me había rozado la pierna en el coche y yo le dije que no, pero ella siguió preguntando y venga a preguntar hasta que yo me puse a llorar y por fin paró.

Pues eso, que al jueves siguiente salí a buscar a Alberto a la puerta del colegio, como habíamos quedado, pero esta vez no iba yo sola, que íbamos mi padre, mi madre, la señorita Eva y yo. Y cuando vimos a Alberto que estaba esperándome, como siempre, apoyado en el bólido rojo, mi madre se adelantó y se fue derechita hacia él. Se quedaron mirándose fijo el uno al otro, sin decirse nada, un rato, los dos muy pálidos, y para cuando yo llegué hasta el coche fue cuando mi madre abrió por fin la boca y dijo, muy bajito, pero no lo suficiente como para que yo no la oyera, algo así como: Eras tú, tenías que ser tú, sabía que eras tú, lo sabía. Y lo repetía una y otra vez, sin parar, como si estuviera rezando o así.

No me enteré de mucho más porque la señorita Eva me cogió de la mano y me obligó a ir con ella de vuelta al colegio. Yo me dejé arrastrar, pero alguna vez miraba hacia atrás y veía a mis padres y a Alberto que se peleaban. Mi padre hacía gestos de vez en cuando levantando el puño y acercándose a Alberto, un poco como hace el chulito de Javi el Maño en los recreos cuando quiere asustar a alguno de los más pequeños, y mi madre se ponía en el medio de los dos como para separarlos. Y luego por la noche, por mucho que le pregunté a mi madre, no me quiso contar nada. Me dijo que ya me explicaría, que no preguntase tanto, que tenía muchas cosas que hablar con mi padre, y me envío a la cama prontísimo, sin dejarme ver la tele ni nada.

Yo sabía que luego hablarían del tema y quería enterarme de lo que pasaba, así que usé un truco que me había enseñado Berta la cotilla, que no la llaman así por casualidad. Y es que como el dormitorio de mis padres está al lado de mi cuarto, pared con pared, si uno pega un vaso a la pared y la oreja al vaso, pues se puede oír bastante bien lo que pasa en la habitación de al lado. Este truco ya lo había probado antes pero la verdad es que siempre me aburría bastante, porque casi nunca les oí decir nada, y mucho menos hacer el amor, que es lo que dice Berta que escucha cuando prueba el truco con sus padres, aunque ella no duerme al lado de los suyos y lo tiene que hacer desde el comedor, que es más complicado que lo mío. Y es que, para el truco del vaso, lo de que vivamos en una casa tan chiquita es una ventaja, la verdad, por mucho que mi madre esté siempre quejándose del tamaño, igual que se queja de que nuestras paredes son de papel.

Mi madre decía que tendrían que decírmelo, que era inevitable, que seguro yo ya me lo imaginaba y mi padre decía que no había que precipitarse, que habría que hablar primero con la psicóloga, y yo sabía que hablaban de mí pero no entendía de qué más hablaban. Y mi madre dijo que ella siempre supo que acabaría por aparecer, porque por mucho que él hubiera jurado cuando ella se quedó embarazada que él no quería saber nada del bebé, la curiosidad siempre acaba por picar, como los ajos, eso decía mi madre, y seguía diciendo mi madre que qué padre no quiere saber sobre su hijo y que seguro que los suyos serían ahora mayores, que ya lo eran cuando ella estaba con él, y que él nunca se llevó bien con la mujer, y peor cuando la mujer se enteró del lío que tenía, y que seguro que ahora se sentía solo, que sus hijos serían mayores y que con la mujer imposible que se llevara bien. Y la conversación yo la sentía pero no la entendía, igual que los rollos de mi abuela sobre Cristo y los pecados. Y entonces mi padre le dijo a mi madre que él no entendía por qué, si él quería ver a la niña, no recurrió a ella, a mi madre primero, que a cuenta de qué vino el numerito de ir a buscar la niña al colegio, y entonces sentí, pero no entendí, que la niña era yo. Y mi madre dijo que él sabía de sobra que ella no le dejaría ver a la niña nunca, no después de cómo se había portado, que ya se lo dijo entonces, que si cortaban, pues cortaban para siempre. Y que ya no quiso verle más, sobre todo después de que mi padre se casara con ella, porque estaba claro que él se había portado tan mal y mi padre tan bien... Y que no habría sido justo, y que mi padre no habría querido, que mi padre era mi padre y no sólo legalmente, sino moralmente, porque pagaba las facturas y porque me había criado...

Y luego no entendí lo que decía porque mi madre se puso a llorar y el resto eran palabras entre sollozos. Decía *injusto* muchas veces, y *qué vamos a hacer*, y *sabía que esto acabaría por pasar* y cosas así. Y después, cuando parecía que se calmaba, empezó a hablar mi padre y le dijo a mi madre que no se preocupara, que si él quería ver a la niña que irían a juicio, y que ya sabía mi madre lo lenta que es la justicia en este país, que hasta que consiga que un juez ordenara la prueba de paternidad podían pasar años, y hasta que le dieran el derecho a ver a la cría, más años, y eso si se lo daban. Y que para entonces la niña tendría catorce o quince o dieciséis años y que igual ella ya no le querría ni ver, que la niña ya sería mayor, y que al colegio no iba a ir a verla, que eso se lo juraba a mi madre allí mismo, que se lo juraba por lo que ella quisiera, que él se encargaría de traer a la niña y de recogerla, y que la niña iba a estar mucho más controlada. Y que si había que cambiarla de colegio, pues se la cambiaba. Y que santas pascuas.

Yo he decidido no escaparme más porque no quiero que me cambien de colegio, porque Berta será muy cotilla, pero es mi mejor amiga, y la más guapa de la clase además, y mola estar con ella y que los niños y las niñas la miren tanto, y Javi el Maño puede que sea un chulito, pero ningún otro niño me ha pedido salir, y además a mí no me apetece nada ir a un colegio nuevo, la verdad, si llevo en éste toda la vida y siempre con los mismos amigos. Pero en lo otro mi padre se equivoca. Cuando cumpla catorce años seguiré queriendo ver a Alberto, y seguiré queriendo ir a tomar con él tortitas con nata. Tengo clarísimo que querré seguir viéndole, y que nunca, nunca, me voy a olvidar de él.

Estoy deseando cumplir catorce años.

CINCUENTA PASOS

A mí las horas se me pasan andando los cincuenta pasos, cincuenta arriba, cincuenta abajo, por la acera. Ando porque la policía no nos quiere ver paradas. Nos han dicho que cada vez que vengan ellos que no nos quieren ver paradas, que tenemos que estar andando, o sea, están aquí tres horas ellos y tres horas andando te tienes que estar, y que no puedes moverte mucho, para no salirte de tu zona. Estos policías son nuevos, porque antes venían los policías nacionales, los de los coches, ahora vienen los de extranjería y eso. Yo como he estado dos meses fuera por lo del hospital de la niña me vine el otro día y me viene una chica que trabaja aquí, y me dice ponte a andar que han dicho que no te quieren ver parada, y yo le dije ¿y eso?, y ella me dijo, no sé. Y estaba una chiquita parada y le dicen: Tú, ¿no has oído que tienes que andar?, que cuando nosotros vengamos tienes que andar, estemos aquí tres horas o estemos cuatro. Y eso es muy jodido, porque tres horas andando mata, y cuando llueve no te dejan ni meterte bajo los soportales, o te traes un paraguas o te calas, pero quieta no puedes estar. Dicen que es por no sé cuál operación del pepé antes de las elecciones, que quieren la calle limpia, y si andamos no se nota tanto lo que estamos haciendo y así no se nos tienen que llevar. No se nos llevan, pero nos tienen machacadas. Éstos son nuevos, antes venían los policías nacionales, los coches. A veces la policía ha venido, a lo mejor, y hemos estao paradas ahí, y por estar paradas ahí nos han llevao a la comisaría, nos han pedido la documentación y nos han dejado allí, por estar. Yo tengo papeles, yo soy española, tengo papeles, o sea, que me han llevado sólo por estar, y te dejan allí hasta que les salga a ellos de las narices, dos o tres horas sentada en un banco sin hacer nada hasta que viene uno y te dice que ya te puedes ir. Yo creo que dicen, anda, ésta me ha gustado, pues me la llevo. O si no para decir que hacen su trabajo y eso. A las extranjeras se las han llevado a un montón. Pero no importa, porque luego vienen otras, y otras. Nosotras hemos tenido aquí policías amigos nuestros, que me decía uno, anda tú, a ver si te vas de aquí y no vienes más, anda, que esto no es pa ti, que eres muy joven tú, que tienes la vida por delante y nosequé y nosecuántos. A ése le gustaba yo o algo, no sé, tenía una perra conmigo, todos los días me venía con lo mismo, que si esto no era para mí. Y yo que le decía tú me buscas un trabajo que me dé para mantenernos a mí y a la niña y yo te juro que más no vuelvo, y ahí se callaba. Algún que otro se va con las chicas, gratis. Yo nunca he subido con un policía, pero chicas de aquí sí. Cincuenta pasos acera arriba y acera abajo, que me los tengo contados porque si no me paso de zona, porque si tú por ejemplo llevas aquí mucho tiempo trabajando y en esta zona cobran veinticinco igual que enfrente cobran diez y en otra zona cobran cinco, por eso cada una tiene que quedarse en su zona, porque si tú trabajas aquí están trabajando también diez personas, y en la otra zona otras diez y en la otra no sé cuántas, pues según lo que cobra cada una que se vaya al sitio donde cobran eso, y como me pase de zona se creen que cobro menos. Total, que si ando más de cincuenta pasos me paso de zona, o sea, que cuando he hecho cincuenta pasos me doy la vuelta y otra vez otros cincuenta pasos, pero al revés, cincuenta pasos parriba, cincuenta pasos pabajo, pensando y dándole vueltas al anillo en el dedo, por hacer algo, por nervios, porque yo no fumo y así hago algo con las manos, y eso. El anillo lo llevo desde el principio, desde casi el primer día. Me acuerdo que me daba mucha vergüenza y eso, yo ya lo había hecho alguna vez, lo de irme con uno por dinero, pero nunca me había puesto aquí, en la calle, a buscarlo, pero fui un día que vine con una amiga y me dijo que no, que no pasaba nada, que aquí no pasaba nada, que viniera y que probara y eso, y me vine un día y vi que se trabajaba y dije que bueno, y estuve de todas formas buscando trabajo en otros sitios, pero siempre dijeron que me iban a llamar pero nunca me han llamao. Mis padres se creen que estoy trabajando en otra cosa, de limpieza, pero una vez se enteraron porque un vecino me vio y les fue con el cuento y mi padre estuvo aquí a ver si me veía y eso, y me tuve que ir unos días hasta que mi padre dejó de venir. Pero luego ya les he engañado y les he dicho que estoy trabajando limpiando una guardería, y ellos no lo saben, si se enteran sería para mí muy duro. Es que es difícil lo de encontrar trabajo, porque yo no tengo carrera ni efepé ni nada, yo estuve en el instituto hasta hacer tercero de la ESO pero luego ya mi madre me hizo dejarlo porque no me gustaba mucho estudiar y mi madre dijo que pa gastarse dinero en los libros que no fuera, y ahora con lo del paro y eso hasta en las pastelerías y en los supermercados hay gente con carrera, o con el COU. Total, que me vine con la amiga y el primer día, la primera vez que me subí a un cliente, me encontré el anillo en la mesilla de noche, ahí, donde el portal negro, donde nos ocupamos. Hay dos pisos y cada uno que entra pues hay que pagarle. Eso es de uno que ha venido aquí, ha alquilado eso y ha puesto esas habitaciones para las mujeres. Nosotras venimos aquí, le pagamos cinco euros y el resto para nosotras. Todo el mundo te ve entrar y ya saben que vas a eso. Ellos ganan mucho dinero porque está abierto las veinticuatro horas del día. Haz cuenta, con todas las que subimos, lo que puede ganar, un montón. Pero también le tiene que pagar a la policía y al ayuntamiento pa que no se lo cierren. La policía lo sabe, claro, lo de éste, lo del de abajo y lo de todos, que hay un montón. La policía ha entrao alguna vez y todo, pero no para cerrarlo, sino a lo mejor porque alguna chica ha robao a algún cliente, o cuando pasó lo de Claudia, pero esto nunca ni lo han cerrao ni han intentao cerrarlo. Pues eso, que vi el anillo en la mesilla y me lo puse, y me venía bien. El hombre ni se fijó, ya se estaba marchando. Suyo no era, porque yo estuve con él todo el rato y no se quitó ningún anillo, que yo lo hubiera visto. Tenía que ser de alguien que estuvo en el cuarto antes que nosotros. Y vi que el anillo llevaba una fecha y un nombre por dentro, Julia. Entonces le pregunté al que nos cobra si su mujer se llamaba Julia o si alguna de las chicas que limpiaban se llamaba así. Me dijo que no. Y pensé que era de un hombre que había ido con otra chica a la habitación antes que yo y se había quitado el anillo para hacerlo. Igual porque le daba remordimiento o vergüenza, y eso. Total, que me puse el anillo y el nombre también. Porque muchas chicas se cambian el nombre. Unas porque tienen un nombre feo, como Herminia o Avelina o Antonia. Otras porque piensan que de esa forma la gente no va a saber que ellas están en la calle, que no van a saber que hay una Avelina en la calle y pensar que sea ella. Otras, como yo, por otras razones. Yo porque así cuando me llaman ya sé quién es. Si preguntan por Marijose, no es un cliente. Y si preguntan por Julia, sí. Hay clientes que ná más quieren subir contigo, que no quieren probar a tantas, y te piden el teléfono. Entonces que me llaman a cualquier hora y me dicen que quieren que me venga para acá, y yo me vengo. Y además que así yo pienso que hay dos personas, la Julia que trabaja aquí y que está todo el día cincuenta pasos parriba y cincuenta pasos pabajo, y la Marijose, que es la de casa y que está tranquilita cocinando y dando de comer a la niña, y de esa forma separo las dos vidas y me parece más fácil aguantarlo. Algunos clientes se quedan mirando el anillo y me preguntan si estoy casada. Yo les digo que sí. Yo no estoy casada, estoy juntada, y él no lleva anillo, pero pal caso... Yo a él ya le conocía antes de estar aquí. Yo entonces no estaba trabajando aquí, entonces trabajaba de teleoperadora, y vino una del trabajo y me dijo que si la acompañaba al trabajo de su marido, y ahí estaba mi marido trabajando de albañil, que estaba haciendo una discoteca. Entonces ahí empezamos a hablar y eso y a la semana más o menos nos juntamos y luego a la niña la tuvimos porque vino, no la buscamos pero vino. A él le están saliendo ahora los papeles, dentro de dos meses ya se los dan, o eso querría yo. Luego ya veremos cómo sale la cosa, porque como a él le tienen que traer los papeles de su país y hasta que los encuentren... Le falta el papel como de que está soltero, el del empadronamiento, todo eso lo necesitamos, y hasta que no me los manden de su país, pues eso... Pero yo me quiero casar, a ver si se los dan más rápido, los papeles, porque suelen dárselos más rápido así, que tengo miedo que un día lo coja la policía y lo mande otra vez a su país, que es lo que me faltaba. Si no pierdo la relación y no hay ningún problema yo quiero quedarme con él mucho tiempo, porque yo le quiero mucho y él me quiere a mí, pero si hay algún problema, que a lo mejor sea por discusiones o algo, entonces se acabaría. A veces discutimos por tonterías, a lo mejor por la niña, porque a lo mejor llegue yo cansada, porque yo salgo de aquí y tiro pa casa, no paro en ninguna parte, pero aquí te cansas rapidísimo, porque estando de pie tantas horas... Y le digo dale de comer a la niña. Pues dale tú, me dice. O que yo le diga ayúdame a subir a la niña y me diga súbela tú, que vivimos en un cuarto sin ascensor, que yo no estoy como para subirla sola. Joder, que yo vengo cansada del trabajo y él está ahí y no está haciendo nada. Por tonterías así discutimos, pero por cosas gordas nunca hemos discutido, porque yo procuro no discutir con él, pero hay veces que hemos discutido y él se ha ido por un lao y yo me he ido por el otro y a la media hora o él me ha llamao o yo le he llamao y hemos estao otra vez juntos. Yo lo del amor para toda la vida no me lo creo, trabajas aquí y no te lo crees, que la mitad o más de los que vienen son casados, como el que se dejó el anillo que ahora llevo yo. Pero con mi marido sé que no voy a tener ningún problema por esto, que con lo de la prostitución no voy a tener ningún problema porque ya llevo mucho tiempo trabajando aquí y él ya lo sabe. Al principio, al mes de estar aquí, se lo tuve que decir, porque ya sabes que en un trabajo te pagan al mes, pero él me veía llegar con dinero todos los días. Y me preguntaba: ¿Y esto de qué lo traes? Nada, porque me lo ha prestado mi madre. O sea, que primero le mentía, pero al final se lo tuve que decir. Nada, cariño, que he estado en este sitio porque no encuentro trabajo y a la niña tenemos que mantenerla de alguna forma y nosotros nos tenemos que mantener, y si te parece bien déjame trabajar allí. Y él dijo pero es que no me gusta, que luego la gente habla. Pero es que a mí me da igual lo que la gente habla, porque es que a mí nadie me va a mantener. Y aunque al principio estuvo una semanita así, muy raro, al final ya lo ha cogido bien. Por eso nunca he tenido yo problemas, porque yo siempre se lo he dicho, en cuanto he tenido oportunidad se lo he dicho, y nunca me lo ha echao en cara. Eso es lo mejor de él que me ha hecho, que nunca me lo ha echao en cara, nunca, nunca, problemas con él por eso nunca he tenido, que a alguna de aquí que no lo sabía su marido sí los ha tenido, que el hombre se ha enterado más tarde y la ha molido a palos. Y que tampoco él es de los otros, que no les importa que su mujer esté aquí pero luego le piden ellos el dinero, que yo cuando no quiero venir pues no vengo. Él es una persona que yo le digo cariño no quiero ir y él me dice pues no vayas hoy a trabajar. Con decirte que él ni siquiera pasa por esta calle. No es que no me vigile, es que no viene nunca, porque él dice que cómo va él a consentir que venga un hombre, que yo esté aquí parada y que me suba con él. Si lo veo, yo cojo y lo mato, dice. Pero sabe que yo no lo hago por gusto, que lo hago por la niña. Porque él sabe que yo el dinero que gano aquí no me lo gasto, que yo lo meto en el banco, o sea, que yo soy una persona que soy muy ahorrativa, no por mí, por mi hija, porque tengo una niña y la tengo que dar de comer y a diario hay que comprarle los pañales y la leche. Porque el dinero se me va en la niña, que tres cartones de leche ya te valen quince euros, y no sé cuándo voy a poderla dar leche normal, que de momento me ha dicho el médico que no. Ya te digo que él me trata bien, pero yo anteriormente antes de conocerle a él tenía una experiencia muy mala con los hombres, me trataban mal, porque los extranjeros son así, que les gusta que les des todo el dinero y que trabajes para ellos, pero ellos estando con cuarenta mujeres y estando contigo. A él le conocí y en un principio me dio miedo porque pensaba éste es extranjero también, me hará lo mismo que todos con los que he estao. Pero él se portaba muy bien conmigo, él me ayudaba a todo, cuando tuvimos la niña yo pensaba que me iba a dejar y no, él siguió palante conmigo. Además él antes bebía mucho y dejó la bebida por mí, dejó de salir por la noche por mí. No sé, vi que me daba amor, entonces yo cogí y me enamoré de él poquito a poquito, no del tirón sino poquito a poquito, y ahora ya llevo cuatro años con él y muy bien, porque es una persona muy trabajadora. Aquí llevo como dos años y pico pero estuve como dos meses o así retirada, que no vine porque tuve a mi hija mala ingresada por una infección de orina y no podía venir. También dejé de venir una semana cuando pasó lo de Claudia. La niña es muy bonita, la quiero mucho, también ten en cuenta que estoy aquí por ella, porque no encuentro trabajo y la tengo que mantener de alguna forma. La niña ahora está con mi marido, pero a las dos voy a casa y la doy de comer. Yo hago esto por la niña y más que haría, pero muchas veces me encuentro diciendo que qué hago yo aquí, siendo joven, que por qué cojones no me sale un trabajo, tantas horas que me paso aquí cincuenta pasos parriba y cincuenta pasos pabajo y todo por una mierda de dinero, porque es una mierda de dinero la que ganas aquí, porque antes se ganaba muchísimo más. Yo antes era subir y bajar toda la mañana y toda la tarde. Hay días que he estado desde por la mañana hasta la tarde, sin parar, y a mi casa me he ido con doscientas mil pesetas, incluso ha habido días que he venido por la mañana, me he hecho cien mil y me he ido, y no he tenido que venir por la tarde. Entonces era mucho dinero, era casi mejor que trabajar en otra cosa, en un sentido, pero sólo en un sentido, porque no compensa la vergüenza, hay veces que pasa gente que te conoce, como el vecino ese que se lo dijo a mis padres, y hay muchas veces que me tengo que esconder o darme la vuelta o irme para otro lado. La gente de los locales nos han puesto hasta pegamento en las puertas para que nos peguemos, yo me pegué, y mi amiga, la Claudia, también. No nos quedamos pegadas del todo, pero se manchaba la ropa y la tenías que tirar porque era un pegamento muy fuerte que no salía con nada. Y yo y la Claudia nos pegamos. El que puso el pegamento, ése, es un cabrón, ése vive encima, ahí al lao mío, al lao de donde yo vivo, en mi casa, pues al lao. Los de las tiendas están intentando echarnos, venga a decir que están hartos de la prostitución y todo. Dicen que están hartos por el mal ejemplo de los hijos, pero yo sé que tiene más que ver con el precio de los pisos y de los locales. Pero como digo yo, si nosotras no hacemos daño a nadie, si trabajamos en esto porque tenemos que comer como todo el mundo, que nadie está aquí por gusto y no robamos ni le hacemos daño a nadie, y que si estamos aquí es porque hay quien nos quiere, también. Estamos horas aquí mojándonos, contando los cincuenta pasos hasta que nos aburrimos, empapándonos, pasando frío o pasando calor, según. Ellos nos joroban. Que os quitéis de aquí, nos dicen. Como el otro día me pasó, que estoy apoyada allí, en el sitio aquel de los tatuajes, y viene el tío y me dice: Quítate de aquí. Y yo que le digo: ¿Me lo puedes decir bien?, que soy una persona igual que tú. Y dice: Lo que sois es unas perras. Digo: Perra tu madre, así mismo se lo dije. A mí me puedes decir ¿te puedes quitar de aquí?, con educación, no llamarme perra, o lo que sea. Porque te tratan así, te hacen cada cosa que alucinas. Pero ya cada vez que me dicen quítate de aquí pues cojo y me quito, por no discutir, porque sé que llevo las de perder. Porque si discutes pierdes tú porque viene la policía y te echa a ti la culpa de todo, porque como eres una prostituta, a ver. Incluso vino uno con un tambor persiguiendo a los clientes a todo bombo para que al cliente le diera vergüenza que le mirasen y todos supieran lo que hacía y nosotras no pudiéramos trabajar, o sea jorobando la calle, que al del bombo le habían pagado los de los locales. Incluso la gente, los de los locales que dicen que no nos pongamos aquí, son ellos los que suben con nosotras cuando cierran. Y vienen también muchas mujeres extranjeras que causan muchos problemas, o sea, que las dices que no se pongan en nuestra zona y se ponen a llamarte de todo, o sea, muchas peleas, que si le decimos a una que se vaya a su zona, donde cobran lo suyo, no que se venga a donde estamos cobrando otra cosa, se enfada y nos insulta y venga a chillar y nos busca pelea. Claro que como yo soy española yo me pongo donde quiera. O sea, porque yo cuando llegué a esta zona de aquí donde estoy ahora era de españolas y ya cuando llegaron las extranjeras ya nos jorobaron y se pusieron aquí, pero nosotras les decimos a las extranjeras que se vayan a otro lado a trabajar, más pabajo, porque las extranjeras cobran muy poco, algunas cobran diez euros, quince, y nos joroban a las demás, porque como no hay trabajo pues los hombres llegan y te dan eso, y ellas se suben por eso porque tienen que enviar dinero a casa, a su país. A mí alguno me ha venido ofreciendo diez euros y yo me he echao a reír. Mira tío, vete a tu casa y hazte una paja. ¿Que tú te crees que a mí por cinco euros me merece la pena? Porque cinco euros se me van en la cama. Las extranjeras que lo hagan por diez, allá ellas. Pero muchos hombres dicen que no les gustan las extranjeras, que en la cama son muy malas, que dicen que a lo mejor llegan a la habitación y le dicen que se quite toda la ropa y a lo mejor sólo se quitan el pantalón y a lo mejor también muchas veces les han robado y por eso no quieren extranjeras. Yo sí me quito la ropa, pero sólo si pagan. Si me quieren ver sin ropa, entonces tiene que pagar más. Yo aquí estoy trabajando para chupar y para follar, no para que me vean mis pechos ni para que me los chupen ni nada, y el que quiera, que me pague más, y si no que me vea solamente la parte de abajo, que es lo que él necesita para echar un polvo, digo yo, vamos. A lo mejor también necesita el pecho, al menos verlo, pero si lo quieren que me lo paguen.

A mí no me gusta estar aquí, cincuenta pasos parriba y cincuenta pasos pabajo todo el día, por eso estoy intentando aún buscar trabajo, porque aquí no me gusta estar porque es una vida muy mala, porque hay muchos robos y muchos problemas con los clientes, pos que te piden que hagas cosas que no. Por ejemplo, por el culo, y a lo mejor o te pegan o te insultan o no te quieren pagar, cosas así. Una vez cuando yo estaba con uno me fui a lavar y dejé el bolso ahí, como siempre lo dejo, y él me intentó robar, yo me di cuenta y entonces él me pegó, pero yo me agarré al bolso y no se lo llevó. No, la calle no compensa por mucho dinero que hagas. Además, que ya no se hace dinero, eso era antes, al principio, que ahora la calle está muy jorobada, desde que han venido las extranjeras se ha jodido toda la calle, ahora está esto malísimo. En cuantito me salga un trabajo ya creo que me iré, estoy buscándolo, todos los días intento buscar algo por tos laos, y el día que me salga algo me voy, de lo que me salga, me da igual, de lo que me salga, y me da igual las horas que sea, porque también el día de mañana no quiero que mi hija se entere. Bueno, ahora es chiquitita, pero cuando sea mayor imagínate, que mi hija me pregunte que en qué trabajo, o que alguien se entere, que me vea, porque aquí pasa mucha gente que vive al lado mío, y que se lo digan a mi hija. Eso sería una vergüenza para mí muy grande. Y además aquí ya no queda nadie, hay cuatro moscas, como digo yo. Españolas no van quedando, ya son todas ecuatorianas, que han reventao la calle. Lo que también hay es muchas rumanas, marroquís, chinas. Hay dos chinas muy feas, pero todas las chinas son feas, al menos pa mí. Las chinas cobran diez euros y se suben con los viejos guarros y verdes. Ya habemos sólo como cinco o seis españolas en la calle, pero ahora yo soy casi la única porque las otras vienen poco, y vamos viniendo menos, porque no compensa. Yo misma ahora no vengo todos los días, antes sí, pero ahora vengo de vez en cuando porque ahora él ya está trabajando, pero con lo que él gana no nos podemos mantener yo y la niña y él. Así que ahora vengo menos, ya no como antes, suelo venir a las nueve y me voy a las dos y a lo mejor luego me vengo por la tarde de cuatro a nueve, si el día sale malo tengo uno o dos clientes, pero si el día está bueno por la mañana puedo tener seis o siete y por la tarde a veces más. Ellos vienen a preguntarme, me preguntan el precio, les digo lo que cobro, que son veinticinco euros, y te preguntan lo que haces, si lo haces por el culo o si la chupas sin preservativo, pero yo solamente follo y la chupo, pero con preservativo todo, y si a ellos les conviene, bien, y si no les conviene, pues nada, él ya te dice vale sí o vale no. Pero si le conviene subimos ahí detrás, a ese portal, el negro, pago yo la habitación, que son cinco euros, y ahí estamos de quince a veinte minutos, y si alguno quiere estar más rato entonces me tiene que pagar más, si quieren una hora les cobro ciento veinte la hora. A mí a veces me han pagao, muchas veces, sólo por hablar conmigo, por estar conmigo un rato, me han llegado a pagar dos horas sólo por hablar conmigo, porque hay clientes que vienen aquí que a lo mejor no quieren venir a follar, que quieren solamente una amistad. Yo he tenido muchos clientes así, que a mí me han pagado hasta doscientos euros por una hora, sobre todo los viejos. Alguno viene que me ve por la calle y me invita a un café, o a comer. A comer menos veces, claro, que además yo normalmente no puedo porque tengo que ir a casa a dar de comer a la niña. Aquí tampoco la gente es toda mala, ya ves. Aquí vienen sobre todo ecuatorianos, marroquís y viejos, algún cubano también, mucho sudamericano, pero españoles jóvenes no, muy pocos. Los marroquís y los cubanos son los más guapos, hay algún marroquí guapísimo, yo he subido con alguno de los que le harías un favor sin cobrarles ni nada, pero claro, éste es mi trabajo, y tengo que cobrarles. Los ecuatorianos son los más feos y además son muy empalagosos, te empiezan ahí a acariciar por todos laos y a quererte chupar y a mí eso es que me da mucho asco, o sea, no me dejo, te quieren besar en la boca y a mí eso me da asco, ya te he dicho. En la boca no, qué asco, yo en la boca sólo le dejo a mi marido, y hay veces que tengo que decirle también no, por favor, no me beses más, que me da asco. Hay tías que se dejan quitar la ropa y se dejan besarse esto y lo otro, arriba y abajo, pero yo no. Y yo abajo no me dejo besar ni de coña, para eso que me lo chupe mi marido, no este guarro que a lo mejor ha estao con cuarenta tías por ahí y me pega lo que sea. Los viejos son los que te pagan menos, te pagan quince o veinte, pero encima que pagan poco tardan un montón y hay veces que se van sin hacer nada, y alguno a veces te tiene que pagar hasta una hora para que se corra. Viejos hay muchos, un montón, no te lo creerías, hay veces que ha venido alguno de ochenta años y todo. Ya ves tú, aguantar hasta que se le ponga la cola dura a un hombre que encima paga una mierda. Y a veces lo contrario, yo he tenido ocasiones que me he ido con alguno y nada más tocarme se ha corrido. Yo trabajo mucho porque por ahora soy la más joven de todas, de las españolas y de las extranjeras, soy la más joven, bueno, había una más joven por ahí, que creo que tenía diecisiete años, de las extranjeras, pero no sé dónde está. Yo empecé con diecisiete, pero tenía que ir con mucho cuidado, porque si la policía te coge menor y haciendo la calle te manda al tutelar. Ahora ya tengo veintiuno, tres años y medio llevo aquí, o más o menos, no sé, se me van las fechas, no sé la de tiempo que se me ha ido aquí, cincuenta pasos parriba y cincuenta pasos pabajo, sin hacer más que darle vueltas al anillo y comerme la cabeza, hablando sola, pa mí, porque yo no charlo con las chicas porque no tengo de qué. Yo no quiero criticar a las demás, por eso que no hablo. Por eso yo aquí no tengo amigas. Las de aquí son conocidas, yo de aquí no tengo amigas, sólo tuve una, que ella también solía venir y que también era española, la Claudia, la del pelito corto, que era guapísima, mucha gente decía que éramos las más guapas de la calle, yo y ella, y por eso ella también trabajaba muy bien. Ella era mayor que yo, tenía veintitrés. Yo tengo aquí conocidas, que esto es donde trabajo y ya está, porque no me gusta ser amiga de la gente de la calle, porque luego hablan mucho por ahí, a lo mejor luego hablan de ti mal. Mira ésta, se sube por quince euros, y la otra la chupa sin preservativo, y la de allá que esto, y mira que aquello. O sea, que las de la calle son así, las de mi zona son españolas como yo pero distintas, que aquí lo único que se hace es criticar que mira ésta, sube por esto, ésta sube por lo otro y ésta es una guarra, ésta sube por quince y siendo tan joven, ésta se deja dar por el culo, siempre hablando mal de la gente. Pero yo no critico ni me gusta meterme con nadie, porque cada una con su cuerpo hace lo que quiera y ella sabrá por qué lo hace. Lo que no soporto son las que suben y roban al cliente, que son sobre todo las yonquis y las extranjeras, eso es distinto, eso sí que lo critico, que nos joroban a todas, porque luego se creen que todas somos iguales. Yo es que nunca he robado a ningún cliente, ni lo pienso hacer, a mí si me paga no tengo por qué robar a nadie aunque esté aquí horas y horas, cincuenta pasos parriba y cincuenta pasos pabajo, escondiéndome en un portal si veo venir a alguno del barrio que le pueda ir con el cuento a mis padres. A mis padres les veo, poquito pero les veo, mi padre es albañil, mi madre ama de casa, voy a verlos poco porque mi marido no quiere que tenga mucha confianza con ellos, porque yo muchas veces he necesitado muchas cosas y ellos a mí nunca me han dao nada, yo he necesitado a lo mejor para mi hija pañales y he ido a pedírselos a mi madre, porque mi madre tiene otros dos hijos pequeños, de la edad de mi hija un poco más mayores, y mi madre me ha dicho pues no te los puedo dar, que te los compre tu marido, que para eso lo tienes, y a mi hermana incluso también se lo he pedido y nunca me han hecho un favor y ahora son ellos los que me piden a mí favores y yo como tonta se los doy. El otro día sin ir más lejos me dijo mi madre que necesitaba para comprar comida a mis hermanos, que no había cobrado mi padre porque ahora no está trabajando, y yo cogí y se lo di, y eso que mis padres a mí nunca me han querido, desde luego no tanto como a mi hermana la mayor, porque cuando a mi hermana la llevaban a la playa la compraban esto o la compraban lo otro. A mí no, a mí cada dos por tres me regañaban, y si pedía algo me decían que no tenían dinero, y a mi hermana se lo compraban. A mí me han dao una vida muy mala, porque a mí me echaron de mi casa. Mi padre me echó, con catorce años porque mi padre bebía mucho y estaba en contra de mí, no sé por qué, y porque yo le contestaba, pero mi hermana también lo hacía y a mi hermana no la echaron y a mí sí. Cuando bebía me pegaba, pero si no bebía no. Pero ahora ya está más tranquilito, ahora me ve y me dice a ver si me llamas, debe de ser la edad. Pero yo ahora en vez de irles a ver todos los días, porque tampoco puedo, pues les llamo. A mi marido no le gustaba antes que les viera, él no era capaz de ir a la casa de mis padres conmigo porque como sabía que mi padre me había pegao y todo no quería ir y tampoco me dejaba ir a mí. Y a la niña no te la llevas, me decía. Ahora ya sí, ahora le digo que me voy a ver a mi madre y hay veces que me dice venga, vale, pero vente pronto, y si se encuentra a mi padre por el barrio se toma unas cañas con él y todo. En Nochebuena me voy a ir allí, pero él no se vendrá, porque con mi madre tiene mucha confianza, pero con mi padre... tiene, pero no tanta como con mi madre, porque él es una persona que si ve que me han hecho a mí daño no quiere que me vaya pallá. Claro, porque él sabe que mi padre me ha pegao, y que me ha echao a la calle embarazada y todo, porque me echó la primera vez a los catorce, y luego volví a mi casa porque mi hermana me convenció, y cuando me quedé embarazada, a los dieciséis, me echaron de la pastelería, y mi padre de casa. Me echó de casa por segunda vez. O sea, que yo llevo desde los catorce años buscándome la vida pa mí sola, así o trabajando en lo que he podido, que al principio me fui a una pastelería, a un trabajo que me buscó mi hermana. Me fui a vivir con unas amigas del barrio, que trabajaban ya en esto, pero después ya volví a casa, porque mi hermana me convenció. Pero al año entonces me quedé embarazada, no de la niña de ahora, sino de la primera, porque yo estaba con un chico español. Era un novio pero ni yo le quería ni él me quería a mí. Él era mal marido como quien dice, mal novio, me ponía cuernos con un montón de gente y no venía a dormir en muchos días. O sea, que yo aguantaba mucho. Había veces que yo me iba a su casa a dormir y eso y me quedaba en su casa como una semana o así y a mis padres les parecía bien porque él tenía dinero. Me iba a su casa y me quedaba una semana, pero él venía sólo dos días y los otros cinco se iba por ahí, venía todo borracho y me pegaba porque sí, porque le daba la gana, porque hay hombres que beben y se ponen agresivos, como mi padre, que también me pegaba porque le daba la gana, que yo he vivido una experiencia muy mala, por eso yo no subo nunca, nunca, con gente borracha, porque aquí vienen muchos borrachos que dicen que me pagan lo que yo quiera, pero yo no subo porque tengo miedo, a ver si digo yo no quiero hacer esto y entonces me van a pegar. Hay muchas chicas que las ha pasao eso porque han ido con borrachos. Te puede pasar eso o cosas peores, mucho peores, como lo que le pasó a la pobre Claudia. A mí nunca me ha pegao ninguno, sólo el que me intentó robar el bolso, y me defendí. A mí no me pega nadie, ni se le ocurra, porque lo mato con el mismo tacón de la bota. Cuchillo no puedo llevar, algunas chicas lo llevan, pero pa qué, aquí hay mucha policía y como te pillen un cuchillo en el bolso ya estás mal, ya tienen de qué acusarte. Pues eso, que yo estaba con este chico español y me quedé embarazada porque me vino, como me pasó con ésta, con la que tengo en casa. Porque a él no le gustaba con preservativo, y yo le decía ponte preservativo y a él no le gustaba y no se lo ponía y me quedé embarazada. Para cuando me di cuenta ya tenía tres meses y no podía abortar, ya cuando tienes tres meses no puedes abortar, entonces decidí tenerla. En la pastelería me dijeron que embarazada no podía trabajar y mi padre, cuando lo supo, me echó de casa otra vez. Y claro, yo en esa época, que tenía dieciséis años, no tenía ni trabajo ni tenía casa ni tenía nada, ¿cómo la iba a mantener yo? Pero ahora me estoy tomando pastillas, para no tener más. Cuando yo vea que tengo un trabajo bien estable y todo, ya entonces tendré más niños, ahora no. Quiero tener un niño, porque tengo dos niñas y quiero un niño, pero mientras que no tenga un trabajo bien, no, que no quiero estar con un crío dentro y teniendo que estar andando todo el rato, cincuenta pasos parriba y cincuenta pasos pabajo. Y como mi padre me había echao me volví a casa de las amigas aquellas, que trabajaban todas aquí. Y ésa fue la primera vez que me vine aquí, con diecisiete años recién cumplidos y embarazada de cinco meses, que hasta trabajaba más embarazada porque a los hombres les gustan embarazadas. Me decían es que me encantan las embarazadas, me dan más gusto. Yo no sé por qué será, pero es verdad que las embarazadas aquí trabajan más. Yo es que antes, te digo mi verdad, trabajaba mucho, yo y todas las que estamos aquí, pero sobre todo yo, que era casi la única española de la acera, o por lo menos la única fija, y además joven. Ahora es que ni trabajo yo ni trabaja ninguna, desde que llegaron las extranjeras hay demasiadas mujeres y hombres no hay más, hay los mismos, o sea, que hay menos trabajo. Está la cosa muy mala ahora, que ahora tú vienes por la mañana aquí a las nueve de la mañana y te vas a las doce sin un puto duro, que no te has subido a un solo cliente y te has pasado la mañana cincuenta pasos parriba y cincuenta pasos pabajo. Ahora no te llevas los quinientos euros al mes ni de lejos, ni borracha, vamos.

Bueno, pues así andaba yo, diecisiete años recién cumplidos, un bombo de cinco meses y haciendo la calle cuando entonces él, el padre, que no sabía que yo estaba aquí, me paró por la calle, en el barrio, y me dijo, dame el bebé a mí, que mi madre lo quiere, que lo va a cuidar. Porque su familia tenía dinero, él es albañil, pero su padre tiene una tienda de electrodomésticos en el barrio, y yo pensé que mejor que va a estar con su padre no va a estar conmigo. Ya te digo que él no sabía nada de esto, ni lo sabe, creo, que si no, no sé si se habría quedado con la niña. Yo a la niña la veo todos los fines de semana, está ahora con el padre y con la mujer de su padre, ya la niña está acostumbrada a él y a ella, a ella la llama mamá, que ella ha sido quien la ha criado desde que nació, o sea, que es su madre como quien dice. Yo con ella, con la nueva madre, no discuto para nada, porque yo, mientras mi hija esté bien, lo demás me da igual, y a mi hija no la falta ná, tiene su comida, tiene su ropa y va a su guardería y todo, por eso no tengo problemas. Con ella me llevo muy bien, ella me llama y me pregunta cómo estás y eso, yo para qué voy a discutir con ella, si ella no tiene la culpa. No sé qué pasará cuando la niña sea mayor y le digan que yo soy su madre de verdad. Seguirá con ellos, claro, porque yo cuando la di firmé un papel como que renunciaba, aunque la niña lleva mis apellidos, no sé muy bien qué papel era, eso lo arreglaron los padres de él, que llamaron a un abogado y todo. Yo la tuve quince días como quien dice, sólo quince días, lloré un montón, me harté de llorar porque se la tenía que dar y era mía, pero me dije que qué iba a hacer. Me dije, ¿voy a dejar que la niña se muera de hambre teniendo el padre dinero? Así que miré por el bien de mi hija, no por el bien mío. Pero yo procuro ir a verla y todo, ella yo creo que sabe que yo soy su madre, porque ella cuando me ve no se quiere separar de mí. Mi marido a esa niña también la quiere mucho, la dice yo soy tu tío y la niña le habla y se ríe y todo. Y el padre de verdad buen padre sí que es, porque me la tiene bien, pero buen marido no, porque le sigue encantando mucho la bebida, pero yo sé que a mi niña no la pega, eso te lo digo yo porque ella, su mujer, y yo tenemos confianza, y ella me ha contao que a la niña nunca la ha pegao ni la ha regañao, incluso que él la tiene muy mimada, la tiene muy consentida en el sentido de que le da todo lo que la niña quiere. A la niña no la pega, seguro, que yo la veo y está siempre contenta, y no tiene marcas, pero no sé si a ella, a la mujer, la pegará, yo creo que sí.

Bueno, pues después de dar a la niña pensé que tendría que volver aquí, pero tuve suerte y encontré un trabajo como teleoperadora en una línea erótica, de once de la noche a siete de la mañana. Me pagaban ochenta mil al mes. Fue mi amiga, la Claudia, que trabajaba aquí, en la calle, conmigo, la que me lo contó el primer día que yo volvía para la calle, y me dijo: ¿Por qué no vamos juntas a ver si nos cogen?, y me llevó a un sitio que ahora no sé decirte dónde estaba, en la Gran Vía pero no me acuerdo qué numero, y me hicieron primero unas pruebas, te ponían un cronómetro, y cuando llamaba un cliente tenías que estar por lo menos ochenta segundos antes de que te colgara, a ver si al tío le gustabas y eso, la prueba era que yo tenía que estar por lo menos ochenta segundos hablando con el hombre, y si el hombre me colgaba, nada. Y llamó un hombre y bien, y llamó otro y mejor, y me estuve hasta un minuto y medio hablando con uno y eso que era la primera vez que hacía algo así, y al final me cogieron y me dijeron sí. Y nos contrataron a las dos, a mí y a ella. A veces llamaban mujeres que les gustaban las mujeres y tenías que hacer como de bollera, y llamaban también para travestís, y tenías tú que hacer de todo, tenías que hacer de travestí, tenías que hacer de bollera, tenías que hacer de todo, de lo que te pidieran. A mí se me daba bien, tenía labia, me encantaba, porque a mí me gusta hablar mucho con la gente y en cuanto me hablan me pongo a hablar yo, que es que no puedo estar callá mucho rato, me encanta hablar, que en el trabajo ese creo que me cogieron porque no me callaba más que por otra cosa, que yo soy abierta, que no soy como otras que dicen me da vergüenza hablar, no, yo soy así, y por eso me hice tan amiga de Claudia, porque trabajábamos juntas allí y hablábamos mucho las dos de todo, de nuestra vida y de su marido y de sus hijos, que tenía tres. Hablábamos si no había llamadas, pero casi siempre había llamadas, no paraban de entrar. Nos hicimos muy amigas la Claudia y yo, era mi única amiga en esto, que yo te digo que yo con la gente de la calle no quiero amistades. Estuve ahí unos meses trabajando, pero cerraron la empresa, y además lo habría tenido que dejar de todas formas, porque con ochenta mil pesetas me da para poco, que el alquiler ya son sesenta, y a la niña con veinte mil no la puedo yo mantener cuando mi marido no trabaja. Porque a mi marido le conocí mientras trabajaba en eso, no hacía la calle entonces, y enseguida me vino la niña, la segunda, al poco de conocerle a él, cuando aún trabajaba en eso. Ya te digo que cuando le conocí a él ya no hacía la calle, creía que nunca más la haría, que encontraría otra vez un trabajo como el de la pastelería y que me olvidaría de todo esto, pero entonces me vino la niña y tuve que volver. Además cerraron el sitio de las llamadas, vino la policía y lo cerraron. Por lo visto el sitio era ilegal porque había algo que no pagaban, no sé si el alquiler o la licencia. Y la Claudia se vino conmigo, otra vez a la calle, claro, a recorrernos una y otra vez los putos cincuenta pasos parriba y pabajo. Y un día llegué aquí más tarde que de costumbre porque la niña había llorado toda la noche y yo me había quedado dormida por la mañana, del cansancio, y no pude llegar a las nueve como siempre y me encontré un montón de policías. Más que nunca, muchísimos coches. Y el sitio donde nos ocupamos acordonado, que no nos dejaban entrar. Y antes de que lo dijeran me lo vi venir, sentí que ya lo sabía, no sé por qué, me dio un pálpito. Era la Claudia, que se había subido con un borracho y el hombre le había metido nosecuántas puñaladas y la había dejado allí desangrándose. La llevaron al hospital enseguida, pero ya era demasiado tarde. Durante unos días la calle estuvo muy tranquila, el sitio lo cerraron, pero luego lo volvieron a abrir. Yo estuve también muchos días que no venía, venía un rato pero entonces me saltaban las lágrimas así se me pasaron dos meses, que casi no venía. Pero luego seguí viniendo, claro, a ver, el dinero hace falta, qué iba a hacer. Y un día me encontré con el policía aquel, mi amigo, que subía por la calle vestido de paisano. Y me invitó a tomar un café. Y me preguntó que cómo estaba y le hablé de la niña y de mi marido y eso, le dije que estaba bien, pero que yo no podía dormir, que tenía pesadillas desde lo de Claudia. Y me dijo: ¿Quién es Claudia? Y le dije, mi amiga, la del pelito corto, la española esa, otra joven, la que mataron. Y me dijo: No se llamaba Claudia, se llamaba Julia, que estuve yo allí y tuve que redactar el informe y todo, y llevaba el documento de identidad en el bolso, y se llamaba Julia, como tú. Y estuve a punto de decirle yo no me llamo Julia, pero a él no le importaba, y además él nunca estaba en comisaría cuando me llevaron, así que no tenía por qué saberlo. Por eso no dije nada. Se llamaba Julia, dijo. Julia como tú y como mi mujer, dijo, que a ver si te tengo yo a ti cariño por el nombre. Y le dije, no sabía que estuvieras casado, como no llevas anillo. Y me dijo, es que lo perdí, hará tres años, o más, y no me ha apetecido volver a ponerme otro.

Flores para Sally

Aquí donde me ve usted a mí, una actriz de prestigio, una persona conocida, respetada, en su sitio, yo he sido una mujer maltratada. Porque lo que yo viví durante aquel año fue un verdadero maltrato, aunque mi marido no me pusiera la mano encima ni una sola vez. Si me hubiera puesto la mano encima todo el mundo se habría enterado, porque yo salía al escenario con muy poca ropa, con el body y el liguero y las medias y los zapatos y el sombrero, y se me habrían visto los morados y los cardenales. Y además, yo tenía que enseñar una cara bellísima e impecable. Lo que nadie sabía era lo de los gritos que me pegaba. Era un maltrato, de verdad que era un maltrato, porque mi marido, en vez de pegarme, me gritaba, porque sabía que yo no me podía defender. ¿Cómo no me podía defender? Pues gritándole yo. Yo no podía gritarle, y él lo sabía, y se aprovechaba. Aprovechaba su ventaja. Porque en una pareja si el uno grita el otro también debe tener derecho a gritar, pero es que yo no podía, no podía gritar porque luego a las seis me tenía que ir al teatro, a hacer los ejercicios de calentamiento. Y era muy importante que llegara con la voz bien colocada y en su sitio, perfecta, ya que tenía que hacer una tesitura muy alta en la que había un *mi* sobreagudo muy difícil. Entonces, claro, si te toca hacer un *mi* sobreagudo cada tarde, tienes que dormir mucho, descansar, no discutir, no alterarte. Que la voz es una cosa muy sensible, que no se puede abusar de ella, porque si no pierdes el tono, la bóveda, el terciopelo, todos los términos que emplea mi profesora. Y si fuerzas la voz se te van cayendo las *aes* hacia atrás. Me explico, si las vocales labiales vibran en los dientes, las cuerdas vocales no se golpean, así que si no quieres forzar la voz, donde pones la *í* pones la *a,* y así es donde tiene que estar la voz. La *í* y la *ú* son más cómodas, así que lo mejor es cambiar la *a* por la *í*. Tú cuando hablas la *a* la pones donde pones la *í*, pero cuando tienes la voz cansada, o has gritado, la *a* se te va hacia detrás, se te va hacia la tráquea, y recuperar la *a* cuesta un mundo. No sólo de clases, sino mentalmente y físicamente. Si pierdes la *a* se te va todo el trabajo que has hecho de apoyo con el diafragma. Perder la *a* es mil veces peor que perder la Visa oro, un desastre, créame. Y como te pelees, adiós *a,* se te fue para no volver. Perdida. La pierdes porque gritas y porque te estresas, pero sobre todo porque gritas. Por eso los profesores recomiendan después de un concierto o de una función que al salir del camerino no hables en un rato largo, porque durante la actuación has estado casi dos horas forzando el instrumento. Recomiendan que hables lo mínimo por lo menos durante una hora después de la actuación. Por lo menos una hora, pero si puedes hacerlo durar más, tanto mejor. Y si tienes que coger un taxi, pues le hablas con voz de pitufo: *Por favor, ¿me puede usted llevar a la calle Pintor Rosales?* Aunque el taxista se crea que eres mema o que le estás tomando el pelo y te mire con cara rara a través del espejo retrovisor.

Sólo hay una excepción para esto: el sexo. Porque cuando una está haciendo el amor puedes gritar, aunque grites no importa, no pierdes *a* ninguna. Es como cuando un bebé nace, que aunque llore, y llore, y llore, y llore no se queda afónico, porque tiene todo abierto, tiene todos los resonadores unidos a la totalidad del sistema fonador. Y cuando una mujer tiene un orgasmo, pues es lo mismo. El grito te sale desde abajo, desde donde aprietas el diafragma, desde más abajo del diafragma. Desde el sistema reproductor, no desde el sistema fonador. O sea, desde el coño. Perdóneme que hable así, que una es muy fina cuando quiere, pero es que no hay otra forma de decirlo. Cuando haces el amor el aire lo coges desde el coño, no lo coges desde el pecho ni desde el diafragma, sino desde el coño, el aire entra y sale por abajo. Como estás abierta en todos los aspectos, por mucho que grites no fuerzas, porque cuando gritas desde el coño no te puedes quedar afónica nunca. ¡Hay que gritar desde el coño! ¿Usted ha visto a las gitanas de la calle, que gritan y gritan y nunca se quedan afónicas por más que griten? ¡Chaniiii, ven acá tú pacá y tira pa casaaaa...! Pues no se estropean la voz por eso, porque gritan desde el mismo coño. Pero la gente refinada como nosotros, la gente más culta, ya hemos perdido ese contacto con la tierra, con el propio cuerpo, y por eso cuando gritamos forzamos la voz y perdemos la preciadísima *a*. Es por eso que una cantante no puede gritar, no debe gritar jamás, excepto sobre el escenario. Y eso no es gritar, claro. Es cantar.

Yo hacía ocho funciones a la semana. Una de martes a jueves, a las ocho y media. Doble viernes y sábado, a las ocho y a las diez y media. Una domingo, a las ocho. Y estaba obligada a dormir diez horas diarias. Porque todos los días, a la misma hora, tenía que hacer las mismas notas, en el mismo sitio. Aunque la verdad es que yo nunca llegaba a dormir diez horas, ocho a lo sumo, por culpa de la niña, que a las siete ya estaba en pie. Así que vivía como una esclava, yo me iba del teatro a casa, y de casa al teatro. Salía del escenario, me desmaquillaba, me cambiaba deprisa y corriendo, cogía el taxi, pedía al taxista *que me llevara a Pintor Rosales, por favor,* con la vocecilla esa de pito, llegaba a casa, despedía a la niñera, dejaba el abrigo, me ponía el delantal y hala, corriendo a preparar la cena de la niña y la de mi marido. Eso si estaba, claro, porque la mitad de los días no estaba. Si estaba él en casa, malo, porque me gritaba y me estresaba. Nada más llegar a casa me lo encontraba ya gritando QUE POR QUÉ COÑO LLEGAS TAN TARDE y cosas así, absurdas además, porque yo siempre llegaba a la misma hora, ni un minuto más tarde, y claro, yo ante sus gritos no podía contestarle a gritos porque perdía la tesitura. Tenía que contestar con voz de pito, y resultaba de lo más ridículo. Yo me cuidaba mucho de no discutir con él, porque llegaba a casa y me encontraba con que él, si estaba, estaba siempre gritando como un poseso. Y si no estaba daba igual, porque llegaba del bar a las tantas, borracho perdido y, o bien me despertaba, que era una cosa terrible, porque ya le he dicho a usted que para una cantante es importantísimo, esencial, lo de dormir bien las diez horas de rigor, o las ocho en mi caso, o bien me la montaba al día siguiente, al levantarse, por lo que fuera, porque no le gustaba la comida o porque yo no había cogido bien un recado de alguien que le hubiera llamado. Las razones eran lo de menos, cualquier excusa le valía. Y yo sin poder responderle, sin poder gritarle, porque si una cantante fuerza la voz durante el día luego por la noche no puede actuar, o puede, pero no llega a las notas agudas. Me decía la profesora *Tú siempre que te enfades tienes que hablar así.* Esta voz de pito ponía. *Porque cuando se habla así es cuando las cuerdas vocales no se golpean.* Así que yo tenía que aguantar sus berrinches y sus gritos y sus acosos emocionales y quedarme tranquila, respirar hondo y decirle luego con mi vocecita de pito: *Bueno, ¿has terminado ya de gritarme? Porque ahora te tengo que hablar yo y te ruego que no me interrumpas.* Pero él siempre me interrumpía. Yo empezaba a decir una frase como: *Mira, lo que ha pasado simplemente es que yo no me he dado cuenta de...* Y entonces él me interrumpía: No mientas, tú te das cuenta de todoooo, y claro, cuando me interrumpía yo ya no podía hablar más porque habría tenido que gritar aún más que él para ponerme a la altura, así que tenía que callarme y esperar a que él acabara con sus gritos, y entonces yo volvía a la carga, inasequible al desaliento: *Mira, voy a hablarte otra vez y a explicarte seguido por qué ha ocurrido esto...* Pero entonces él volvía con lo mismo, a interrumpirme con sus berridos: AAAAAAAAAAAAAAAAARGH... Y yo ya me rendía, llegaba un momento en el que me rendía, no intentaba negociar más. Así que cuando él me estaba gritando y se le hinchaban las venas del cuello y se le ponía la cara roja como un tomate, las fosas nasales dilatadas que parecía que fueran a estallarle y los ojos rojos también de pura ira, como si estuvieran inyectados en sangre, llegaba un momento en el que yo desconectaba. Mi única defensa posible, dado que no le podía gritar, era bajar el volumen, como si estuviera viendo la tele y manipulase el mando. Mirarle pero no escucharle. Es algo que aprendes a hacer cuando estudias interpretación, aprendes a concentrarte de tal manera como para alterar la realidad circundante. Así que le veía pero no le escuchaba, no oía su voz.

Porque yo durante un año que estuvo en cartel el musical no pude pegar un grito, cosa que me empezó como a reconcomer por dentro y a crearme una frustración y una amargura que no se puede usted ni imaginar. Y le juro que lo que me salvó fue el musical, si no creo que me habría derrumbado. Llegaban los compañeros al teatro y querían calentar, ejercitar la voz, para ponerse en forma, para estar activos, vitales. Inmediatamente empezaban a hacer ejercicios: abdominales para tonificar el diafragma, ejercicios de voz, ejercicios físicos para activarse, porque normalmente llegaban todos de la siesta, de estar tranquilos, porque se levantaban tarde y tal. No como yo, que a las siete y media ya estaba en pie, por la niña. O sea, que los compañeros iban al teatro a trabajar, que es lo normal en un actor, pero yo iba a descansar, a relajarme de todo el estrés y el agobio diarios. Llegaba, me tumbaba en el camerino con los pies descalzos, cerraba los ojos y me ponía a meditar. Me ayudaba pensar en mi personaje, Sally Bowles. Porque yo pensaba: Mira, esta pobre chica, que nadie sabe de dónde viene ni adónde va. Una chica que adora a su padre, pero el padre ni la llama ni le escribe ni nada, y su madre, vete tú a saber dónde estará. Una chica que quiere ser una gran estrella pero que tiene que estar trabajando en un cabaret de mala muerte en plena Alemania nazi en el que la policía irrumpe cada dos por tres. Una chica cuyo novio se acaba liando con su máximo admirador, fíjate, los únicos dos apoyos emocionales con los que cuenta, y se lían entre sí. Una chica que se hace un aborto y sale al día siguiente otra vez al escenario, a cantar con la sonrisa puesta que *la vida es un cabaret*. Y me ayudaba pensar que si el personaje existía era porque alguien lo había escrito, y si alguien lo había escrito, pues en otro alguien tenía que haberse inspirado, en alguna de los montones de mujeres que hay en el mundo que aguantan carros y carretas con la sonrisa puesta y sin perder el temple. Así que me decía, si Sally podía, tú puedes, que tú ahora eres Sally y no te vas a dejar comer ni por tu marido ni por nadie. Vas a salir ahí con una sonrisa de anuncio, luminosa, destellante, fluorescente casi, y vas a dejarles a todos boquiabiertos.

También me ayudaba el olor de las flores, o simplemente abrir los ojos y verlas ahí, una mancha blanca, brillante, irradiando energía. Porque el blanco es el color de la energía, recarga las pilas, cualquier actor lo sabe. Lo de las flores es una larga historia. Verá, cualquier primera actriz que se precie tiene que tener su admirador. No va en broma, en serio, que eso importa mucho aunque a usted le parezca ridículo. Si una lleva ya un tiempo con la obra, lo normal es recibir flores, bombones, cartas, lo que sea. Y lo ideal es tener un admirador en concreto, uno que viene a ver la representación no una vez sino muchas, y que mientras la representación está en cartel te va enviando cosas. Siempre hace ilusión, pero sobre todo cuando estás mal como yo estaba. No es que haga ilusión, es que lo necesitas, necesitas saber que estás gustando, que hay alguien ahí fuera a quien le importas, y yo no me podía creer que la mariquita aquella loca que hacía de maestro de ceremonias tuviera su propio admirador, un señor que le mandaba unos ramos enormes de rosas y unas cajas de bombones con las que se podía alimentar a todos los niños de Etiopía, y yo no tuviera ninguno. Si acaso alguna notita, algún ramito de cuando en cuando, pero no una cosa continuada, estable, un admirador de verdad. Tenga usted en cuenta, además, que yo ya he cumplido los cuarenta hace tiempo, y por mucho que no se me note lo de la edad es muy duro en una profesión como esta, en la que importa tanto no sólo la apariencia física, sobre todo, sino también la resistencia. Que a los cuarentaipocos, por mucho que entrenes y te cuides y no comas chocolate ni pan ni pastas en la vida, ni bebas alcohol nunca, ya te empiezan a salir cartucheras y ya te agotas después de estar dos horas bailando, no como a los veinte, que acabas la función y aún te quieres ir de marcha con los compañeros. Así que me empezaban a asaltar las dudas de si no estaría yo mayor para el papel y si no sería por eso que nadie se fijaba en mí. Pero lo peor no era lo que yo pensara, lo peor es que los compañeros empezaran a pensar lo mismo. Así que gracias a dios que empezaron a llegar los ramos, uno por semana, siempre flores blancas, cada martes, porque si no a saber lo que habrían dicho por ahí. Claro que nadie sabía que los ramos los encargaba yo misma, cada lunes, en la tienda de enfrente de mi casa, a un señor que no tenía ni idea de quién era yo, que no había oído mentar mi nombre en la vida, así que cuando le dije, con la niña colgada del brazo, que la niña iba siempre conmigo a todas partes porque mi marido para nada se ocupaba de ella, que el ramo había que enviarlo al teatro Apolo a nombre de tal actriz, me di cuenta de que ni idea tenía de quién era la tal actriz, o sea, de quién era yo, y entonces yo le dije: Pues es una actriz estupenda, no sabe usted cómo trabaja, yo le envío flores porque la admiro muchísimo. Y el señor se quedó tan convencido de que yo era una maruja cualquiera con afición por el teatro. Que era, en el fondo, lo que yo era, o al menos como me sentía, que ya le digo, todo el día de casa al teatro y del teatro a casa, cocinando y haciendo coladas y planchando, porque tengo asistenta, pero a la asistenta también hay que guiarla, y además sólo venía por las mañanas, claro, y sólo tres días por semana, que por la tardes venía la niñera y el trabajo no me daba para pagar dos sueldos. Así que también me tocaba trabajar en casa, en el teatro y en casa. ¿Que si mi marido no me ayudaba? ¿Ayudarme, mi marido? Mi marido no sabe ni hacerse la cama, con eso se lo digo todo. Mi marido es realizador, y un buen realizador además, pero se pasa mucho tiempo en el paro, ya sabe usted cómo es esta profesión, que cada día va a peor. Cuando le conocí él era mucho más famoso que yo, ya ve usted cómo cambia la vida, como puede dar la vuelta la tortilla. Yo era entonces una actriz novata, recién salida de la Escuela, que apenas había actuado en público, dos o tres representaciones de cabaret en algún bar de copas, no había yo cumplido ni los veinte años; y él ya había dirigido tres cortos con veinticinco años, y dos de ellos se los nominaron al Goya y todo. Cuando me eligió para que fuera la protagonista de uno de sus cortos, yo no cabía en mí de alegría. Siempre pensé que él dirigiría una gran película y se convertiría en un gran director, un nuevo Medem o algo así, y que trabajaríamos juntos y que yo sería su actriz fetiche, como la Massina para Fellini, o la Ardant para Truffaut, pero la ocasión no llegó y todo se quedó en agua de borrajas. Pese a las buenas críticas de los cortos, a todos los premios que fue cosechando en festivales, a todas las esperanzas depositadas en él, mi marido nunca encontró un productor que le financiara su primer largo. Que si los guiones eran confusos, que si el concepto era poco comercial, que si hoy te digo que sí pero mañana te digo no, que si te voy dando largas y no te cojo el teléfono... Y él iba sobreviviendo dirigiendo documentales, o episodios de culebrones para la tele, o haciendo vídeos industriales, presentaciones de producto para congresos de ejecutivos, esas cosas... Y entretanto mi carrera iba subiendo como la espuma, lenta pero segura. Yo creo que por eso bebía, ¿sabe?, por frustración, y también por complejo de inferioridad, ya sabe, que a mí me iba tan bien y a él tan mal, y también porque él tiene un carácter apasionado, porque cuando se entrega a algo, se entrega a fondo. Por eso me conquistó a mí, por la pasión que ponía en su trabajo, que si quiere que le diga la verdad, cuando le vi por primera vez no me pareció gran cosa, tan pequeñito. Excepto los ojos, que los tiene muy bonitos, poco tenía para llamar la atención, pero enseguida me conquistó su entrega. Lo malo es que la entrega, ya le he dicho, la puede poner en cualquier cosa, tanto en el amor, como en el trabajo, como en el vicio. Si quiere, quiere con locura. Si trabaja, pone la vida en ello. Si bebe, bebe en serio.

Pues así pasó un año, de pelea continua, y yo no le dejaba primero porque le quería, segundo porque en parte le entendía, tercero por la niña, cuarto... vaya usted a saber por qué, porque soy tonta, puede, o porque estoy acostumbrada a aguantar, o porque quizá yo me sentía culpable porque a mí me iba tan bien todo y a él, con el talentazo que tiene, no le llamaba nadie, el caso es que pasó un año, yo aferrándome al personaje de Sally, que si Sally aguantaba yo no iba a ser menos, y a las flores, que me daba mucha energía tener el ramo en el camerino, todo blanco, y como encargaba uno cada semana, que iba yo personalmente a elegirlo y componerlo cada lunes, aunque bien habría podido pagar al mes y encargar sin más que enviaran un ramo blanco cada martes, pero prefería ir yo cada lunes para que llegara siempre un ramo especial, distinto, maravilloso, compuesto con cariño especialmente para mí, y pues eso; aprendí a crear ramos enormes por poquísimo dinero, también porque el de la tienda me cogió cariño o lo que fuera, o porque debía de ser una de sus mejores clientes y me reservaba los lirios blancos, las mejores rosas, y encargaba flores especialmente para mí, y me explicaba cómo crear los ramos más aparatosos por el mínimo dinero, así que mis ramos superaban con mucho a los del actor que interpretaba al maestro de ceremonias, y el elenco entero es que casi ni se lo creía, no hacían más que comentar lo de los ramos, que si el que ha llegado hoy es una preciosidad, que si casi no cabía por la puerta del camerino, que si tal y si cual. Si me preguntaban quién me los enviaba, yo construía una sonrisa misteriosa y callaba. No mentía, sólo ocultaba la verdad. Corrió el rumor de que los enviaba un productor muy importante y yo no lo acallé, lo dejé correr y engordar, y al tiempo todo el teatro debía de creer que yo era una Bella Otero del siglo veinte o algo así. Y gracias a dios que tenía a Sally y a las flores, porque se fue acumulando tanta amargura y tanta frustración..., y al año yo pensaba que ya no aguantaba más, contaba los días para que el musical acabara y pensaba «el mismo día que esto acabe me voy a pegar una jartá de gritar que van a temblar los cimientos de la casa».

Y al fin llegó el día. Habíamos aguantado un año en cartel, un récord, y con buenísima taquilla además. Y claro, después de la representación nos fuimos de copas, porque por fin podíamos hacer lo que quisiéramos con nuestra voz, que al día siguiente no había que trabajar, ni al otro, ni al otro. Yo ya había avisado a mi marido de que llegaría tarde, para que por favor se quedara él con la niña esa noche, y nada más escuchar la voz que puso por el teléfono, supe que me iba a montar una al llegar. Pero salí igual, hasta las cuatro de la mañana, que al fin y al cabo me había pasado un año enterito, trescientos sesenta y cinco días metiéndome en la cama a las once y media, excepto sábados y domingos, y levantándome a las siete todos los días, también sábados y domingos, viviendo como una monja clarisa. Pues eso, cuando llegué a casa él me esperaba de pie, y nada más entrar ya me vino con lo de QUE DE DÓNDE VIENES TAN TARDEEEEEE y se quedó de piedra, blanco, cuando yo le respondí con un A MÍ NO ME GRITAS TÚ MÁS QUE NO PUEDO SOPORTARLOOOOO porque, claro, él ya no se lo esperaba, yo creo que ni se acordaba de que yo podía gritar tanto como él o más. Y tuvimos la bronca del siglo, que despertamos a la niña y todo y a todos los vecinos del edificio, supongo. Y de repente, llegó lo inesperado, ¡se puso a llorar! A lágrima viva, como me oye, con unos lagrimones que parecían pedruscos, que partían el alma, y claro, me pilló totalmente desprevenida, porque yo no le había visto llorar nunca. Y de repente se puso a decir que yo le iba a dejar, que seguro que le iba a dejar, y yo le dije que era lo que debería hacer, que la verdad es que yo iba a estar mejor sin él y probablemente la niña también, que a ninguna criatura le viene bien pasarse el día oyendo gritos. Y entonces me dijo ¿me vas a dejar por el productor ese? ¿Qué productor?, dije yo. Pues ese con el que estás liada, Macintosh o quien sea. ¿Pero tú estás loco? Yo no estoy liada con nadie, ¿cómo voy a estar yo liada con nadie, si no hago otra cosa que trabajar, en casa y en el teatro, y tú lo sabes? Y él venga a llorar, que no me mientas, que todo el mundo lo comenta, que el papelón que estoy haciendo yo, que no sabes qué año he pasado, que si te envía flores blancas. Y entonces me senté a su lado, y él apoyó la cabeza en mi regazo y yo le estuve acariciando el pelo muy despacio, muy despacio, cantándole bajito, hasta que se durmió, como hago con la niña cuando tiene pesadillas.

Mi nombre es Legión

Creo que el verano me gustó alguna vez, pero eso era hace mucho, mucho tiempo, cuando las vacaciones todavía existían, una especie de remanso estival detenido en un tiempo hueco de días. Después llegaron las nóminas y los apartamentos caros y pequeños y mugrientos, y las vacaciones dejaron de existir porque ya no hubo dinero ni tiempo ni ganas y sólo había calor y polvo y bajadas de tensión y asfalto derretido y sol deshecho en flechas de calina, estridente resplandor de fulgor metálico que marea y ciega y atonta y que me impide avanzar tranquila por la calle, los mareos, ya se sabe, y los problemas de visión derivados, dicen, de una excesiva exposición al sol: Pero, chiquilla, ¿a quién se le ocurre caminar por la calle en pleno mediodía, a plenos cuarenta grados? Verá usted, peazo mamón, que el autobús no me deja a la puerta de casa y yo no tengo su flamante automóvil con frenos ABS y aire acondicionado, y que mi sueldo —debería usted saberlo— no me da para comer fuera de casa a diario y que además en todas las puñeteras empresas menos en la nuestra tienen jornada intensiva. Verano era una palabra desértica y yerma y reseca y yo la detestaba aunque la verdad era que, en general, detestaba toda mi vida.

Fue en verano cuando tuve que organizar la mudanza porque, como los estudiantes dejan los pisos en julio, es más fácil encontrar casa en ese mes y yo ya no podía permitirme pagar el alquiler de aquel piso ruinoso y oscuro en el que las propias puertas se deprimían y columpiaban en las noches de viento con el llanto de sus goznes, por no hablar de las paredes de papel (los ronquidos del vecino me serraban el sueño cada noche) o las cañerías que lamentaban a gritos su vejez (la mancha de humedad que precipitó mi huida era precisamente resultado de sus lágrimas). No contaba con amigos que me ayudasen a empaquetar cajas: o estaban de vacaciones o no eran tan amigos o más me valía enfrentarme al hecho de que estaba sola en el mundo. Yo no había previsto que aquello iba a resultar tan difícil: me lloraban los ojos y tosía continuamente a cuenta del polvo que se levantaba, no era tan fuerte como para mover según qué trastos, según qué cajas, y para colmo de males me desmayaba cada dos por tres. A veces recuperaba la conciencia en el suelo y ni siquiera sabía cómo había llegado allí. El calor, me decía, el puñetero calor que baja la tensión. Tampoco —tonta de mí— hice caso a los dolores, al fin y al cabo en verano hay salmonella y el agua se corrompe y además, ¿cómo podía prestar mucha atención a los calambres abdominales cuando de tanto levantar cajas tenía los huesos molidos? Un dolor concreto se hace inidentificable en un disperso universo de dolores, como las lágrimas en la lluvia. Ni siquiera me asusté cuando empecé a sangrar. La regla, pensé, el calor habrá trastocado las fechas, ¿acaso no dicen que en los países tropicales a las niñas se les adelanta la menarquia? Hasta que aquel caudal de sangre empezó a abrirse paso a borbotones y resultó evidente lo que estaba pasando.

No tenía teléfono, me lo habían cortado, y tuve que bajar a la calle con el pantalón empapado en rojo a buscar un taxi que me llevara urgentemente a La Paz. Llegar, entrar a urgencias, subirme a una camilla, escuchar cómo un médico me confirmaba lo que ya sabía. La enfermera me dijo que si quería que avisáramos a alguien y cuando yo le dije que no, que a nadie, me miró como si yo fuera una zorra. Verá señora —aunque no se lo dije— de esto mejor que no se entere mi familia, y en cuanto al padre de este embrión de diez milímetros, no le voy a dar el gusto de soltarme aquello de «¿Seguro que era mío?», una pregunta que doy por hecho no le hizo nunca a su mujer, por otra parte. Sí, señora, yo estaba enamorada hasta los huesos. Sí, señora, él me juró que me quería, que era el amor de su vida, que no podía vivir sin mí. Sí, señora, es una historia muy tópica, de copla gitana. Síííííííí, señora, soy una tonta de remate, no me descubre nada que yo no sepa.

Me llevaron a una habitación en la que gemían otras mujeres. Me dieron un calmante que no sirvió de nada porque aquello dolía como nunca me ha dolido otra cosa, ni las jaquecas, ni los dolores de muelas ni el cólico nefrítico. Llamé a gritos para pedir más calmantes. Me dijeron que no podían darme más. Fui al cuarto de baño. En mi bolso encontré varios nolotiles y dos éxtasis envueltos en papel de plata que debían de llevar siglos en mi monedero, desde la última *rave*, calculé, allá por el Jurásico. Me los tragué todos de un golpe. Sentada en la taza veía aquel torrente brotar y brotar hasta que el dolor se multiplicó por mil dolores y entonces cayó al agua del inodoro una bola roja y palpitante que parecía un corazón de cordero. Tuve que repetirme una y mil veces que aquello no era un niño, que se trataba sólo de un inmenso coágulo de sangre que envolvía al embrión y entonces por fin, cuando ya empezaba a adivinarse el alba, volví a la cama y me quedé dormida.

Al día siguiente descubrí que el resto de las mujeres de aquella habitación estaban allí por idéntica razón, y me pareció muy cruel por parte de quien hubiera sido el sádico al que se le hubiera ocurrido tan absurda idea de ponernos a todas juntas, como si a alguna le fuese a venir bien contemplarse reflejada en los ojos de las otras, como si a alguna nos interesase en lo más mínimo las desgracias —tan idénticas todas en lo obvio, tan distintas sin embargo en sus detalles— que navegaban por aquel mar de camillas. A diferencia de mí, todas tenían compañeros, maridos o novios que podían ayudarlas a sobrellevar el trago, o al menos a compartirlo, pero todas parecían mucho más deprimidas que yo. La existencia de sus fetos parecía haber constituido razón esencial para la suya propia. Una de aquellas mujeres, a la que no le calculé más de veinticinco años, había intentado sin éxito nada menos que cinco embarazos y decía que se sentía inútil porque le había fallado a su familia y sobre todo a su marido. Otra, una gitana de veinte, acababa de perder el que habría sido su cuarto hijo. Había una joven rubita que no hacía más que llorar y cuchichearle cosas a su teléfono móvil. Las había rubias, morenas y castañas, las había que lucían enormes y carísimos anillos y las había que llevaban pijamas de tergal barato. Alguna era marroquí y sus ojos negros rebrillaban en medio de la tez oscura y alguna tenía una piel finísima y blanca, casi translúcida, como papel de fumar, que sugería algún gen germano o escandinavo. Pero todos sus contrastes quedaban allanados por la historia compartida. Las diferencias de clase, de costumbres, de fisonomía, desaparecían en la profunda comunión de la dependencia, dependencia de un marido o una familia que les exigía una maternidad para concederles importancia, una dependencia típica de aquéllas que son conscientes de su incapacidad para guiar sus propias vidas, una dependencia y un sufrimiento que era como un vínculo secreto entre mujeres que, fuera de esas cuatro paredes asépticas y blancas, no habrían tenido nada que decirse. Inevitablemente, en un momento así, encerrada junto a tan bonito muestrario de frustración y lamentaciones, una piensa que la vida no merece la pena, y de aquella manera se justificaba y se agradecía en cierto modo que la vida que yo había llevado en mi interior ya no existiera. Pero yo ya me había ceñido demasiados cilicios de ausencia aquel año. La piel estaba muy llagada ya como para aceptar uno más. Quizá fueran las pastillas del monedero las que me estaban dando serenidad para afrontar todo aquello sin lágrimas.

Horas después se presentó una enfermera y nos anunció que iban a llevarnos a hacernos una ecografía. En aquella sala de espera, envueltas en nuestras batas de sarga verde y áspera, parecíamos ovejitas sumisas que se dejan llevar y traer, incluso al matadero. Me tumbaron en una camilla, me lubricaron el vientre y pasaron una especie de rodillo por encima. En una pantalla se vio el rojizo interior de mi útero desocupado. A todas nos quedaba algo dentro, así que había que rematar aquella pérdida con una intervención. Un legrado, se llama. Te llevan en una camilla a un quirófano, te suben a otra camilla, te atan las piernas con correas a dos reposapiés de hierro, abierta ante el cirujano como una res sacrificial y, para olvidarte de que un desconocido está hurgando en tu coño, te quedas mirando a una enorme lámpara que pende del techo como un sol y cuando el anestesista te pregunta cuántos años tienes, te duermes, y luego despiertas de nuevo en la habitación de las plañideras, la gitana que se quedará otra vez embarazada y la pija que lo volverá a intentar y la rubita que lidia con su complejo de culpa porque en el fondo está encantada de haber perdido al niño, aunque jamás se lo reconocerá a su novio ni mucho menos a su familia. Debía de haber más mujeres, más mujeres llorosas, cansadas y vacías, pero no las recuerdo.

Un doctor mayor vino a preguntarme cómo me encontraba. Le dije que bien. Me dio el alta, firmé unos papeles, me dieron unas gotas anticoagulantes —que no podía dejar de tomar—, recogí el frasco de Methergin, lo metí en el bolso y me marché.

En casa no tenía donde tumbarme. Había desmontado el sofá y la cama y todas las sábanas estaban empaquetadas. De forma que tiré un colchón en el suelo y me tumbé allí. Hice inventario de las infecciones que podía coger acurrucada en medio de un colchón polvoriento sobre un suelo no menos polvoriento, pero estaba cansada hasta los huesos y no se me ocurría otra solución. Había perdido tres días, y no me quedaba más remedio que levantarme a la mañana siguiente y seguir apilando cajas, me doliera o no. Pensé en alguien a quien llamar y se me ocurrieron unos cuantos nombres, pero ninguno de ellos me inspiraba la suficiente confianza. Es posible que me hubieran ayudado, pero prefería seguir sola. No creía que la compañía pudiera ayudarme. Las cosas no iban a cambiar sólo por contárselas a alguien. Tampoco van a cambiar porque se las cuente a usted.

La luna de plata

El ventanal de la cocina era circular, como toda la casa, y tenía vistas a las mejores puestas de sol del planeta. La pena es que no hubiera ni doce puestas de sol al año. La arquitecta había diseñado un mirador redondo por dos razones: la primera porque los colonos espaciales no pueden evitar el impulso automático e irreprimible de buscar con la mirada el horizonte, la segunda porque la madre de Dana era una sacerdotisa *wicca* y por lo tanto el círculo constituía para ella una sagrada geometría. Dana recordaba haber formado un círculo sagrado de danzantes, bajo la luz de la misma luna sobre la que ahora vivía, en la fiesta de Yule, la celebración de la entrada al solsticio de invierno, y si cerraba los ojos y se concentraba con fuerza aún podía aspirar el olor del pino, el muérdago y el acebo, sentir la caricia del viento corriendo entre los cabellos y el sabor del vino especiado en los labios. Sensaciones que ya no experimentaría más, al menos no en un plano real. Su madre decía que no debía sufrir por la ausencia, ya que siempre podía recurrir al trance alpha para revivir aquellos momentos, pero por mucho que su madre creyese que todas las realidades son la misma realidad, a Dana las visiones del trance alpha le parecían una pálida sustitución de la experiencia vivida. Duraban poco, eran borrosas e inasibles, no tenían la misma consistencia.

En la cocina estaba el altar de su madre: pentáculo, daga, cuarzos, vela blanca, vela negra, vara, cáliz, pebetero, la estatua de la diosa (en cuyo honor habían bautizado a Dana, aunque aquél fuera sólo uno de los mil nombres de la Creatriz), la campana, el cuerno de toro y la poción de protección. La poción tenía una función meramente simbólica, puesto que en la colonia no debían temer el acoso de los cristianos, pero la mantenían en el altar para recordar el horror del holocausto. Su madre le había hablado muchas veces de la cacería secular que había diezmado a las de su estirpe durante toda la Era Oscura de Piscis. Le habló de las torturas, los juicios y las persecuciones, de Salem y la Inquisición, de los pozos sagrados cegados por los cristianos y de las catedrales cristianas (Fátima, Lourdes, Santiago...) erigidas sobre antiguos santos lugares celtas, de cómo los cristianos tergiversaron sus festivales y convirtieron la fiesta de Yule en la de Navidad asegurando que la fecha coincidía con la del nacimiento de su profeta, y de cómo disfrazaron al pentáculo que coronaba el árbol sagrado como la estrella guía de unos magos de oriente que al tal profeta honraron, de cómo los cristianos proclamaron que la fruta prohibida en su libro del Génesis era la manzana, la fruta celta de la revelación, y de que la Bestia que su Apocalipsis citaba era una serpiente, el animal que los celtas veneraban porque se regenera y vive en los tres elementos, el agua, la tierra y las copas de los árboles, y de cómo dijeron que aquella Bestia maligna tenía cuernos, porque los celtas utilizaban cuernos mágicos en sus ritos, y que el 13, el número de las integrantes de cofradías devotas de Dana, era el número de aquel Maligno, olvidando que en la Santa Cena que ellos conmemoraban en sus liturgias también hubo trece comensales. Su madre le habló de cómo fueron inventando cuentos y leyendas para convertir en malignos los símbolos sagrados, cómo engañaron a la gente, cómo sustituyeron sabiduría por superstición. Una sacerdotisa *wicca* no debe odiar, le decía su madre, pero Dana sabía bien que su madre odiaba a los cristianos, incluso ahora que, llegada la Era de Acuario, la Luz tras la Oscuridad de la Era de Piscis, la persecución había finalizado, el Culto había renacido y se había constituido en la religión más fuerte no sólo del viejo planeta sino de las colonias.

Dana miraba la nada desde el ventanal de la cocina, el paisaje desértico de la luna bajo la que antaño habían bailado, en la que ahora vivían. A esa luna brillante bajo la que bailaban entonces —que no era sino el satélite yermo que ahora habitaban visto desde la Tierra e iluminado en su superficie por el brillo del sol— la llamaban la Luna de Plata porque en ningún otro momento del año aparecía tan brillante y tan enorme. Sólo desde las Tierras Altas se podía ver aquel fenómeno: la aparición del astro en su mejor traje de gala. Su madre siempre supo que en la luna había agua (porque en *wicca* la luna simboliza plata, perla, bergamota y agua), y por eso no se sorprendió cuando se anunció el descubrimiento de bolsas de agua en los polos lunares, como tampoco le pilló de nuevas el anuncio de la NASA de que Júpiter emitía una luz azul, ya que durante siglos las sacerdotisas de su religión lo habían afirmado. Fue por ello por lo que el anuncio del proyecto de las colonias lunares no cogió a la madre de improviso, pues ya llevaba años preparando la migración. Era lógico que la mayoría de los primeros colonos fueran *wicca*, ya que en su religión eran sagradas las estrellas y los planetas y todos ansiaban vivir en el cielo.

La madre decía que abandonaron la tierra por razones económicas. Con la deforestación, la polución, la sobrepoblación... quedaban pocos lugares habitables en el viejo planeta. Las Tierras Altas eran uno de ellos y el precio del suelo se había disparado. Sólo los muy ricos podían pagar una parcela allí. A su madre le ofrecieron zillones de euros por el *cottage* que había pertenecido a todas las mujeres de su familia durante generaciones. Así que vendieron la parcela y partieron a la luna.

Transportaron la casa desde la tierra, un módulo Trans Hab ligero, de apenas doce toneladas, cuyo volumen se reducía a un tercio al deshincharse. Lo plantaron en el Pico de la Luz Eterna, la cresta de un cráter cerca del polo sur lunar donde casi nunca se ponía el sol y donde, por tanto, el suministro energético no resultaba un problema, como tampoco suponía problema el de oxígeno, ya que el gas constituye un cuarenta por ciento del suelo lunar. En aquella colonia selenita vivían trece familias, todas ellas *wicca*. Trece familias, trece, por ser el trece el número tradicional de los *convens*, ya que trece son las lunas que caben en un año solar y trece es el arcano del Tarot —la muerte— que presagia un cambio profundo. Los trece módulos comunicaban entre sí mediante pasadizos de poliuretano debido a que no se podía salir al exterior sin traje espacial: un humano no sobreviviría ni segundos en un entorno en el que la temperatura oscilaba entre cien grados sobre y bajo cero y sin una atmósfera que le protegiera de la radiación causada por partículas cargadas del viento solar ni de los micrometeoritos, auténticas balas que impactaban a kilómetros por segundo. Las paredes inflables de los módulos —veinte centímetros de grosor, mezcla de poliuretano, kevlar y nexter— estaban diseñadas para hacerlos rebotar, y por eso la propia arquitecta había comparado la estructura a un muñeco Michelín gigante. Dana veía la colonia más bien como una penitenciaría, pero se guardaba mucho de decirlo, pues su madre no hubiera tolerado la más mínima crítica a la ciudad lunar, y aunque se suponía que su madre era capaz de leer el pensamiento, o al menos de detectar en el aura de una persona la existencia de imágenes negativas, nunca captó la animadversión de su hija porque Dana había edificado un escudo psíquico para proteger las suyas, siguiendo las instrucciones que, paradójicamente, le había enseñado la madre a la que quería engañar, instrucciones heredadas de la antigua tradición *wicca* que las sacerdotisas se habían transmitido durante años para defenderse del acoso cristiano.

Cada noche (si es que se podía llamar noche a un tiempo destinado al sueño en el que, sin embargo, el sol seguía brillando), Dana recordaba la belleza de las Tierras Altas, los rosales que crecían a la puerta de su *cottage,* la luna de plata del invierno, la hiedra encaramada a los muros de piedra de las casas, la libertad que suponía poder pasear durante horas por los campos y que entonces no supo apreciar porque ni imaginaba que llegaría a perderla. Nunca conseguiría perdonar a su madre, por mucho que su madre repitiera que una sacerdotisa no podía sentir odio, que aquel sentimiento invalidaba los conjuros y envenenaba las pociones. Dana sentía crecer dentro aquel rencor callado y lo acunaba en su seno con el mimo de la discípula que sabe que va a traicionar a su maestra y que no siente remordimientos. Frente al altar de su madre, Dana extrajo del seno la cadenita de oro de la que colgaba la cruz que reposaba oculta en la sima que se abría entre sus pechos. La besó y gustó el sabor ferroso de la venganza.

UNA NOCHE EN EL CEMENTERIO

El día en que empecé a darme cuenta de lo mucho que David me gustaba fui a la floristería a por siete capullos de rosas blancas y los arrojé en una tina de cobre llena hasta el borde con agua de lluvia. Cuando a la mañana siguiente me encontré con los siete capullos abiertos, supe que había encontrado al hombre de mi vida y que el conjuro era efectivo[1].

---

[1] Por si a alguien le interesa, explicaré cómo se realizó el conjuro que a David llamó, un conjuro antiquísimo que utilizan las brujas desde siempre para atraer el buen amor: Un mes antes, en luna de Tauro, llena para

La verdad es que yo nunca habría creído que llegaría al punto de encontrarme a mí misma recurriendo al viejo truco del conjuro para atraer al amor, en primer lugar porque a mí nunca me costó atraer hombres, y en segundo lu-

---

más señas, había preparado un saquito de seda rosa por mí misma fabricado y por mí misma pespuntado en hilo de oro, y había dispuesto en el jardín un círculo de sal marina jalonado en cuatro puntos, Norte, Sur, Este y Oeste, con fuego, tierra, agua y aire, es decir, marcado en cada punto cardinal con un pebetero lleno de incienso, un velón rosa, un cuarzo también rosa y un cáliz lleno de agua bendita. En el centro del círculo coloqué tres velas, blanca, verde y rosa, dispuestas en forma de triángulo; la blanca en el vértice superior, la verde en el inferior izquierdo y la rosa en el derecho, tal y como exigía el ritual de alta magia; y alineé frente al triángulo de velas seis cuencos que contenían pétalos de rosa roja, violetas, hojas de verbena y de damiana, clavos de olor y ramas de canela. A las doce en punto encendí la vela blanca mientras recitaba en voz alta: *Esta vela blanca simboliza la sinceridad y fe eterna que deposito para encontrar el amor que me merezco.* Después encendí la rosa y dije con verbo firme: *Esta vela rosa simboliza la energía del amor de Venus, que va a atraer hacia mí a la persona que me puede hacer feliz y que merezco.* Finalmente encendí la verde pronunciando alto y claro: *Mercurio, que controla la salud, y la luna que está llena esta noche, prestadme vuestra energía que va a actuar para que encuentre y conserve el amor que me puede hacer feliz y que merezco.*

Después abrí el bolsito de seda y fui introduciendo en él un pellizco de lo contenido en cada cuenco mientras repetía: *Rosa, violeta, verbena para la ternura, ayudadme a canalizar la energía y mediante vuestros poderes mi deseo se cumplirá.* Y después: *Clavo, damiana, canela para la pasión, excitad y seducid a este amor predestinado.* Hecho esto me corté un rizo de cabello con las tijeras de oro que para tales menesteres me había legado mi abuela, y lo metí en el saquito, que cerré bien, anudándolo con el hilo de oro, y lo dispuse en el centro del triángulo, tras lo cual impuse sobre el saquito las palmas de las manos mientras repetía como un mantra una y otra vez: *Diosa de los espacios infinitos, Señora de los órdenes ocultos y profundos, concédeme el amor que me merezco: libre, feliz, correspondido y fructífero.* Después rocié el saquito con el agua bendita, repitiendo: *Con agua consagro este bolso, como fuente de energía para atraer el amor.* Le eché un pellizco de sal mientras decía: *Con sal de la tierra consagro este bolso, como fuente de energía para atraer el amor.* Pasé el saquito rosa por las llamas de las tres velas diciendo: *Con fuego consagro este bolso, como fuente de energía para atraer el amor.* Y por el incienso, diciendo: *Con aire consagro este bolso, como fuente de energía para atraer el amor.* Finalmente lo unté con un poco de aceite de rosas y dije: *Con aceite consagro este bolso, como fuente de energía para atraer el amor.* Para acabar el ritual apagué las velas en el orden inverso al que las encendí y desde ese día llevé siempre el saquito conmigo, cosido en el sujetador. Y llevándolo fue como encontré a David, exactamente en la siguiente luna, exactamente a las doce de la noche, en la barra de un bar bautizado con el sugerente nombre de La Luna.

gar porque siempre había defendido a capa y espada lo importante que es para una mujer conservar su independencia y aprender a disfrutar de su soledad. Los hombres, ya se sabe, son todos un desastre, y por si una no creyera la afirmación, no hacía falta más que escuchar los dramas cotidianos de mis amigas ennoviadas o casadas. Eran como culebrones inacabables, con el mismo tema repitiéndose en un nuevo episodio cada semana y protagonizado por los mismos personajes. Por ejemplo, episodio cincuenta de la serie «Gemma es muy divertida pero Joan es un carca»: Gemma y Joan fueron a una fiesta el sábado, Gemma bebió un poco más de la cuenta y acabó bailando encima de la mesa aplaudida por un grupo de incondicionales, todos ellos del sexo masculino, y a la salida del jolgorio a Joan le entró el consabido ataque de celos y se puso a insultarla en el aparcamiento, poniéndola de puta para arriba a berrido limpio. O episodio cuarenta y dos de la serie «Alberto el machista y Olga la sufrida»: Olga se negó a lavar los platos después de la cena e insistió en que lo hiciera Alberto, y Alberto se puso de tan mala hostia que terminó por estampar uno de los vasos contra los azulejos de la cocina mientras Olga lloraba a moco tendido y acababa sonándose con el trapo de secar la vajilla. O episodio veinticinco de la serie «Natalia se aburre y Leandro ni se entera»: Natalia tiene un marido guapísimo que no es nada celoso y que además ayuda en casa, un dechado de virtudes, vamos, pero el caso es que al chaval no se le levanta ni con grúa y la pobre Natalia hace meses que no echa un revolcón como es debido, y el lunes Natalia se va a tomar una copa después del trabajo con un compañero de oficina que le gusta muchísimo, y cuando el individuo le pone la mano en la pierna Natalia cae en la cuenta de que su marido lleva dos hora esperándola en casa para cenar y nunca sabrá Natalia si el roce aquel fue intencionado o simple accidente. O episodio número cincuenta de la serie

«Silvia está enamorada del cabrón de Mariano»: Por enésima vez Silvia se ha quedado colgada un sábado porque Mariano, que había dicho que la recogería a las diez, no se presentó, ni llamó, ni estaba localizable en el móvil, y ni siquiera presentó excusas al día siguiente. O enésimo episodio de la serie «Raquel creyó encontrar en Jordi al hombre perfecto»: Resulta que Jordi, abogado con bufete propio, vástago de buenísima familia, guapo, inteligente, aficionado a pasear en velero, tiene un pequeño defectillo de nada: es incapaz de hacer el amor a no ser que Raquel se haga la muerta, perversión sexual (si es que a eso se le llama perversión) que, por si usted lo dudaba, a Raquel no le divierte ni le excita ni le satisface en absoluto.

Soy una chica sociable y tengo muchísimas amigas y, además, debo de tener cara de «cuénteme usted su caso», porque es a mí a quien viene todo el mundo a relatarle sus cuitas, quizá porque saben bien que nunca revelo secretos, acostumbrada como estoy desde pequeña a guardar aquel con el que vivo, y le aseguro que si siguiera contándole historias no paraba hasta la madrugada. Todas parecidas en lo esencial: chica encuentra chico, chica ve en chico a príncipe azul, chica descubre que príncipe azul tiene poco de rosa ni de azul y bastante de castaño oscuro. En fin, que visto lo visto y oído lo oído, a mí no me molestaba particularmente lo de ser soltera y sin compromiso, pero la luna sólo está llena en Tauro una vez al año, así que pensé que nada perdía por probar, aunque quizá fuera cierto que una parte de mí sí echaba en falta un cuerpo tibio en la cama al acostarme y unas cuantas palabras bonitas al despertarme.

El caso es que la siguiente luna me trajo a David, bienhallado en el bar del mismo selénico nombre, diez años más joven que yo, guapo, cariñoso, simpático, inteligente, un prodigio en la cama y un amigo fuera de ella. No me gritaba nunca, no se enfadaba si alguien intentaba flirtear conmigo, no controlaba mis entradas ni mis salidas, estaba siempre disponible cuando yo llamaba y respondía al teléfono con una voz dulce y bien modulada, no reparaba en mis estrías ni mi celulitis y, si reparó, no lo hizo notar o no fue óbice para que siguiera follándome varias veces al día, no le importaba que yo ganara más que él e incluso parecía orgulloso de ello, bebía lo mínimo y nunca se ponía agresivo ni gritón cuando lo hacía, ni tampoco le daba por disparar a las farolas con corchos de botellas de champán ni por intentar levantarse a cualquier cosa con faldas que se le pusiera a tiro, escuchaba con paciencia mis problemas y no intentaba minimizarlos con sermones paternalistas ni se proponía resolverlos él con grandes soluciones que demostraran su superioridad intelectual, se limitaba a escucharme y apoyarme, que era exactamente lo que yo esperaba de él, no le gustaban el fútbol ni los toros, no fumaba, aparte de un canuto de maría muy esporádicamente, era vegetariano e iba regularmente al gimnasio, tenía el vientre liso, esculpido de abdominales bien marcados, como una tabla de lavar, y los brazos torneados, como tallados en músculo, un cuerpo que hacía honor a su nombre de estatua donatelliana..., porque estaba más bueno que un bombón de licor con guinda. Se trataba, en resumidas cuentas, del hombre perfecto, un fenómeno paranormal al que sólo la magia habría podido conjurar. Para colmo, no le importó lo más mínimo enterarse de lo mío, no le asustaron los altares distribuidos por la casa, ni las velas negras siempre encendidas, ni el pentáculo colgado en la puerta de la entrada, ni el hecho de que una vez al mes se reunieran trece mujeres en mi casa para invocar en círculo a la diosa, ni que yo me pasara el día entre calderos y perolas, destilando aceites y preparando pociones; es más, parecía interesarle todo aquello y hasta llegó a colgarse un péndulo de cuarzo al cuello cuando se lo pedí.

Por eso cuando aquella mañana me encontré con los siete capullos abiertos, flotando en el agua como siete promesas de felicidad, supe que había llegado el momento de pedirle que se viniera a vivir conmigo.

Los ladrones entraron un sábado a la hora de la siesta, y lo increíble es que estábamos allí, dentro de la casa, y ni siquiera nos enteramos, si bien es cierto que nos habíamos pasado la noche anterior y gran parte de la mañana follando y que habíamos acabado extenuados, así que entre el cansancio y la falta de sueño acumulado allí habría podido explotar la bomba atómica y no nos habríamos enterado. No se llevaron gran cosa, pues tampoco había gran cosa que llevarse, aparte de que debieron de darse cuenta enseguida de que había gente en casa. Se marcharon, supongo, tras abrir la puerta del dormitorio y ver dos bultos entrelazados en la cama, respirando rítmicamente y al unísono. Hubo que cambiar la cerradura que habían forzado y colocar rejas en las ventanas, por si acaso, pero ya he dicho que el daño material no fue como para sentirlo. Yo, sin embargo, me quedé muy tocada, porque David viajaba bastante en razón de su trabajo y yo temía que los intrusos pudieran volver cuando estuviese sola. También había otra razón más importante para alentar mi preocupación, como era el hecho simbólico de que alguien hubiera profanado lo que yo consideraba mi santuario y hubiera derramado las pociones y revuelto los altares. Aquello me inquietaba sobremanera y me parecía que convocaba muy malos presagios, de forma que acudí al Ritual de Alta Magia en busca de la ceremonia indicada para purificar y proteger una casa.

Este rito, que debía realizarse en la primera noche de la luna nueva, era el siguiente:

«Se encienden tres velas blancas de cera virgen, en tres candelabros diferentes, y se van colocando delante de las ventanas y las puertas, formando un triángulo equilátero. Al mismo tiempo debe dibujarse en cada puerta y ventana el símbolo sagrado del pentáculo con un dedo mojado en la poción de protección, a la vez que se invocan los setenta y dos nombres de Dios [2]. Cuando la operación haya finalizado, debe recitarse la siguiente invocación ante cada apertura: *Benedicte Omnia ángelus Dómina per Adonai, espiritum planetarum regium fortuna, oc ego* (y aquí nombre y apellidos del o de la oficiante) *os suplico, entes espirituales y angélicos que flotáis en la luz de las esferas supracelestes, que emanéis vuestros purísimos efluvios en esta mi casa, sobre mi persona y sobre los que amo, a fin de que vuestra presencia disipe e inutilice todas las fuerzas que dimanen del odio, la envidia y la mala voluntad. Guardadme y protegedme, Dios y Diosa, en todos vuestros nombres y todos vuestros atributos. Así sea.*

No parecía difícil, excepto en lo concerniente a la loción de protección, cuya fórmula venía especificada en el Libro de Sombras que heredé de mi abuela, y que era la siguiente:

«Disponer de cuatro tazas de agua de lluvia, dos cucharadas de mirra, una cucharada de verbena, una cucharada de polvo de hierro, dos cucharadas de sal marina, dos cucharadas de incienso, un pellizco de pelo de lobo y un pellizco de tierra recogida de una sepultura, en noche de luna llena y de la tumba de alguien a quien se reverenciara en vida. Cargar los ingredientes, mezclarlos luego todos en caldero de cobre y hervir a fuego lento, removiendo la poción con cuchara de oro o de plata en el sentido de las agujas del reloj, mientras se repite: *Cargo esta poción para*

---

[2] Los setenta y dos nombres sagrados son: Adonai, Agiel, Aglos, Agla, Aglaya, Agnus Dei, Alpha y Omega, Ariel, Athanatos, Bamboy, Cados, Charitas, Chocmah, Creator, Delys, Deus, Dominum, Eleyson, Eloy, Eloym, Ely, Eternus, Flos Sanctorum, Hei, Heth, Homon, Infinitus, Inmortalis, Jafaron, Jaufta, Jay, Jesu-Christus, Josy, Joth, Jother, Kether-Lenyon, Magnificus, Magnus Homo, Maniel, Mesías, Oborel, Omiel, Omni Potente, Oreon, Otheos, Pantheon, Paracletus, Pastor, Pathel, Polyel, Principius et Finis, Rasaël, Redemptor, Sabahot, Saday, Salus, Salvator, Sanctus, Sapientia, Summum, Supremus, Tetragrámaton, Trinitus, Unitas, Veritas, Viña, Virtus, Yaël, Yochiros, Zamayr, Zulphy.

protegerme a mí y a los que amo de cualquier fuerza positiva o negativa que pudiera causarme daño alguno. Guárdame de todo mal. Así sea.

Conseguir agua de lluvia siempre es fácil, dispongo de ella en abundancia pues siempre recojo agua en barriles cuando llueve, como hacen, por otra parte, todas las iniciadas. La mirra, la sal, la verbena y el incienso se utilizan en la mayoría de las pociones y contaba por tanto con una buena provisión. El polvo de hierro se lo pedí al afilador del mercado, le dije que mi sobrina lo necesitaba para un experimento del colegio y él me lo facilitó encantado, sin cobrarme siquiera. El pelo de lobo podía haberlo conseguido en el zoológico, supongo, pero utilicé el de un husky siberiano al que acaricié en la calle para gran alegría y contento del dueño, que intentaba ligar conmigo entretanto, y pude arrancarle un puñado de pelo con la mayor facilidad, porque se le caía (al perro, claro, no al dueño). Al fin y al cabo, ¿qué es un husky sino un lobo domesticado? Sólo quedaba lo de la tierra de sepultura recogida en luna llena en la tumba de alguien reverenciado en vida. No me cupo la menor duda de que habría de ser tierra del sepulcro de mi abuela, la misma de la que había heredado el Libro de Sombras.

Mi abuela había sido una bruja muy poderosa, conocida en toda la comarca. Era de belleza excepcional y siendo casi una niña e inocente aún, llamó la atención de un *indiano,* como los llamaban entonces, un hombre cuarenta años mayor que ella que había labrado una gran fortuna colonial en la Cuba de Batista. Dieciséis años tenía mi abuela cuando se casó, vestida de blanco y con un velo de cola larguísima que arrastraron cuatro niñas por la nave central de la catedral. El indiano se la llevó a Cuba para matar dos pájaros de un tiro: por una parte, cumplir con el obligado rito del viaje la luna de miel y, por la otra, solucionar asuntos pendientes de sus negocios de ultramar, que requerían su pronta intervención. La pareja llegó a tierra después de más de un mes al vaivén de la mar, habiendo recorrido veinte mil millas marinas y arribado en casi treinta puertos. La joven esposa, que hasta entonces no había subido a un barco en la vida, se pasó la travesía vomitando. Nada más atracar cogió unas fiebres tremendas, que nadie sabía ni cómo se llamaban, y que se la llevaban entera, por las prisas del vientre, en idas y venidas al baño. Llamaron a los mejores médicos de la ciudad, a los más caros, que recetaron dieta, agua de limón y penicilina, pero la joven no mejoraba y, a medida que aumentaban las carreras al baño, se iban menguando sus fuerzas y apagando el color de forma alarmante. Ya empezaba a delirar, amarilla y bañada en sudores fríos, cuando uno de los botones del hotel aconsejó avisar a una santera. Pese a que mi abuelo el indiano no creía demasiado en lo que él consideraba supercherías, accedió asustado, dispuesto a probar lo que fuera con tal de no perder a su recién estrenada mujercita. Y en el hotel se presentó una negra imponente de ojos brillantes y cuerpo fornido que se pasó las horas al lado de la cama de la señora, dándole de beber agua de una botella que traía y recitando oraciones a Changó. A los dos días la joven señora, mi abuela, estaba curadísima y ya le había subido el color a las mejillas. Tan agradecido quedó su marido, mi abuelo, que no le importó lo más mínimo que la negra se empeñara en llevarse a la señora a ceremonias nocturnas, pues la santera le aseguró al suspicaz esposo que era imprescindible que la señora participara en rituales para agradecer su curación, ya que podía volver a enfermar si no lo hacía. La leyenda cuenta que lo que en realidad ocurría es que la hechicera se había enamorado de la doliente, y que sus aventuras nocturnas tenían más de romance que de rito agradecido. Yo no puedo confirmarlo, porque de nada tengo pruebas, pero el caso es que parece ser que la negra era una santera muy importante y que, se liara o no se liara con mi abuela, sí que debió de iniciarla. Así que mi abuela volvió de Cuba sabiendo leer caracolas y practicando una variación de la magia simpática en la que se utilizan muñecos para realizar los encantamientos y los sortilegios, una mezcla de vudú, santería y magia animista africana. En cuanto regresó a su casa, la joven señora se puso en contacto con todas las comadronas y las curanderas de la provincia, amparada otra vez por el beneplácito de su marido, ya que ella le había convencido de que la razón de sus búsquedas y contactos se debía a que estaba buscando la manera de quedarse embarazada, y ya se sabe que en la comarca son muy supersticiosos, por lo que mi abuelo se tragó el anzuelo. De esta manera aprendió mi abuela, cuando no había cumplido aún los dieciocho, todos los secretos del herbalismo mágico. Después, no sé bien cómo ni cuándo, se inició en la magia ceremonial, ni sé tampoco de dónde sacó los numerosos Rituales de Alta Magia que habitaban sus estanterías, la mayoría de ellos carísimos y difíciles de conseguir. Se carteaba con masones y magos y aprendió a hablar inglés, o eso decía ella, para ponerse en contacto con la Golden Dawn, y creo que incluso llegó a cartearse con Rider Waite, el mago que diseñó la baraja del Tarot que yo utilizo. Su esposo la dejaba hacer porque le agradecía de corazón dos cosas: una, que ella hubiese parido y concebido dos hijos, los dos varones y sanos, y por lo tanto hubiera cumplido con lo que de ella se esperaba; dos, que ella nunca se quejara de las numerosas queridas que él tenía distribuidas en pisos por toda la capital, no sé muy bien si para follárselas o para hacer creer a la gente que aún podía hacerlo, porque ya he dicho que él era mucho mayor que ella y, ya en la sesentena como el pobre estaba, dudo que se le levantara. El buen señor la palmó precisamente en la cama de una de ellas, dejando a mi abuela sola y rica, dueña y señora de un palacete inmenso rodeado de un jardín enorme sembrado de estatuas cubiertas de musgo, qué digo un jardín, un prado, una hacienda, yo qué sé, un cacho de tierra tan grande como para albergar un lago artificial, con patitos y cisnes y todo. La propiedad estaba cercada por una altísima verja protectora que garantizaba la intimidad de mi abuela, pero a pesar de ello pronto empezó a correr el rumor de que en las noches más claras mi abuela realizaba extraños ritos a la luz de la luna llena acompañada por curanderas, santeras y comadronas, profesiones de bruja, como todo el mundo sabe. Pero nadie en toda la provincia se atrevió a alzar el gallo, e incluso bajo la dictadura mi abuela siempre se llevó bien con el Arzobispado, el Ayuntamiento y las autoridades, que no se metían en su vida por mucha fama de bruja o de masona que la señora arrastrara. Rumores corrían muchos, y pronto mi abuela se ganó fama de bruja poderosísima, pero como acudía puntualmente cada domingo a la iglesia y además donaba a la catedral cantidades generosísimas por la Virgen de Mayo, por Pascua y por Navidad, la gente acababa por creer que todo eran habladurías, pues la tenían por cristiana devota. Lo que no sabía la gente es que la santería se escondió durante siglos, precisamente, al amparo de la Iglesia católica mediante un truco tan astuto como el de establecer correspondencias entre cada dios o diosa y un santo o santa, de manera que la devoción a Santa Bárbara escondió el culto de Changó, por ejemplo, y la de San Antonio el de Elegua[3]. También es verdad que la magia ceremonial de la cábala invoca a ángeles y arcángeles, de forma

---

[3] Las correspondencias entre los Santos y los Orishas son: San Cristóbal para Agayu, San Lázaro para Babaluaye, San Antonio de Padua para Elegua, la Virgen de las Mercedes para Obatalá, San Pedro para Ogún Arere, San Francisco para Orula, San Norberto para Oshosi, la Virgen de la Caridad para Oshún, Santa Teresa para Oya, Santa Bárbara para Changó, la Virgen de la Regla para Yemayá. Orumbila no tiene correspondencia, por ser el más secreto de los orishas.

que uno puede realizar encantamientos apelando a San Gabriel, San Rafael, San Miguel o San Uriel, así que nada de raro tenía que mi abuela acudiera tanto a la iglesia, ya que no hacía sino esconder un culto debajo de otro. En lo que nadie reparó nunca es en que mi abuela jamás rezó ni le puso vela alguna al Cristo Crucificado, ni se colgó al cuello cruz o crucifijo ni los colocó en rincón alguno de su casa, que estaba plagada, sin embargo, de estatuas y estatuillas de la Virgen María y de María Madre, por la que mi abuela afirmaba profesar una gran devoción, y es que las brujas adoramos a la Diosa en todos sus nombres y todos sus atributos, y no vemos a María como a una divinidad cristiana, sino como a uno más de los nombres que a lo largo de los tiempos se le han dado a la Gran Fuerza Cósmica Femenina, fuente de vida que de vida vive, de la que nosotras nos alimentamos y que se alimenta de nosotras, el Uno que nos integra y al que pertenecemos[4]. De forma que las fuer-

[4] Diosa en todos tus nombres: *Afrodita, Amaterasu, Anahita, Anapurna, Anat, Aradia, Arianhord, Arinna, Artemisa, Asherah, Astarteé, Atagratis, Atenea, Auchinalgu, Avalokiteshvara, Biman, Bona, Branwen, Birgid, Cibeles, Ceres, Coatlycue, Core, Coyoalxauqui, Dana, Démeter, Devi, Dharani, Diana, Dolma, Durga, Epona, Ereskigal, Erzulie, Esala, Eurínome, Europa, Flora, Fortuna, Freyja, Ganga, Gauri, Gea, Hator, Haumea, Hécate, Heket, Hele, Hera, Hiaka, Hina, Inanna, Isis, Ishtar, Izanagi, Izanami, Kali, Kalwadi, Laksmi, Litith, Lilitu, Juno, Maha Kali, Mahadevi, Mahamaia, Mahatara, Mahuika, Maia, María, Menesis, Metis, Minerva, Miltra, Miru, Morgan Le Fay, Morrigan, Nanshe, Neftis, Neit, Némesis, Nejbet, Ninhursag, Ninlil, Nintur, Noche, Nugua, Nur, Oba, Ogoun, Oshun, Oxum, Oya, Pachamama, Palas Atenea, Papa, Parvati, Pele, Pentesinea, Perséfone, Pitón, Radha, Randga, Sachi, Sanjan, Saule, Sedna, Sejmet, Selene, Shapsh, Sheela-Na Gig, Shekina, Siduni, Sofía, Starhawk, Srid-Lcam, Tara, Temis, Tetis, Tiamat, Tonantzin, Ur, Utcho, Uzume, Venus, Vesta, Walutahanga, Wuraka, Yemanyá, Yemonja, Zaria,* más los no conocidos y los secretos.

Diosa en todos tus atributos: *Diosa Madre, Diosa Virgen, Diosa Anciana, Luna llena, nueva, creciente o menguante, Diosa de las Aguas Primigenias, Diosa Río, Diosa Mar, Diosa Tierra, Diosa Guardiana, Diosa Guerrera, Diosa del Amor, Diosa Ramera, Diosa de las estaciones y los elementos, Diosa de los cereales y las cosechas, Diosa Serpiente, Diosa Creadora, Diosa Destructora, Hacedora del destino, Reina del Cielo, Diosa en Armas, Diosa de la Búsqueda, Diosa de la Misericordia y la Fortuna.*

zas vivas del pueblo no veían en mi abuela más que a una millonaria excéntrica, un poco loca pero buena cristiana en el fondo, y la dejaban en paz y nadie procuraba indagar mucho en su vida privada mientras la señora no se significara en demasía. Pero el pueblo llano sabía bien que había algo más, que mi abuela era una maga capaz de sanar enfermedades, provocar amores, proteger las casas del rayo y las cosechas del granizo, romper hechizos y maleficios, curar males de ojo, derrotar a rivales y envidiosos y muchas cosas más. Del pueblo le llevaban a los niños para que los sanase cuando los médicos los habían dado por perdidos, del pueblo le llegaban las doncellas para pedirle filtros amorosos, y por el camino del pueblo venían vacas, pollos y lechones, las lechugas y los tomates más jugosos, las primeras peras y fresones, como agradecimiento a todos los favores recibidos.

Fue mi abuela la que me inició a mí, por supuesto, y gracias a ella ya sabía yo leer las cartas del Tarot aun antes de conocer el alfabeto. Mis padres no sabían nada, porque mi abuela desconfiaba de los varones y no creía en que debieran iniciarse, por más que Rider Waite fuera hombre. Por eso le ocultó todo a mi padre igual que lo hizo con mi abuelo, y también con mi madre, en la que no confiaba por no ser sangre de su sangre. Bien es cierto que todos sabían de sus libros y de sus pociones, pero pensaban que no se trataba más que de entretenimientos y devaneos de señora aburrida y demasiado rica. Pero conmigo fue distinto, yo era hembra y descendiente suya, y por eso mi abuela comenzó a llevarme con ella en sus paseos por el campo, y recogíamos hierbas juntas mientras ella me iba explicando con paciencia sus usos y aplicaciones y en qué fase de la luna era mejor recolectarlas. Me enseñó a fabricar el cuadrante lunar móvil, a elaborar las tablas de correspondencias, a modelar velas, a destilar aceites y a cocinar pociones, y no le dio tiempo a enseñarme más porque murió cuando yo tenía diez años y ella setenta y siete (¿a qué otra edad puede morir una bruja?), dejando un bonito cadáver que conservaba todos sus dientes y una cabellera espectacular y rizada, de un blanco puro como la nieve, que le llegaba hasta la cintura. Ni una arruga tenía.

Habiendo decidido, pues, que la tierra de sepultura habría de recogerla de la tumba de mi abuela, no se me ocurrió cosa mejor que pedirle a David que me acompañara en la expedición. Podía habérselo pedido a cualquiera de mis amigas, a Silvia o a Olga o a Gemma o a Raquel o a Natalia, pero pensé, y creo que con razón, que ninguna se iba a atrever a acompañarme al cementerio en plena noche, que les iba a entrar tanto miedo como me daba a mí misma y que David era en realidad la única persona que conocía tan valiente como para atreverse a entrar a un cementerio de noche, o por lo menos tan enamorado como para fingirse valiente aunque en realidad fuera cagadito del terror, porque a mí, la verdad, poco me importaba que al cementerio fuera tranquilísimo o aterrado, mientras que fuera, mientras se viniera conmigo, no sólo porque me daba miedo ir yo sola sino porque, además, iba a necesitar un hombre fuerte para ayudarme a escalar la tapia, ya que de noche el cementerio permanecía cerrado desde que corrió el cuento por la ciudad de que por las noches iban allí los yonkis a meterse de todo y a enredarse sobre las tumbas. Desde entonces se candó la verja a cal y canto y se estableció un horario estricto de visitas, para que los muertos pudieran descansar tranquilos, que también tienen derecho.

Como era de esperar, David dijo que sí a lo de acompañarme, para que vea usted qué novio tan estupendo era, que cualquier otro por mucho menos se habría echado las manos a la cabeza y me habría llamado loca o irreverente o vaya usted a saber, pero a David no hizo falta presionarle, se lo veía entusiasmado con la historia, decía que le daba morbo, que le apetecía correr una aventura, aunque tampoco iba a ser tanta aventura, o eso creía yo. Total, saltar la verja, llegar hasta la tumba de mi abuela, coger un poco de polvo del que hubiera sobre la tumba, que tampoco nos iba a hacer falta descorrer la lápida ni profanar el cadáver ni nada de eso, y ya está, que no creía yo que la cosa nos fuera a llevar más de cinco minutos. Lo de saltar la verja sí que fue un poco complicado, que si fue difícil pegar el salto de la verja al suelo, bajar lo fue todavía más, que casi me escoño y si no llega a ser por David, que me estaba esperando abajo con los brazos abiertos, me mato seguro, que me lo llevé al pobre por delante en la caída, pero como él es tan fuerte y tiene esas espaldas tan anchas, ni se enteró. El sitio no daba tanto miedo, más bien al contrario, se respiraba una extraña atmósfera de paz, todo tan tranquilo y bañado en luz de luna, porque además era el final de primavera y hacía muy buena noche, no hacía ningún frío y olía el ambiente a flores, supongo que de las coronas que les habrían llevado a los muertos sus familiares. El camino a la tumba de mi abuela me lo conozco de memoria porque llevo yendo a visitarla una vez por semana por lo menos desde que falleció, y menuda tumba tenía la muy lista, lo que hace la pasta, oiga, el mausoleo que se construyó la señora, enorme, precioso, que lo diseñó ella misma, sin cruz, por supuesto, y con un montón de pentáculos disimulados entre los floretones y las rosetas labrados en mármol que adornaban la lápida, y una estatua bien grande de mi abuela mirando el camposanto entero desde su pedestal, casi se diría que presidiéndolo, divina de la muerte, por supuesto, inmortalizada en toda la belleza que lució en su juventud por uno de los mejores escultores de París, que hasta allí se fue la señora a encargar su monumento funerario. Morbosa la había llamado mi abuelo. Previsora, había aclarado ella.

Yo pensaba, ya se lo he dicho, que todo sería ir a recoger un poco de tierra y punto. Había mucha entre la juntura que se abría entre la lápida y el foso, tanta que la hiedra crecía y se abría paso hacia la luz desde la misma tumba, alimentándose, supongo, del espíritu mismo de mi abuela, por no decir de sus huesos. Con lo que yo nunca había contado era con el hecho de que David pudiera no estar bromeando cuando decía que lo del cementerio le daba morbo. Me sorprendí mucho cuando me agaché a recoger un poco de tierra y él me cogió por detrás y me tiró sobre la lápida. Al segundo lo tenía encima con las intenciones muy claras, según pude deducir del pedazo de trempera que le abultaba en la entrepierna. Lo curioso es que yo respondí inmediatamente, no me lo quité de encima como habría sido lo normal, y no es que lo pensara conscientemente. Fue todo muy raro, porque cuando él me levantó las faldas y me bajó las bragas yo me di cuenta, en cuanto él me metió mano, de que estaba mojadísima, pero ni siquiera yo lo había notado hasta entonces, como si mi vagina tuviera vida autónoma y actuara de forma independiente, ya sabe, el coño tiene razones que la razón no entiende. La verdad es que la lápida estaba fría y dura y no me resultaba acogedora en absoluto, pero no me sentí incómoda, muy al contrario, enseguida adelanté las caderas para acoplarme y noté que él la tenía durísima y tensa, como no se la había visto ni sentido en la vida, y todo resultó increíblemente fácil, mucho más fácil incluso que en la cama, y así, mientras lo estábamos haciendo, fue cuando empecé a alucinar, cuando entré en otra dimensión, en un estado alterado de conciencia o como quiera usted llamarlo, y noté cómo la hiedra de las junturas se despegaba de la lápida y se iba acercando a mí, intentando atraparme, ceñirme con esos diminutos tentáculos que lleva en las ramas y que le sirven para adherirse a las paredes. Sentí también cómo la claridad de la luna se reflejaba en la lápida e iluminaba nuestros cuerpos bañándolos en luz, y cómo esa energía me envolvía como un manto de calor, cómo me iba penetrando y se iba haciendo sitio dentro de mí, y me abrí por completo a aquella extraña irradiación, dejando que entrara en mí para que disolviera todas mis ansiedades, mis pensamientos negativos, mis preocupaciones, mis problemas y mis agobios. Yo notaba cómo todos se desprendían poco a poco de mi cabeza y caían como hojas muertas, cada vez más hondo, más lejos, más profundo, hasta perderse en la tierra del cementerio, y cada vez más abajo, hacia la tiniebla total. Y luego me sentí flotar, en completa serenidad, en relajación y tranquilidad perfectas, una sensación de paz interior y de armonía, de libertad sin límites ni fronteras. Y sentí que subía hacia arriba, hacia arriba, cada vez más arriba, disparada hacia el sol como una flecha. Me abandoné a aquella sensación extraordinaria y maravillosa, y me dejé llevar, mecida en luz, mientras oía como un fondo lejano y distante nuestros gemidos y nuestras respiraciones rítmicas, compenetradas, cada vez más amortiguadas, como si las oyera desde una gran distancia. Estuve un largo rato flotando en el éter, feliz, muy feliz, y poco a poco sentí que empezaba a bajar, que volvía al encuentro de la tierra. Bajaba confiadamente, despacio, casi flotando, sin miedo alguno a caer o a hacerme daño, y fue muy extraño porque según bajaba acerté a ver mi cuerpo allá abajo, enlazado con el de David, sobre la lápida, y me di cuenta de que yo estaba fuera de él, fuera de mi envoltorio humano, y me dejé caer hacia allí, penetré dentro de mi propio cuerpo y volví a unirme a él. Entonces, ya dentro de mi cuerpo, empecé a respirar de manera profunda y rítmica, sincronizando mi aliento con el de David. Inhalaba, expiraba, y con cada inhalación iba haciéndome poco a poco de nuevo con mi cuerpo, inhalando, expirando, sintiendo cómo la respiración hacía que la sangre se moviera, y cómo la sangre iba recorriendo todo mi organismo, mis extremidades, mis articulaciones, mis órganos y finalmente el corazón, al que la sangre regresaba tras su largo recorrido, y allí surgía una sensación de calor cada vez más intensa, un calor beneficioso, reparador, como si se hubieran concentrado allí los rayos de la luna. Yo iba sintiendo el corazón más y más y más caliente, y era un calor que irradiaba de mi corazón hacia los pies, hacia los dedos de los pies, pasando por las caderas y los muslos y la rodilla y la pantorrilla, y del corazón iba hacia la cabeza, por la tráquea, y hacia los dedos de las manos por los hombros y el codo y el antebrazo, y era calor disparándose en todas las direcciones, recorriéndome con un leve cosquilleo electrizante, inundándome. Y luego aquel calor se instaló en mi frente, exactamente en el centro de la frente, por encima del nacimiento de la nariz, en la glándula pineal, en el tercer ojo, calentándose más y más como si los rayos de la luna se hubieran concentrado allí con ayuda de una lupa, y de pronto noté como si mi mente se abriera, se abriera de par en par, como un gran portal de doble batiente con herrajes que se fuera separando lentamente, y aquella luz pudo entrar, se hizo una conmigo y se fundió conmigo, con mi espíritu. Me sentí tremendamente fuerte y positiva, y sólo entonces reparé en David, que en aquel momento se convulsionaba y gemía dentro de mí quedándose exhausto. Yo no tenía muy claro qué había pasado, y dejé pasar unos minutos sin decir nada, esperando a que él se recuperara. Por fin, cuando abrió la boca fue para decir:

—Hace frío.

Y debía de haberse levantado frío, porque yo oía el viento ulular y veía cómo arrastraba las hojas muertas por el camino que se abría entre las tumbas. Sin embargo yo seguía sintiendo aquel calor extraño dentro de mí.

David volvió abrir la boca:
—¿Sabes?, nunca te había visto así. Ha sido increíble.
Y yo le respondí:
—¿Por qué?
Y él dijo:
—No sé, estabas como... transfigurada.

No lo noté de la noche a la mañana. Tardé en darme cuenta de que algo raro pasaba. Lo primero que advertí es que mi libido había desaparecido, que el sexo no me apetecía nada, pero lo atribuí al cansancio y a los nervios después de tanta agitación, ya sabe, el robo en casa primero y la visita al cementerio después. También noté que los hechizos me salían de maravilla, ya no tenía que consultar libro alguno, las fórmulas y los sortilegios me venían a la cabeza como si me las hubiera sabido de memoria toda la vida, incluso de pronto me encontraba recitando algunas que no me había sabido nunca, que me venían a la boca porque sí, improvisándolas frente al altar. Pensé que algo tenía que ver en aquello el extraño viaje astral que experimenté, que probablemente aquella noche de luna mi sistema se recargó de energía pura y blanca, y me alegré.

Mis poderes aumentaban día a día a medida que mi vida en pareja iba empeorando también día a día. David no entendía por qué ya no quería hacer el amor con él. Al principio no se molestó demasiado, pero ante la enésima negativa me quiso confrontar. Qué que me pasaba, inquiría, que si había conocido a otro, que si estaba enfadada por algo, que si había dejado de gustarme. Yo no sabía qué decirle, porque nada había cambiado, muy al contrario, él cada día estaba más majo, más dispuesto, más entregado y yo por el contrario más fría, más distante, más desapegada. Le quería, sí, pero no le deseaba, su presencia no me daba ni frío ni calor, no se me aceleraba el corazón cuando me llamaba a la oficina para soltarme algún arrullo tierno pronunciado en voz mimosa, ya no me enternecía como antes, sino que me molestaba que me interrumpiera en medio de una sesión de programación (no se sorprenda, muchas brujas somos programadoras, se nos da bien la comunicación y el manejo de *quantums* de energía). No sabía qué me pasaba, nunca antes había experimentado nada parecido, nunca se presentó el fin del amor de forma tan abrupta, tan cortante, tan cruel, siempre fue un tránsito mucho más progresivo y titubeante, un sentimiento que fallecía de muerte natural tras una larga agonía y serios intentos de reanimación o algo que moría de pronto, como de un infarto repentino, pero obedeciendo a una razón asesina y tajante, como el descubrimiento de una traición, una mentira o una deslealtad. Pero aquello era distinto, no había habido tiempo material para que la pasión se apagara y tampoco había hecho nada mi pareja como para que yo dejara de amarla. No me explicaba lo que estaba pasando, pero el problema estaba allí, flotando frente a mí, omnipresente y clarísimo.

Sin embargo, no quería dejarle. Me aferraba al recuerdo del antiguo amor como un náufrago a su tabla porque tenía miedo a ahogarme en las tempestuosas aguas de la soledad. No olvidaba aquellos sábados inacabables enfrente de la tele, viendo viejas películas de Houston y Kazan, mordisqueando ganchitos que sabían a plástico y que se mezclaban con otro sabor, el gusto agridulce de la autocompasión. A los treintaitantos ya no puede una contar con las antiguas amigas porque están ennoviadas todas y lo de salir de marcha se hace cada vez más aburrido, te sientes como un bicho extraño entre tanto adolescente de pelo teñido y ombligo perforado, bailar te cansa, las copas te dan resaca y las drogas una bajada depresiva tremenda, ligas poquísimo y con lo peor de cada garito, porque cualquier niña de veinte años pinta bastante más que tú y, además, no puedes evitar esa agobiante sensación de esto ya lo he vivido, aquí ya he estado yo, yo ya hice más y mejor. A los treintaitantos una pareja ha dejado de ser un placer para convertirse en una necesidad, y lo de dejarla acaba por ser un lujo que muy pocas se pueden permitir a no ser que adoren la soledad o disfruten de un *hobby* muy absorbente, y por mucho que la brujería llene, yo nunca me consagré a su arte al cien por cien, qué quiere que le diga, mi abuela era especial, pero yo no tanto. Por eso de cuando en cuando accedía a las caricias de David y complacía sus caprichos, con los ojos cerrados e intentando concentrarme en otra cosa. Tuve que recurrir a trucos que nunca antes había empleado —lubricantes vaginales para compensar mi poca excitación, orgasmos fingidos con unas dotes dramáticas que jamás hubiera sospechado en mí— y que me avergonzaban, pero eso no acababa de satisfacer a David, que notaba muy bien mi distancia y mi desapego y que sufría porque me tenía sin tenerme del todo, como una mala copia de lo que tuvo una vez. Y así continuábamos juntos, como podíamos, a trancas y barrancas, abriéndonos paso entre las ruinas de un amor que se había desmoronado de pronto, como un edificio dinamitado.

Un día iba en el autobús de camino al trabajo, mirando tristona por la ventanilla, pensando en el desastre en el que mi vida se había convertido, cuando reparé en una chica alta que esperaba en la parada a la que nos acercábamos. Parecía tener frío, pues estaba constantemente cambiando de postura, dando saltitos sobre uno y otro pie. Sin embargo, se diría que todos sus movimientos se iniciaran en la nuca, inmediatamente debajo del nacimiento de su cabello rojizo, para extenderse a lo largo de su esbelta figura hasta la puntera de sus botas de cuero. Me pareció de una belleza intensa y cruda, el contraste de color entre el pelo tan rojo y la piel blanquísima le confería un aire irreal, como de una ninfa de cuento cuyo hogar estuviera en un rayo de luz. La seguí con la mirada cuando subió al autobús, cuando pagó su billete y mientras recorría el pasillo. A medida que se iba acercando, el rostro se iba haciendo más nítido y pude percibir con más claridad lo que de lejos había sido una borrosa impresión de atractivo y que de cerca destacaba como un cuadro. Las cejas y la nariz perfecta, los destellos de la dentadura entre los labios carnosos, la pureza de sombras de la finísima garganta, la línea rectísima que los hombros componían, la cintura breve, las piernas inacababLes. Contuve la respiración mientras se acercaba, deseando y temiendo a la vez que se acomodase en el asiento libre contiguo al mío. Cuando finalmente lo hizo el corazón se me desbocó de tal manera que sentía el pulso de la sangre acelerada en los oídos, como si pudiera escuchar los latidos, sonoros como un bombo. Supe que me estaba ruborizando, que la sangre se me subía a las mejillas, y experimenté una sensación de calor tan intensa como una fiebre. No me atrevía a mirarla, pero notaba su proximidad como si su aura fuera palpable y me estuviera quemando. No sabía lo que me estaba pasando, pero cuando sentí que ella se levantaba, me levanté a mi vez. Me bajé en su misma parada y la seguí a unos cien metros de distancia, sin comprender siquiera por qué lo hacía, hasta que la vi desaparecer dentro de un portal que pertenecía a un edificio de oficinas. No me atreví a ir más allá, y recordé entonces que llegaba tarde al trabajo.

Nunca me presenté en el edificio ni indagué por ella, no me tome usted por loca, ni tampoco la volví a ver en el autobús. La pelirroja no tiene mayor papel en esta historia que el que tuvo en su momento. Es decir, fue el interruptor que encendió la luz en mi cabeza y me hizo comprender lo que estaba pasando, cuando recordé que mi abuela y mi abuelo habían dormido siempre en habitaciones separadas y cómo, tras el nacimiento del segundo varón, llevaron vidas independientes, él con sus queridas y ella con sus amigas. Sus amigas, hubo tantas... Supongo que la santera fue la primera. Como todo el pueblo sabía, a mi abuela le encantaba la compañía femenina, alimentaba amistades muy intensas pero no demasiado duraderas, damas de la alta burguesía que la acompañaban a sus viajes a París y con las que iba a comprar sombreros a la capital, o jovencitas del pueblo, todas ellas lozanas y llamativas, que tomaba a su cuidado, a las que educaba para convertirlas en sus doncellas personales y a las que permitía confianzas que las damas no suelen tolerar en el servicio, como cuchicheos al oído y miraditas de soslayo. Contaban que alguna le duró años, pero en general las sustituía en cuanto empezaban a ajarse o a engordar, y las colocaba de ama de llaves o les compraba una granja, en cualquier caso no las despedía sin dejarles el futuro asegurado. Todas le profesaban una devoción ciega, tanto cuando estaban a su servicio como cuando dejaban de estarlo, e íbamos a visitar a alguna que otra aprovechando nuestras salidas al campo para la recogida de plantas. Todas parecían mayores que mi abuela pese a que eran mucho más jóvenes, y resultaban deslucidas frente a aquella señora bien vestida y enjoyada, elegantísima incluso en traje de paseo y botas de marcha, que por alguna extraña razón no envejecía, ni peinaba canas ni mostraba arrugas, y que no necesitaba faja ni corsé pues apenas había engordado desde que dio a luz a su segundo hijo. Ellas siempre contemplaban a mi abuela con tierna mirada, como quien mira algo que quiso mucho y perdió.

Sospechando lo que iba a descubrir, corrí a indagar en antiguos libros de sombras y tratados, y navegué por Internet de referencia en referencia buscando algo que pudiera aclararme lo sucedido. Finalmente hallé la respuesta en un viejo *Necronomicón*, que revelaba que el acto sexual revive a los muertos y que fornicar sobre una tumba permite a quien lo haga impregnarse del espíritu del que allí reposa, especialmente si se hace en luna llena, ya que su energía crea un campo de fuerza que, asociado al que se genera en el momento de un orgasmo simultáneo, establece un circuito entre el espíritu vivo y el errante y abre un paso para que el uno se funda con el otro. Era por ello que mis poderes se habían incrementado y era por ello también que se había impuesto la voluntad sexual de mi abuela, tan depredadora, sobre la mía, que siempre fue más bien débil. Lo sucedido resultaba bastante inexplicable y los tratados no me lo aclaraban mucho, era como una reacción química no prevista que da un giro absurdo al resultado de un experimento. Fuera cual fuera la explicación técnica o mágica, si es que la hubiera, no puedo especificarla porque no la hallé, pero los hechos hablaban por sí solos: era evidente que yo ya no deseaba por mi cuenta sino por imposición del espíritu que en mí habitaba, el que me dictaba los ingredientes de las pociones y el que dirigía mis pasos hacia nuevos objetivos.

David dejó mi casa sin escenas ni rencores. Se cansó de vivir sin sexo, encontró pronto un nuevo amor, pues ya le he dicho que hombres como él no abundan y un espécimen similar no iba a tardar en encontrar quien lo apreciara, y me dejó a mí sola, sin más compañía que los altares y los calderos, condenada a pasar las tardes de sábado entre viejas películas en blanco y negro y ganchitos de sabor a plástico. Soltera de nuevo, volví a convertirme en confidente de mis amigas, que sabían que podían llamarme a cualquier hora si necesitaban un hombro en el que llorar porque ya no había en mi casa otra persona a la que le molestaran las visitas inesperadas. Volví a escuchar cuitas y a intentar restañar heridas, y debí de hacerlo bien, porque últimamente a Gemma, a Raquel, a Natalia, a Olga y a Silvia se las ve mucho más contentas. Siguen teniendo problemas con sus parejas, pero ya no parecen concederles tanta importancia, se los toman más bien como travesuras de chiquillos con los que les ha tocado convivir pero cuyo comportamiento no les impresiona demasiado. Cuando tienen una rabieta o se les sube la indignación se pasan un rato por mi casa y salen de aquí mucho más calmadas de lo que entraron. Además, se las ve también mucho más guapas a todas, debe de ser por esa sonrisa que les ilumina la cara últimamente, que se nota que les sube desde el corazón, una sonrisa que irradia del corazón hacia los dedos de los pies pasando por las caderas y los muslos y la rodilla y la pantorrilla, y del corazón hacia la cabeza por la tráquea, y hacia los dedos de las manos por los hombros y el codo y el antebrazo, una sonrisa que se dispara en todas direcciones para volver luego a su centro, una sonrisa que se multiplica por mil reflejos como un diamante, como si los rayos de la luna se les hubieran concentrado en la sonrisa.

EL HOMBRE QUE RECHAZÓ UN *MENAGE À TROIS*

Los contornos de las cosas difuminadas, y la percepción alterada de tal manera como para que las motas de polvo que normalmente no se pueden ver se amplifiquen y se conviertan en brillantes y sólidos puntitos de luz. Sinestesia: se escuchan los colores y se ve la música. Se alarga el tiempo hasta lo ilimitado y se acorta si se quiere. A veces los segundos son horas, pero las horas pueden ser segundos. Reviste de milagroso lujo los más sórdidos antros. Y el cuerpo parece mucho más ligero, sólo la cabeza pesa, narcotizada. Duermen los pensamientos, funerales crisálidas, por fin. Entrever imágenes, volver esquinas de ideas, rozarlo todo apenas sin sentirlo... Una dulce sensación de felicidad prestada. No ser la que se es, sino la que se sueña. Resulta tan amable esa sensación tan familiar, tan añorada, de la borrachera... Es fácil aguantar lo inaguantable, los tumultos de gente y los ojos inquisidores y el peso de tantas miradas y tantas lenguas abatiéndose sobre una, es fácil fingir que no se está donde se está, como una especie de ilusión traslaticia.

Lola empezó a beber a los quince años. A los cuarenta y dos decidió ir a terapia. Se había ganado para entonces una merecida fama de borracha. No sólo fama, *mala* fama. Sus casi treinta años de bebedora en serie y en serio le habían enseñado, entre otras cosas, que por algo el Soberano era *cosa de hombres:* en el hombre la bebida suponía un marchamo de recia virilidad, mientras que la mujer bebedora suscitaba rastreros ecos de tango y lupanar. Era el mismo doble rasero que se aplicaba a la moral sexual de hombres y mujeres, y por eso a ella la habían llamado de todo por acostarse con quien había querido, pero nadie se metía con todos los directores o productores que se pasaban por la piedra a cualquier aspirante a actriz que se les pusiera a tiro, a la búsqueda desesperada de un papel. El doctor que la atendió le informó de que ya era alcohólica en primer grado, Lola cumplía todos los requisitos para poder diagnosticarla como tal: necesidad de beber asociada a un estímulo determinado (en su caso, social, derivada de la timidez: no podía sentirse a gusto en una fiesta sin su copa en la mano), alteraciones drásticas de carácter (muchísimo más simpática y amable cuando bebía, dónde iba a parar, la noche y el día), blancos de memoria (¿quién es este bulto en mi cama?, ¿cómo he llegado yo aquí?) y depresiones graves post ingesta alcohólica (la típica resaca triste, para entendernos).

A los cuarenta y dos años Lola hubiera querido ser abstemia radical, pero no lo era. Habría podido serlo, quizá, si hubiese elegido otra profesión, pero la profesión de actriz es muy sacrificada, y exige una devoción por los compromisos sociales. A no ser que se esté en lo más alto y una sepa que los directores y los productores la persiguen a una y no al contrario, una actriz debe dejarse ver y asistir a estrenos, galas benéficas, entregas de premios y demás ocasiones en las que se sepa que van a estar los perseguidos. Lo malo es que Lola era muy tímida, y precisamente había empezado sus clases de interpretación porque una tía de la familia, psicóloga de profesión, se las sugirió a su madre como terapia para combatir la introversión de la niña. El inicio de las clases coincidió con sus primeras borracheras, cuando Lola, que estaba muy alta para su edad y que ya usaba sujetador, empezó a salir con el chico más guapo de todo el taller de interpretación, un adonis de dieciocho años al que habían encasillado en los papeles de galán y que fumaba y que bebía como un carretero. Él iba a buscarla a la puerta del instituto, compraban una litrona de cerveza y se iban al parque a beber, a meterse mano y a fumar porros. Lola solía llegar a casa bastante borracha, aunque nunca más tarde de las nueve y media, pero en su casa nadie se enteraba de su estado, su padre porque nunca estaba allí y su madre porque vivía enganchada al valium que el médico le había recetado para sobrellevar lo que aquel señor llamaba depresión y que no era más que la frustración y la amargura de una ama de casa aburrida y sola que no se separaba por la simple razón de que en aquellos tiempos nadie lo hacía. El noviazgo adolescente no duró mucho, apenas dos años, pero las clases de teatro siguieron y siguieron. Impresionada por las aptitudes de Lola, la profesora le sugirió que intentara ser aceptada en la Escuela de Arte Dramático. Lola aprobó el examen de ingreso y empezó a trabajar casi desde el primer curso. Se cambió el nombre, dejó de ser Dolores para ser Lola, un nombre que sonaba más a actriz y a mujer. Estaba claro que con ese nombre de *femme fatal* no iba a llevar la vida de una adolescente normal. Ganaba su propio dinero, salía con gente mucho mayor que ella y, desde luego, nadie la controlaba. En ningún aspecto de su vida, tampoco en el de la bebida.

El alcohol ayudaba mucho. Ayudaba a sobrellevar los *castings* y los estrenos y las entrevistas, todas las ocasiones en las que la timidísima Lola debía vencer su miedo a la gente. En general las fiestas solían girar en torno a unas cuantas estrellas de primera magnitud (productores, directores, actores y actrices, agentes) que destacaban con innegable brillo entre la masa, mientras que Lola, escondida en un rincón, podría haber estado a varios años luz de distancia. No oía lo que decía nadie, y en realidad no le interesaba. A aquellas fiestas acudían muchas personas de indudable talento, figuras a las que todo espectador ardía en deseos de conocer, personas probablemente inteligentes y válidas pero que, en semejante atmósfera, no lo demostraban y se limitaban a las frases repetidas y a las conversaciones superficiales. Su animación no era sino un juego de luces que se les reflejaba en los ojos, pareciera que las fiestas fueran la única manera de descansar de la importante y agotadora actividad que representaba ser ellos mismos. Lola era entonces joven, guapa, prometedora, y le resultaba difícil pasar desapercibida. Los hombres, sobre todo los más mayores, se acercaban a examinarla con curiosidad, sonrientes y un tanto maliciosos. Algunos la miraban desde la distancia, de arriba abajo, con gesto de aprobación, y luego cuchicheaban entre sí asintiendo con la cabeza, poniendo el máximo cuidado en no cruzar sus miradas con la de Lola para que ella no advirtiera cómo la estaban tasando. Luego algunos, la mayoría, emitían un veredicto favorable. Ella mantenía la mayor parte del tiempo una sonrisa de circunstancias, respondía cuando le hablaban y de vez en cuando incluso se reía. Odiaba sentirse mercancía, oferta en un escaparate, y bebía para olvidar que lo era. El alcohol ayudaba a que la lengua se soltara y el miedo se diluyera en un vasito con hielos. Además, a la gente le gustaba que bebiera porque el alcohol la volvía ingeniosa y ocurrente y, sobre todo, sexualmente receptiva. Beber era divertido, beber era *cool*. Hasta que Lola cumplió treinta años y descubrió otras contrapartidas del alcohol, como las resacas, la celulitis, las ojeras, los kilos de más y las arrugas prematuras. Por no hablar de las citas olvidadas o los compromisos incumplidos. La mala fama.

A los cuarenta y dos años todavía bebía, pero nunca en casa y muy pocas veces en comidas o cenas. Seguía bebiendo, porque no podía evitar hacerlo, en las fiestas. Alcohólica en primer grado, había dicho el médico. La certeza de que aquello era un problema hacía que se esforzara por controlarlo aunque no lo consiguiera. Seguía bebiendo, con la nada sutil diferencia de que ahora sabía que bebía demasiado por mucho que sufriera al ser consciente de que no debía hacerlo. Por eso estaba bebiéndose aquel *gin-tonic* en la fiesta de fin de rodaje en la que Lola había caído por casualidad. No había participado en la película y además tampoco conocía personalmente a la directora, Ruth Swanson, pero una de sus amigas, Clemen, guionista de profesión, no quería perdérsela y se empeñó en llevarla asegurándole que a nadie le molestaría que se presentasen en la fiesta sin invitación. Todo lo contrario, les haría gracia ver una cara famosa. ¿Cómo iba a importarle a nadie que Lola, una actriz de su categoría, apareciera por sorpresa en fiesta alguna?

Y allí estaba Lola, bebida en mano, en medio del aire viciado, cargado de humo y maledicencia. Dos mujeres la reconocieron y la saludaron con la cabeza. Lola les devolvió el saludo con idéntico gesto escueto. Una de ellas era una maquilladora a la que apodaban La Collares y que tenía fama de cotilla e intrigante, la otra era una actriz de tercera con pinta de mosquita muerta que solía acompañarla. Lola no tenía muy claro si eran pareja, pero sí sabía que ella no les caía bien, como no caía bien a mucha gente que tomaba su timidez por altanería y que no le perdonaba que se hubiera mantenido en la profesión durante más de veinte años. Y es que Lola no compartía las angustias de la mayoría de sus compañeros de profesión: nunca había pasado meses en el paro, no había tenido que suplicar por ningún papel, no sabía lo que era arrastrarse delante de un productor ni jamás tuvo que salir de una tarta en una despedida de soltero o hacer de conejito en un parque temático o de payaso en una fiesta infantil. No estaba entre las diez mejores pagadas, nunca la habían nominado a un Goya, no se pelaban por sacar su foto en los magazines de fin de semana, pero podía presumir de un nombre sólido y una carrera continuada. Lola apuró el *gin-tonic* de un trago. No sabía cómo se había dejado llevar y por qué aceptó acompañar a Clemen a aquel avispero si sabía de antemano que lo iba a pasar tan mal, que acabaría chapoteando como una imbécil en el fango de la inseguridad y hundiéndose sin remedio a cada movimiento. Ni siquiera le quedaba el recurso a la autocompasión. No era ni trágica ni digna de lástima, era una actriz de prestigio, tan importante como para poder permitirse el privilegio de descolgarse por una fiesta sin invitación sin que a nadie le molestara, muy al contrario, sabiendo que su presencia sería bienvenida.

Eso mismo debió de pensar Emilio, que también se pasó por la fiesta sin haber sido invitado, o eso dedujo Lola a partir de la cara de sorpresa que puso la Swanson cuando lo vio llegar. Emilio apareció acompañando a un técnico de sonido al que Lola ya conocía y que, por lo visto, había trabajado en la cinta cuyo fin de rodaje celebraban. Era por tanto otro «añadido», alguien que se había incluido en la fiesta de motu proprio pero que contaba, pues la experiencia así se lo dictaba, con que a nadie le molestaría su inesperada aparición. Ventajas de la fama, de la *buena* fama.

Emilio era un hombre alto, de cabello oscuro y rostro agradable e inquieto —la armonía rota, quizá, por una nariz demasiado grande—, con canas en las sienes, unas arruguillas circundándole los ojos y algunos kilos de más, no los bastantes como para que arruinaran su figura, pero sí los suficientes como para que visto desde detrás ya no pudiera tomársele por un adolescente. Exacta descripción podía habérsele aplicado a ella en femenino, pero las marcas de la edad que en un hombre resultaban atractivas, afeaban a una mujer considerablemente. Lola no pudo evitar reparar en lo injusto de la situación. A ella le tocaba teñirse los cabellos blancos, controlarse en la comida, ir al gimnasio regularmente..., en fin, hacer lo que fuera para evitar que su edad se delatara. Emilio, sin embargo, había ganado con los años. Los kilos de más le habían hecho más sólido y las sienes nevadas le convertían en lo que la gente suele llamar «un hombre interesante». Esta injusticia la llenaba de resentimiento hacia Emilio, convertido de pronto en pantalla en la que Lola proyectaba un rencor confuso y amalgamado por las exigencias de una sociedad que aplicaba también otro doble rasero a la hora de evaluar la belleza masculina y la femenina.

Pero ésa no era la única razón que hacía que Lola albergara cierta antipatía hacia Emilio, y eso que siempre se habían entendido bien a pesar de su aparente, mutua y elegante indiferencia ante los encantos de cada uno. Lo cierto es que aquel sentimiento de Lola, aquella secreta animadversión, intentaba tapar otro, enterrarlo bajo una capa de tirria. El sentimiento que Lola intentaba ahogar en lo más hondo de su subconsciente no era otro que el deseo, Lola estaba despechada porque sabía que en el fondo se sentía atraída de una forma oscura e indefinida hacia Emilio de la misma forma que sabía que Emilio nunca la correspondería. Porque Emilio siempre había mostrado una clara preferencia por las mujeres muy jóvenes, en particular por las de un tipo opuesto al de Lola. Esto es, mujeres con aspecto dulce y sumiso, que hablaban poco y miraban con enormes ojos de gacela asustada, que parecían beber sabiduría de los labios de cualquier hombre mayor que ellas, actrices o modelos que rebosaban admiración hacia el director.

Hacía ya seis años que Lola había trabajado en una de las películas de Emilio. No era una papel muy largo, apenas diez sesiones de rodaje, pero como Lola ya era por entonces una actriz conocida, su nombre figuró con letras enormes en el cartel de promoción. Por entonces Emilio estaba liado con una actriz muy joven, tanto como para poder haber sido su hija, ya que tenía casi veinte años menos que él, y que interpretaba un papel secundario en la película. La chica tenía muchas virtudes, desde luego. Era dulce, entusiasta, simpática, y dotada de una inteligencia natural que le llevaba a hablar poco y escuchar mucho. Sin embargo, desentonaba al lado de Emilio, y no sólo por la evidente diferencia de edad, sino por la de experiencia. Entre ellos no sostenían conversaciones, sino, más bien, monólogos apuntalados. Él hablaba sin parar y ella interrumpía de vez en cuando con un *¿sí?* o un *¿de verdad?* o algún *claro.* Entretanto a Lola, callada espectadora entre bambalinas, se la llevaban los demonios, y odiaba desear a aquel hombre como le deseaba.

Lo peor fue que en los seis años que habían pasado desde que trabajaran juntos se lo había tenido que encontrar muchas veces en estrenos, fiestas de fin de rodaje y demás ocasiones sociales. Y en todas ellas Emilio se había mostrado cortés con ella, pero tratándola con una comadrería que ella encontraba totalmente fuera de lugar, porque si nunca se veían fuera de aquellas ocasiones no se entendía a santo de qué él se empeñaba en tratarla como si fuera una amiga de toda la vida o, peor aún, un amigo al que espetarle de pronto observaciones sobre lo guapa que era tal chica o tal otra y narrarle con todo tipo de detalles las vicisitudes de su vida amorosa. A ella le molestaba esta actitud porque parecía dejar claro que Emilio nunca vería a Lola como objeto de deseo o de conquista, pudiendo permitirse, por tanto, alabar a otras mujeres en su presencia. Sin embargo a veces pensaba que Emilio adoptaba semejante actitud por acercarse a ella, porque cuando él la conoció, muchos años ha, Lola vivía con otra mujer, una directora de teatro y la única relación lésbica que mantuvo en su vida. Esta relación la había marcado ante los demás de tal manera que aunque ya habían pasado casi diez años desde entonces, mucha gente seguía pensando que Lola era lesbiana, como si las innumerables relaciones con hombres que mantuviera desde entonces no contaran o constituyeran tan sólo un intento de esconder la verdadera naturaleza de su orientación sexual.

Quizá también el sambenito de lesbiana le venía a Lola de su actitud. Era una mujer de aspecto fuerte, tanto por su constitución física como por sus modales y su modo de vestir. Lola medía un metro setenta y cuatro, tenía un tono de voz grave, hablaba con mucho aplomo y no llevaba faldas jamás, excepto cuando le tocaba hacerlo por exigencias del guión. Físicamente ofrecía una imagen de fortaleza pero, al mismo tiempo, le rodeaba una especie de aura de indecisión, como de niña perdida. A veces su rostro presentaba un aspecto tan desamparado que casi invitaba a la compasión y daban ganas de ofrecerle ayuda. En esa contradicción estribaba su encanto y por eso resultaba peligrosa: era imposible ayudarla porque siempre parecía a la defensiva. Lo cierto es que semejante construcción de personaje tenía más de mecanismo de defensa que de exteriorización de un interior real. Reducida a un ser acorazado contra el mundo, no era de extrañar que de vez en cuando le pesara la coraza y se le notase en los ojos una angustia al revés, un dolor como de pérdida, porque Lola era, en el fondo, una mujer muy frágil e insegura. Pero esto lo sabía muy poca gente y, desde luego, no lo sabían ni directores ni productores, empeñados en ofrecerle papeles de mujer fuerte y heroica, al estilo Leni Riefensthal o Sharon Stone, en los que acabaron por encasillarla. En la pantalla y sobre el escenario Lola había sido prostituta, policía, madre soltera, traficante, reportera, terrorista, drogadicta, vampira, ministra, celestina, jueza, fiscal y médica; pero nunca Julieta, virgen, amante esposa, madre abnegada, monja, enfermera, institutriz, maestra, bailarina o hada. La mayoría de entre quienes no la conocían esperaban que fuera como sus personajes y se decepcionaban cuando asomaba en ella la parte vulnerable. Muchos de entre sus amantes, por ejemplo, se habían sentido profundamente desencantados al conocerla a fondo ya que la verdadera Lola nunca se ajustaba a lo que esperaban, a la idea que se habían hecho de ella a partir de su imagen y de los personajes que había interpretado.

Precisamente mientras pensaba esto, recostada sobre la barra, se fijó Lola en una chica que no le quitaba ojo de encima. Rebobinando como en una cinta todas las imágenes que había retenido en la memoria desde que llegara a la fiesta, Lola cayó en la cuenta de que aquella chica rubia llevaba mirándola con la misma intensidad prácticamente desde que entró en el local. Al principio atribuyó aquella actitud a la curiosidad lógica ante una cara famosa, pero la insistencia empezaba a alargarse demasiado. Supuso que la chica era víctima del mismo malentendido y que creía a Lola lesbiana. De todas formas, aunque Lola lo hubiera sido, ésa no habría sido la manera de conseguirla, pues no le gustaba sentirse acosada ni observada ni por hombres ni por mujeres. Pidió al camarero un segundo *gin-tonic* y empezó a consumirlo con la misma ansiedad con la que un envenenado se bebería un antídoto; Lola empezaba a encontrarse muy incómoda y la repentina presencia de Emilio a su lado no hizo más que agudizar esa sensación.

—Es guapa, ¿verdad? —preguntó él, con el sempiterno deje de camaradería que ella tanto odiaba.

—¿Tú crees? —Lola buscó con la mirada a Clemen, pues se sentía desprotegida allí sola junto a Emilio. Pero Clemen había desaparecido casi nada más llegar en pos de un técnico de sonido al que llevaba meses persiguiendo y con el que sólo coincidía en fiestas.

La verdad es que sí que era guapa, y muy del tipo de las que solían gustarle a Emilio. Joven —no aparentaba más de veinticinco años—, ofrecía un aspecto de lo más angelical con aquellos ricitos rubios, los ojos azules y enormes, la carita de porcelana y la boquita de juguete. Casi parecía recién salida de un cuento para niños, sólo le faltaba la caperuza roja o la coronita.

—Te lleva echando el ojo desde que llegaste.

—No me había fijado —mintió Lola.

—Pues es como para no fijarse.

—Si tanto te gusta, ve a por ella.

—Parece más interesada en ti.

—Pero yo no estoy interesada.

—No veo por qué. Es verdaderamente preciosa.

—Deja de mirarla así, se está dando cuenta.

Efectivamente, la rubia se había dado cuenta de que hablaban de ella y les dirigió una sonrisa luminosa, almibarada y refitolera, claramente invitadora.

—Cuando sonríe es todavía más guapa —comentó Emilio.

—Tú sigue mirándola de esa forma y la tendremos aquí en dos minutos.

—Más quisiera yo...

—¿Lo estás diciendo en serio?

—Mujer, a nadie le amarga un dulce.

—Ojalá todos tus deseos resultaran tan fáciles de cumplir, Emilio. Mira.

Lola alzó la copa que estaba bebiendo y correspondió a la sonrisa de la rubia con un movimiento de cabeza. La rubia no necesitaba más. En un visto y no visto se plantó a su lado.

—Hola. Yo soy Lola, y éste es Emilio.

—Sí, claro, ya lo sé —dijo la rubia, aparentemente nada sorprendida de que dos desconocidos la hubieran reclamado y se presentaran de una manera tan rara y tan abrupta.

—¿Quieres tomar algo? —preguntó Lola con sonrisa torcida.

—Una cerveza —respondió la rubia, sin perder por un segundo su aparente serenidad.

Lola pidió la cerveza y otro *gin-tonic* al camarero, cerveza y *gin-tonic* que no pagó ya que, tal y como era de rigor, él no intentó cobrárselos. Entretanto, Emilio había iniciado una conversación de circunstancias. Desde el fondo de su desconexión, Lola oía, sin escucharlos, los ruidos de sus palabras, y no podía evitar descifrarlos e incluso asimilarlos. Según los retazos que le llegaban a Lola a través de la música, entendió que la rubia se llamaba Rocío, que era de Málaga, que había llegado a Madrid hacía cinco años para estudiar Imagen y Sonido, que había trabajado en la película de la Swanson como meritoria auxiliar de cámara y que aquel había sido su primer trabajo profesional. A Lola no le apetecía intervenir en la conversación, así que permaneció acodada en la barra dándoles la espalda durante un largo rato, como si aún estuviera esperando que llegara la cerveza que ya tenía ante sí, y apurándose el *gin-tonic* a tragos largos y poco espaciados. Finalmente se dio la vuelta, le ofreció a la rubia su caña de cerveza y anunció que tenía que ir al baño.

Se tomó su tiempo antes de volver porque se examinó largamente en el espejo intentando contar las arrugas una a una y entender por qué para el resto del mundo su ausencia resultaba más atractiva que su presencia si ella no se veía más ni menos guapa de lo que lo fuera veinte años atrás, cuando tenía aquella cara de muñequita pánfila, aunque lo cierto es que tampoco entonces se veía guapa. Después se pintó los labios y salió del baño. En la esquina de la barra Emilio y Rocío mantenían una animada conversación. El lenguaje no verbal que ambos exhibían delataba a las claras su mutua atracción: el uno inclinándose hacia el otro, mirándose a los ojos, las piernas ligeramente separadas, sincronizando respiraciones y movimientos, ella jugueteando con un rizo dorado, él llevándose de cuando en cuando la mano al cuello de la camisa, ambos tocándose alguna vez como quien no quiere la cosa, apenas un ligero roce en el codo, en el hombro, como para mantener la atención. Lola pensó que su presencia ya no era necesaria y se dirigió a la pista en la que Clemen bailaba, aparentemente muy borracha, quizá ahogando en alcohol el desinterés del técnico, al que no se veía por allí. Lola se situó a su lado e intentó seguirle el ritmo. No llevaba ni cinco minutos bailando cuando advirtió la figura de Emilio, un borrón negro que avanzaba hacia ella entre el carrusel de luces de colores que iluminaban la pista desde el techo.

—¿Sabes lo que me ha dicho? —parecía tan excitado como un niño que enseñara su juguete nuevo.

—No, no sé lo que te ha dicho —resultaba difícil dar con el tono de voz apropiado. Como despreocupado, pero no en exceso.

—Me ha dicho que tiene un cartel de mi película en su cuarto, en la cabecera de su cama.

¿Y para qué tienes que venir a contármelo a mí?, pensó Lola.

—Dile que te ofreces a firmárselo.

—Lola, es que esa frase parece de Alfredo Landa...

Entretanto la rubia se abría paso entre el maremágnum de gente de la pista, una masa compacta y danzante, como si no quisiera que se le escapara la reciente conquista. Sin embargo, al llegar hacia ellos, no se situó junto a Emilio, sino que agarró a Lola de un brazo y empezó a bailar con ella. Lola se dejó llevar sin acabar de entender a qué juego jugaba aquella dorada criatura que le estaba haciendo dar vueltas como una peonza. La chica despedía un perfume intenso, nebuloso, casi palpable, como de flores marchitas. Lola se sintió mareada. En algún momento tropezó y los brazos de la chica, que resultaron ser mucho más fuertes de lo que aparentaban, la recogieron. Consciente de lo que hacía, Lola se cobijó en ellos más tiempo de lo que hubiera resultado necesario.

—¿Te encuentras bien? —dijo la rubia.

—Creo que necesito tomar el aire.

—Te acompaño.

Salieron a la puerta del local y Lola se sentó en el saledizo de un portal. La rubia hablaba sobre sí misma y vino a contarle más o menos lo que ya le había contado a Emilio. Lola la escuchaba sin prestarle mucha atención, intercalando en las pausas un *¿ah, sí?* o un *¿de verdad?* desganados para aparentar un interés que no sentía. La rubia hablaba y hablaba sin parar, excitadísima, y a Lola la cantinela se le colaba por los oídos como lo hubiera hecho la música de un ascensor: Tía, es que cuando os he visto juntos he flipado, oye, es que la peli aquella que hicisteis, *Laberintos,* es que es mi película fetiche, la he visto como diez veces, sin exagerar, en el cine, en vídeo y en la tele, tengo el póster en mi cuarto y todo, se lo he dicho a Emilio, la escena aquella de la piscina es que es, no sé, sobrecogedora, y mira que tú sales en pocas escenas, pero al final es que haces la película tuya, de verdad, porque interpretabas a María con una fuerza, con una intensidad, una emoción, que traspasaba la pantalla, bueno, no sólo en *Laberintos,* claro, en todas tus películas, es que eres una actriz de cojones, tía, ya te lo habrán dicho muchas veces... Sí, se lo habían dicho muchas veces y por eso aquel discurso entusiasta le sonaba repetido y le aburría soberanamente. Aquella chica creía admirar a Lola cuando en realidad sólo admiraba una construcción, un personaje que el celuloide, el escenario, los medios y la propia Lola habían creado a partir de algo tan engañoso como el aspecto físico. Si la chica llegara a saber de la persona frágil que residía en los sótanos de aquella construcción probablemente no admiraría tanto a Lola, es más, seguramente se decepcionaría si llegara a conocerla de verdad. Pero aquello no iba a suceder porque Lola no le iba a dar la oportunidad, así que abrió la boca para acabar de una vez con aquella incómoda situación:

—¿Entramos? Empiezo a tener frío.

Emilio se acercó a recibirlas en cuanto las vio aparecer por la puerta. Lola se precipitó sobre la barra dándole la espalda y con ese gesto abortó de golpe la conversación que Emilio traía a flor de labios. Emilio se quedó charlando con la dorada diletante, que seguía tan locuaz y animada como siempre, imperturbable ante la evidente falta de educación de su admirada actriz. Lola pidió otro *gin-tonic*. Y ya iban cuatro, ¿o cinco? Demasiados, en cualquier caso. La fiesta se había ido animando y ya casi todo el mundo bailaba.

Lola se situó otra vez junto a Rocío y Emilio y la rubia volvieron a enzarzarse en una conversación. Ella era la que hablaba más, por supuesto, y él parecía escuchar con atención, sonriendo en los que debían ser los momentos oportunos de la narración. Pero Lola se dio cuenta de que en realidad no estaba atento. Involuntariamente, sus ojos dejaban de mirar a Rocío y se desviaban hacia Lola, y había una expresión en ellos que ella no podía descifrar, algo como un desafío o un interrogante, como si buscaran un entendimiento entre los dos que excluyera a la tercera. Aquella actitud la estaba poniendo nerviosa y trató de evitarla, pero la verdad es que Lola estaba intrigada y no podía evitar volver a mirar al cabo de un rato. De esa manera pasaron unos quince minutos, un lapso de tiempo que Lola calculó a partir de las canciones que habían ido sonando. Ya estaba muy borracha. Lo sabía porque sentía la música muy dentro, como fluyéndole por las venas, y las luces martilleándole dentro de la cabeza, una experiencia ya conocida, muchas veces repetida. Intentó buscar a Clemen entre la masa, un punto de referencia familiar, pero ya la había perdido. Seguramente estaba en la barra pidiendo algo, o en el cuarto de baño. Se sentía corroída por una amargura íntima e indescifrable y, tan borracha como iba, no sabría decir si era amargura del alma o del cuerpo, si esa angustia, esa náusea acuciante que sentía, era moral o física, si era el malestar de estar sintiendo la futilidad de la vida, la frivolidad de aquella estúpida fiesta, de aquel absurdo escaparate de vanidades, o si era una mala disposición procedente de a saber qué abismo orgánico tocado por el exceso de alcohol, el simple anuncio de un vómito inminente. Existía un contraste enorme entre aquel exterior festivo, rebosante de bailes y música y movimientos y risas, y lo que ella sentía, una extraña modorra que la paralizaba, un sueño que no dormía, que se posaba en los párpados sin cerrarlos, un estar allí sin estar. Notaba que estaba a punto de desmayarse, que le faltaba el aire, y por eso, cuando Emilio se acercó hacia ella, prácticamente se arrojó en sus brazos buscando un punto de apoyo. Pero a él no pareció sorprenderle ni molestarle su actitud.

—Te tengo que contar una cosa, te tengo que contar una cosa —repetía él, excitadísimo.

—Cuéntamelo de una vez —acertó a decir ella con voz pastosa, incapaz de enfrentarse a un diálogo coherente en aquel momento.

—¿Sabes lo que había dicho Rocío del póster ese que tenía en su habitación?, ¿no? —continuó Emilio, y a Lola le parecía que hablaba a cámara lenta, una especie de ilusión de los sentidos—. Bueno, yo he seguido con la broma, que te lo firmo cuando quieras, cuando tú me digas, nos vamos ahora mismo a firmarlo y dejamos la fiesta si hace falta, que por mí no quede, y ella como dándome cuerda, que vale, que por supuesto, que el póster no vale ni la mitad sin mi firma, y de repente me suelta, ¿a que no adivinas lo que me suelta?

—No, no lo adivino —respondió Lola sin mostrar mayor interés, ya recuperada en parte la voz y la postura.

—Dijo que tendrías que firmarlo tú también, que tendríamos que llevarte con nosotros a firmar el póster, que podíamos dejar la fiesta los tres e irnos a su casa, ya mismo.

—Por mí encantada —respondió Lola—, vamos a casa de esa chica. No puede ser peor que este sitio, y por lo menos habrá café.

—No entiendes, no lo entiendes, no es café lo que ella propone.

—Entiendo perfectamente lo que propone, y no me disgusta la idea.

—¿Pero tú estás loca, Lola? ¿Sabes lo que estás diciendo? ¿Cómo vamos a irnos tú y yo a follar con una desconocida?

—¿Y por qué no? —replicó Lola con voz fangosa—. Te he visto irte con desconocidas muchas veces.

—No digas tonterías, has bebido demasiado.

—Yo siempre bebo demasiado. Y decías que ella te encantaba, lo decías hace un rato. ¿Te estás haciendo viejo o qué, Emilio? ¿Desde cuándo un hombre como tú rechaza una proposición como ésa?

Un no categórico de Emilio y una sensación en la cabeza de Lola como si el suelo se tambaleara bajo los pies, y cierto vago deseo subiendo lentamente por la rampa de la conciencia, un deseo que ni siquiera puede querer ser, que se mezcla con otro sentimiento, con una tristeza de orgullo herido, y la suma incierta que pesa, absurdamente. Se sentía inútil y despreciada.

—Entonces... ¿No quieres?

—No, claro que no quiero, y tú tampoco.

—Yo sí quiero.

—Estás demasiado borracha para saber lo que dices, o me estás tomando el pelo.

—Yo sí quiero —estaba haciendo el ridículo diciéndole aquello a Emilio, se sentía como una cucaracha—. Pero si tú no quieres, Emilio, no se hable más. ¿Dónde está Clemen?

Milagrosamente, como si Lola la hubiera conjurado, la figura de Clemen se manifestó ante ellos.

—Qué coñazo de fiesta, ¿no? —dijo Clemen, y Lola entendió que el adorado técnico debía estar perdido o charlando con otra.

—Sí, bastante coñazo, cuando quieras nos vamos.

Y Emilio que no dice nada para retenerlas. Adiós Emilio, adiós Rocío, dos besos de cortesía y retirada, pasando antes por el guardarropa para recoger el abrigo. La última imagen de la rubia que se la queda mirando con expresión triste, de niña ante un escaparate mirando un peluche que sabe que nunca tendrá.

—El niñato de Alberto no me ha hecho ni puto caso, se ha pasado la noche hablando con un grupo de lolitas que no aparentaban ni la mayoría de edad —comentó Clemen en la calle.

—Pues si te cuento lo mío... —le respondió Lola—. La rubia esa quería llevarnos a la cama a los dos.

—¿Quería un *menage?*

—Sí.

—Qué fuerte.

—No he sido yo la que se ha negado, ha sido Emilio. Y no lo entiendo, porque decía que la rubia le encantaba y al fin y al cabo se supone que un trío es el sueño de todo varón heterosexual, ¿no? Con lo cual sólo queda deducir que no le gusto yo, que ha dicho que no porque quería estar a solas con la rubia.

—Anda, no te comas la cabeza más, ¿vas a coger un taxi? —preguntó Clemen.

—No, prefiero ir andando, estoy cerca de mi casa y así se me despejará un poco la borrachera.

—¿Te encuentras bien? Te noto rara.

—No es nada, no es nada. Se me pasará en cuanto me despeje un poco.

Los dos besos y el te llamo mañana de rigor.

Lola encaminó sus pasos calle arriba por la acera arrastrando los pies y el cansancio, le pesaban los propios párpados en los pies torturados. Se sentía inútil, poca cosa, insignificante. Pero no alcanzaba a entender el por qué de aquel negro vértigo que giraba alrededor de su propio vacío. Pensó que si conseguía atrapar aquella masa informe de su angustia y examinarla, entonces sabría qué hacer con ella, podría incluso modelarla y convertirla en algo distinto. Qué le condujo a sentirse tan mal. El rechazo. El rechazo había activado, como un interruptor, lo peor de sí misma, había hecho funcionar un mecanismo autodestructivo. Si le dolía tanto el rechazo se debía, naturalmente, a que valoraba demasiado la opinión ajena. No, no era eso, o no exactamente. Lo que valoraba era el deseo ajeno, la única emoción que conseguía conmoverla, contagiarle idéntica emoción. Su infancia se erguía ahora desde algún paisaje remoto de la memoria. Un padre ausente, una madre siempre ocupada y siempre quejándose, dos hermanos que no le dejaban jugar con ellos y mucho menos entrar en su cuarto. Nadie decía nada bueno de ella. Era torpe, descuidada, desaliñada. Su madre había decidido cortarle el pelo a los nueve años porque la niña ni siquiera era capaz de volver del colegio con las trenzas en su sitio. Fue la única niña de su clase que llevó el pelo cortado a lo chico y aquella diferencia la sintió siempre como una humillación. Todo cambió con la adolescencia, cuando el patito feo se hizo cisne y empezó a llamar la atención, a brillar con luz propia. Sentirse deseada era sentirse alguien. Su trabajo de actriz no había sido más que una excusa para exhibirse. El escenario era un escaparate, la pantalla un catálogo. Las críticas solían ser malas, y cuando no lo eran, el elogio iba destinado más bien a su físico —esos ojos húmedos y sugerentes, la presencia que traspasa la pantalla— que a su talento interpretativo; ser actriz, por lo tanto, no era más que un pretexto para dejarse ver, para que otros la miraran. Lo que valía era su físico, y por eso en la cama nadie la había criticado nunca, todos parecían haber quedado satisfechos. El papel de amante era el único que parecía haber desempeñado a la perfección en su vida, lo único que alguna vez le hizo sentirse segura de sí misma, una sensación tan placentera como efímera. Durante toda su vida sólo había sabido verse a través de lo que veía reflejado en los ojos de otros y le resultaba duro admitirlo, pero lo que veía en ellos era un florero, un lujo ornamental destinado a alegrarle a los demás la vista y los sentidos. Si los demás la valoraban así, ella se valoraba de la misma manera. Por ese motivo era incapaz de mantener relaciones sentimentales sólidas y profundas, porque aplicaba el mismo baremo en sus relaciones con los demás. Sólo sabía apreciarles por su belleza, y por eso había salido siempre con ejemplares espléndidos, accesorios que la hacían destacar en las fiestas como hubieran podido hacerlo un collar de Burés o unos zapatos de Blahnik. Mientras las demás mujeres veían el amor como algo único, ella nunca aprendió a diferenciar deseo y amor, y siempre había vivido en una agitada monogamia sucesiva, embarcándose en una relación tras otra. Y ahora que el físico espléndido se extinguía por momentos, como lo probaba la negativa de Emilio, se extinguirían a la par sus posibilidades laborales y la frecuencia de sus conquistas. ¿Qué iba a quedarle? Nada. No era nadie sin los otros, no era nadie por sí misma. No entendía la realidad, no se entendía a sí misma y necesitaba recurrir a otros que actuasen como referentes, mediadores o espejos, que le comunicasen un espacio de presencia. Su propia existencia, la de Lola, se resumía en un valor que dependía de la necesidad, del deseo y de las intenciones de los demás, su significado vital se definía en tanto alguien la mirara, y a través de esa mirada ajena a su propia mirada adquiría consistencia y brillo. Si perdía su físico ya no la mirarían de la misma manera. ¿Qué quedaría? Polvo, sombra, humo, nada. El recurso a la cirugía estética era sólo un espejismo. Había visto a muchas operadas y parecían igual de viejas, con la sutil diferencia de que la huella del quirófano probaba que, además de viejas, eran viejas indignas que se avergonzaban de serlo, y por tanto de sí mismas. No tenía hijos, ni un amor sólido al que pudiera entregarse, y su trabajo dependía siempre de las decisiones de otros, lo que exacerbaba su inseguridad. Hay pocos papeles para actrices maduras, y sólo las de más talento o mejor relacionadas sobreviven. No confiaba lo suficiente en sí misma como para pensar que dentro de diez años seguiría trabajando tanto ni en tan buenas condiciones, y desde luego no quería convertirse en una de esas viejas glorias marchitas, pasadas de calores, que veía de vez en cuando en los estrenos, aferrándose como podían a los rescoldos de su gloria, a los recuerdos de lo que una vez fueron, sin mantener al menos la dignidad de una retirada a tiempo. Triste público de su propia película, estaba asistiendo impotente al espectáculo del desmoronamiento de su físico y por tanto de su propia vida, al lento zozobrar de todo lo que alguna vez quiso ser. Su tragedia, para colmo, era bastante ridícula y egoísta, carente de cualquier dimensión épica o trascendente. Ella no sufría ni hambre ni miseria ni injusticia, y disponía de dinero suficiente como para vivir sin trabajar el resto de su vida, sin demasiados lujos pero sin estrecheces, gracias a unas cuantas sabias inversiones que un gestor sensato le aconsejó en su día. Y en aquel momento se le ocurrió que lo único inteligente que podía hacer era redactar un testamento en el que legara todos sus bienes a un asilo para ancianos o a alguna ONG que le pareciera digna de confianza y acto seguido suicidarse. Así mataría dos pájaros de un tiro: por un lado se ahorraría una decadencia física que, estaba segura, nunca sabría llevar con dignidad y, por otro, resultaría taxativamente útil por una vez en su vida. En realidad ni siquiera ansiaba dejar de existir, era más bien algo más profundo, el deseo de dejar siquiera de haber existido alguna vez.

Pero no le dio tiempo ni a plantearse el cómo o el cuándo de su sacrificio, porque el cuerpo sólo supo encontrar fuerzas para arrastrarla a su casa a duras penas. En cuanto llegó se desplomó en el sofá del salón y se quedó dormida.

Emilio y ella tomaban café en una terraza desierta frente a una playa no menos desierta ante la puesta de sol, un paisaje que recordaba a un cuadro de Rothko. Emilio hablaba sonriente y calmado, sosteniendo una taza enorme en sus manos: Lo que no has entendido es que yo soy como tú, como todos nosotros, un animal gregario, y por eso necesito de la opinión de los demás para poder verme a mí mismo y entenderme. Pero lo que nos diferencia a ti y a mí es nuestra posición en el tablero, el lugar desde donde empezamos a jugar. En primer lugar tenemos colores diferentes. Tus oponentes son los hombres y los míos las mujeres. Digamos que tú juegas con las blancas y yo con las negras. Y ya sabes que dicen que los hombres aman a lo que desean y que las mujeres desean a lo que aman. En segundo lugar, en cierto modo tú eres un peón y yo un alfil. Tú necesitas atraer, yo atraigo lo quiera o no. Tú buscas trabajo, yo puedo ofrecerlo. Para muchas mujeres represento el poder. La manera en que los hombres te muestran su atención es mediante el deseo. Pero las mujeres nunca me han buscado para eso. No me ofrecían su sexo, sólo su amor, y parecía siempre que me regalaban su cuerpo a cambio de amor, de la certeza de que a la mañana siguiente y a la otra y a la que vendría después me encontrarían a su lado en la cama. Yo me siento más yo cuando sé que ellas me quieren. Por eso me descolocó tanto aquella proposición. Era la primera vez que me sentía utilizado. Y a ti te sucede lo mismo, pero a la inversa. Cuando un hombre te ofrece su amor en lugar de su deseo, cuando te llama sin parar y te envía rosas y te dice que no puede vivir sin ti, pero no parece que ande buscando solamente acostarse contigo, sino algo más duradero, ¿acaso no te asustas como yo me asusté? ¿No entiendes que soy tu igual, pero que soy tu reflejo inverso? ¿No entiendes que yo siempre he existido a través del amor de las mujeres?

La despertó un rayo de luz que entraba por el ventanal. Curiosamente, no tenía resaca, sólo telarañas de sueño en los ojos. Muy al contrario, se sentía extrañamente despejada, con la cabeza clara por primera vez en mucho tiempo. Recordaba el sueño con toda nitidez. No pensó ni en apuntarlo, no era un sueño de los que se olvidan con el tiempo. El sueño había sido una prueba certera de que resulta inútil enfrentarse a un problema emotivo en téminos de razón, de que sólo el presuntamente ilógico inconsciente sabe encontrar una respuesta adecuada. Lo imaginario y lo real, el sueño y la vigilia, se mezclaban confusamente en su cabeza como el contenido desordenado en el suelo de dos cajones volcados, y le daba la impresión de que en ese revoltijo podía encontrarse la solución a su problema. No una victoria brillante, pero sí un camino nuevo que antes no había sabido ver. Se sentía como una estratega militar que, habiendo perdido varias batallas importantes, no puede por menos que planear una retirada digna que garantice las menores bajas posibles. Insatisfecha, pero no rabiosamente resentida como al día anterior, ahora estaba sosegadamente resignada, lúcida y triste como un día de invierno.

No volvió a encontrarse con Emilio hasta seis semanas más tarde, cuando coincidieron en la fiesta del estreno de una película. Le vio llegar acompañado de una chica, una chica muy joven, por supuesto, a la que abrazaba en actitud muy cariñosa. En aquel momento recibió una repentina iluminación dictada por la intuición, la superlógica que corta todo proceso del pensamiento y salta directamente de la pregunta a la respuesta. Entonces supo que no sólo fue ella la que soñó aquella noche, sino que Emilio la había soñado también a su vez, y la conversación tuvo lugar en el punto de confluencia de los sueños de cada uno. Emilio la saludó desde la distancia con un movimiento de cabeza y ella le correspondió con una sonrisa franca y amigable. En ese momento cayó en la cuenta de que volvía a tener un *gin-tonic* en la mano. Dejó el vaso en la barra, lo apartó lejos de sí y le pidió al camarero un botellín de agua mineral.

Un corazón en el techo

Imagina que te entregan un par de gafas y te piden que las uses una semana. Al ponértelas reparas en que las lentes distorsionan lo que ves: las líneas rectas aparecen como curvas y los edificios y las paredes ya no son rectos, sino convexos, ligeramente ovalados, de forma que el mundo adquiere una forma distinta. Pero al poco tiempo repararás (al principio no te habías dado cuenta, de pronto la constatación parece una revelación) en que las líneas curvas vuelven a ser rectas y los edificios, de nuevo, cajas enormes. Mediante este simple truco, y a través de lo que se ha dado en llamar *el experimento de las gafas Gibson* el psicólogo James Gibson descubrió en los años treinta —o más bien confirmó— que la mente está dispuesta a ignorar la realidad inmediata, lo que ve, y a adoptar lo que cree que debe ver, o lo que desea ver. La mente recrea el mundo a su manera, sea el mundo que sea, y lo adapta a una construcción primaria y propia que está más allá de lo visible.

Las anoréxicas constituyen un ejemplo contemporáneo de este fenómeno, de cómo muchos estamos más que dispuestos a negar la realidad inmediata en favor de una construcción ideal. Los medios nos bombardean con imágenes femeninas que no son mujeres reales sino distorsiones de la realidad: modelos maquilladas, repeinadas, reconstruidas merced a la cirugía, reinterpretadas en fotografías sabiamente iluminadas y luego retocadas con *photoshop*. Las mujeres tenemos a nuestra disposición montones de mujeres reales con las que compararnos, pero acabamos negando lo que nuestras retinas ven. Muchas nos sentimos gordas, feas, indeseables, porque negamos el reflejo lozano y lustroso del espejo y aceptamos como realidad una imagen virtual de lo que es la belleza femenina. La foto retocada de Kate Moss en el *Jalouse* nos parece más real que una mujer real. En el espejo no vemos lo que hay, vemos lo que no hay. Por eso la anoréxica siempre se ve gorda, aunque no lo esté.

¿Pero qué es real y qué no es real? La física cuántica afirma que la realidad, como concepto objetivo, no existe, pues depende siempre de un observador. Una silla, por ejemplo, no es en realidad un objeto sólido, es una combinación de millones y millones de átomos, y cada átomo no es más que una serie de electrones que dan vueltas alrededor de un núcleo en medio de un vacío, un agujero negro. El agujero negro es invisible a nuestros ojos, invisible incluso a la lente de un microscopio, pero esta ahí. Nosotros vivimos también en medio de un inmenso agujero negro en el espacio, en un planeta que también gira alrededor de un núcleo, con lo cual no podemos saber si cada uno de los electrones que conforman la silla no contiene un mundo en sí mismo: podría tratarse de planetas como el nuestro, girando alrededor de un sol, pero la escala no nos permite ver su contenido. Nosotros vemos una silla que en realidad no lo es, que es un compendio de zillones de electrones adoptando la forma —temporal— de una silla. Desde el espacio, un astronauta jamás podría ver la silla al mirar la tierra, pero eso no significa que la silla no esté ahí, de la misma forma que cuando pensamos en nuestro amor sólo vemos a Zutanito o Menganita, y jamás se nos ocurre pensar en la inmensas colonias de seres vivos —virus, bacterias y microorganismos— que habitan dentro de él, o en los leucocitos o linfocitos que son a la vez seres independientes y parte de un todo más grande, llámese Fulanito o Menganita. Por tanto, no podemos saber qué es real o qué no es real. No hay ninguna razón por la que debamos creer que lo que uno toca, mira, escucha, experimenta o siente como real es algo más que una construcción sintética de la percepción.

¿Es real esta historia? Quizá vayas a creer que lo que yo te estoy contando sucedió de veras. Pero esta historia no corresponde a la realidad sino a mi reconstrucción de la realidad, pues desde el momento en que es mi memoria la que reinterpreta, y pone y quita al compás de sus caprichos, esta historia no es real, sino mera ficción literaria. El hábito literario altera detalles, intercala rasgos circunstanciales y altera los énfasis, o eso dijo un escritor ciego que tanto nos gusta a ti y a mí, y por eso creo que puedes disfrutar de lo que leas sin preocuparte demasiado de la veracidad o exactitud de lo narrado.

Empecemos por el principio. El mes de abril, cuando me invitaron a un congreso de escritores que tenía lugar en Montreal. Yo era una de las pocas mujeres invitadas, una de las mas jóvenes y, casi con seguridad, la única mujer joven soltera, de forma que desde la llegada me encontré con un montón de proposiciones más o menos decentes por parte de sesudos intelectuales cincuentones que intentaban invitarme a copas o me proponían subir a su habitación para *mantener una conversación sobre literatura* (dejo a tu imaginación la correcta interpretación de este eufemismo). Como la mayoría de los congresos, aquél proponía una gran cantidad de actividades comunales, y de pronto me encontré con que me resultaba casi imposible asistir a una conferencia o participar en un taller sin acabar encontrándome con compañía que no había requerido, que me molestaba, pero de la que no sabía bien cómo librarme, por aquello de las formas y la educación y el respeto a los colegas. El único varón heterosexual que parecía no albergar el menor interés hacia mi persona resultó ser uno de los miembros de la organización, Adrian, un joven (veintiocho años, me enteraría más tarde) glacialmente educado que era precisamente el encargado de ponerme al día de las actividades diarias. Su frialdad me resultaba paradójicamente tranquilizadora, de manera que acabé aceptando su invitación de salir a tomar una cerveza justo la noche antes de mi partida (en realidad me moría de ganas de salir, así que la oferta me vino como anillo al dedo). A la hora acordada Adrian apareció en el hall del hotel transportando en las pupilas la misma mirada de helada amabilidad que yo siempre había visto en aquellos ojos de desvaído azul monástico y acompañado por un chico tan joven como él al que presentó como Gabriel, compañero de piso y bioquímico de profesión, un muchachito desgarbado y lánguido cuyo nombre le iba que ni pintado, porque tenía cierto aire ambiguo de angelito de misal. Eso sí, en cuanto el angelito abrió la boca la cosa cambió, pues tenía una voz tan sonora que casi ensanchaba el hall —parecía crear un espacio más abierto— y que escondía, sin embargo, cierto eco húmedo tras la presunta recia virilidad. Yo me acordé entonces de aquello que dijo Ava Gardner de que Frank Sinatra, a primera vista, no le resultó particularmente guapo, que se trataba más bien de un italiano bajito y escuchimizado, pero que se enamoró de él porque tenía la voz más bonita del mundo. En fin, que a la mañana siguiente no me sorprendí demasiado cuando al despertarme me lo encontré en la cama (tampoco creo que a ti te sorprenda leerlo) pero sí me sorprendí al encontrarme con un corazón luminoso impreso en el techo, hasta que caí en la cuenta de que se trataba de un curioso efecto óptico: la luz del día se había filtrado a través de algún repliegue de la cortina y proyectaba la forma exacta de un corazón como los que se suelen regalar el día de San Valentín: simétrico, con las crestas redondeadas —dos perfectos semicírculos— y la punta dirigida al Sur.

(«¿Has visto eso? Es precioso...», le digo a mi recién despertado acompañante. «Seguro que significa algo. Estas señales no aparecen por casualidad», replica él, y su voz, pastosa y ronca, parece llegar desde algún remoto escondite subterráneo, atravesando capas y capas de sueño. «¿Y qué va a significar?», pregunto yo. Él: «Amor, por supuesto. Que hemos encontrado el amor». Yo: «Pues no será el amor entre tú y yo, más que nada porque me marcho dentro de dos horas y un mar entero nos separa». Él: «Entonces quizá se trate de algún amor que te espera más allá del mar», pero yo no respondo porque entiendo adónde quiere ir a parar y no tengo la menor intención de que lo que estaba concebido como historia de una noche adquiriera mayor significación o relevancia.)

Pasamos la mañana en la habitación del hotel, desayunamos en la cama, nos bañamos juntos, volvimos a hacer el amor y antes de partir le di mi dirección de correo electrónico porque me pareció sumamente descortés no hacerlo, pero intencionadamente nada dije de mi dirección postal ni de mi teléfono. Después me vestí, hice las maletas, tomé el taxi que me estaba esperando en la puerta del hotel y emprendí el regreso a casa, más allá del mar.

Días después me encontré en mi buzón de correo con un sorprendente e-mail del canadiense. Y digo sorprendente porque estaba muy bien escrito y porque recreaba aquella noche de una forma completamente distinta a como yo la había vivido: una vez más, existían diferentes percepciones de la realidad y lo que para mí no había pasado de ser una noche agradable, para él había sido poco menos que un hito en su historia sentimental, un mojón que marcaba un antes y un después («Lo que más me sorprendió», escribía, «era que nunca había visto a nadie que disfrutara tanto, que estuviera tan en contacto con su propio cuerpo»). Normalmente una reacción así me habría asustado (el halago exagerado siempre me suscita sospechas de codependencia o de enfermedad mental), pero la redacción del mensaje era tan limpia, la prosa tan clara, el humor tan agudo, el recuento del detalle tan preciso, la narración tan inteligente, que el correo me intrigó, así que respondí con unas pocas líneas hablando de mi vida en Madrid, y así inicié una relación paralela a la que mi yo físico vivía.

De forma que mi yo empezó a bascular entre dos mundos: el físico y el virtual. En el mundo físico poseía un novio que presentaba la ventaja de resultar palpable y las desventajas de ser humano: a veces olía a sudor, solía lucir ojeras y sabía a cenicero, como todos los fumadores. Para colmo, tenía bastante mal genio. En el mundo virtual mantenía una relación con un ente incorpóreo, inodoro, insípido e incluso incoloro (un ente en blanco y negro —pantalla y caracteres— porque desde el principio me negué a intercambiar fotos para mantener así viva la fantasía). Sus correos —diarios— eran graciosos, inspirados e inteligentes, pero lo cierto es que yo no sabía el tiempo que le podía llevar escribirlos, así que eso no probaba en absoluto que el remitente fuera en la vida real tan gracioso, inspirado o inteligente como yo lo imaginaba: quizá no se tratara de mensajes espontáneos, quizá simplemente eran los deberes de un aplicado aprendiz de seductor que se esforzaba mucho en su redacción diaria.

Pero para los internautas siempre llega un momento en que la experiencia cibernética puede ser más intensa que la que llamamos real: es hiperreal. La mente no habita en mundo ninguno, sea «real» o «virtual», sino que viaja entre unos y otros a través de las huellas que dejaron viajeros precedentes, con lo cual una inmersión en el macrocosmos del ciberespacio puede colonizar el subconsciente, y entonces la mente no sólo se adapta al mundo digital sino que acaba por preferirlo (y por eso nos adaptamos con tanta facilidad a los ritmos, a las modas, a los colores que este mundo ha impuesto: escuchamos música electrónica y nos vestimos como Lara Croft). Me enamoré pues de Gabriel, o del Gabriel que construí a través de sus mensajes, de la realidad preconocida que mi mente impuso sobre la irrealidad virtual como si estuviera proyectando mis propias fantasías sobre una pantalla —de ordenador.

Al cabo de mes y medio me atreví a llamarle, tal y como él me suplicaba que hiciera. La voz que contestó al otro lado de la línea poseía idéntico matiz, textura, color y sonoridad que yo recordaba, y no sé si he dejado claro ya o si habrás adivinado que a mí se me conquista por el oído, así que me permití seguir imaginando al poseedor de aquella voz, un hombre cuyo físico, en realidad, prácticamente no recordaba, ya que apenas sí había compartido con él veinte horas: ocho de ellas borracha, seis de ellas dormida, seis de ellas resacosa y estresada, y ninguna de ellas particularmente iluminada, puesto que en el hotel mantuve todo el tiempo las cortinas corridas, en parte por pudor, porque la ventana de mi habitación daba justo a la fachada del edificio contrario, y en parte por resaca, porque la luz me estaba destrozando las retinas.

Recuerdo perfectamente el día en que empezó *nuestro juego favorito,* como acabamos por llamarlo eufemísticamente. Yo estaba hablando desde mi despacho tumbada sobre la alfombra, postura que adopto a menudo cuando mantengo largas conversaciones telefónicas, para evitar dolores de espalda. Entonces él me pidió que describiera la habitación, cosa que hice. Acto seguido me pidió que describiera también lo que llevaba puesto. Llámame inocente, pero en principio, no encontré rara la pregunta, pues al fin y al cabo, si no puedes ver a una persona siempre se agradece cualquier detalle que ayude a que puedas imaginarla de alguna manera. Yo llevaba puesta una camiseta y unas bragas negras de algodón, no particularmente sexys y ni siquiera muy nuevas, y así se lo hice saber. Entonces él me dijo que le gustaría estar allí, en esa habitación, a mi lado, para poder repetir lo que hicimos la noche del 9 de abril en la habitación 412 del hotel Renaissance. No sólo recordaba con exactitud la fecha y el número de la habitación, al parecer recordaba también, con sorprendente detalle, lo que habíamos hecho aquella noche, porque pasó a describírmelo con minuciosidad: «Si estuviera allí te besaría la espalda como hice aquella noche, y bajaría despacio hasta tus nalgas como hice aquella noche, y te las mordería despacio como hice aquella noche y luego te lamería la cresta entre las nalgas, deslizándome hacia abajo, sin prisa, como hice aquella noche, y tú alzarías tu grupa como en un gesto casi involuntario, como quien no quiere la cosa, para facilitarme el acceso, como hiciste aquella noche, y yo seguiría avanzando a lametones, bebiéndome tus fluidos, como hice aquella noche, y tú empezarías a moverte hacia adelante y hacia atrás gimiendo en voz baja, como hiciste aquella noche, al principio poco más que un murmullo, un ronroneo de gatita, pero elevándolo en crescendo poco a poco, y moviéndote cada vez más rápido, rítmicamente, adelante y hacia atrás, al compás de tus propios gemidos, como hiciste aquella noche, y acabarías por derrumbarte de pronto, agotada, exhausta, revolviéndote sobre la cama, agarrándote el clítoris con las manos para sostener el placer, deshaciéndote viva igual que hiciste aquella noche, tal y como estás haciendo ahora, al otro lado de la línea».

En resumidas cuentas: de la noche a la mañana me encontré con un servicio de teleleoperador erótico gratuito (porque casi siempre me llamaba él, el teléfono es mucho más barato en Canadá) y personalizado, y descubrí que, después de pasarme años cachondeándome de algunos amigos gays que se habían gastado auténticas fortunas en servicios similares, me había hecho adicta a mi particular proveedor de línea erótica. Pero ni siquiera a esos amigos gays me atrevía a contarles mi pequeño secreto, mi juego favorito, entre otras cosas porque no sabía explicarme la situación a mí misma, sobre todo después de decidirme a dejar al novio físico tras comprobar que estaba más interesada en el amante virtual y que (y esto es peor), el segundo me proporcionaba mucho más placer, aunque lo cierto fuera que el placer me lo proporcionaba yo a mí misma: él no hacía sino poner la banda sonora (imprescindible, por otra parte). Había acabado por enamorarme o bien de mí misma o de una voz que hacía de pantalla como para que pudiera embelesarme narcisistamente en mi propio reflejo: amaba mi propia imaginación, mi propia fantasía. Pero al fin y al cabo, ¿acaso no es ésta la esencia misma de la pasión, este verse a sí mismo a través de los ojos de otro?

Quizá no hubiera hablado nunca de mi pequeño secreto si no hubiera sido porque llegó el momento en el que él propuso, como era de esperar, que nos volviéramos a ver. Pero yo oponía reservas: prácticamente no le conocía, y además temía que un encuentro físico (la precaria realidad) no estuviera a la altura de nuestros encuentros virtuales (la sublime fantasía). Se suponía que era yo la que debía viajar porque era yo la que no tenía un trabajo fijo, la que podía disponer de vacaciones en cualquier momento, pero me daba miedo cruzar un océano para adentrarme en una zona incierta, una combinación aleatoria en la que todo podía darse.

Como Gabriel sabía de mi afición por el jazz (yo ya le había hablado de ella en alguno de mis primeros mails) consideró el festival de Montreal como la ocasión más propicia para el viaje. Así —me explicaba en un mail— en el supuesto de que, enfrentados de nuevo ante nuestras respectivas realidades físicas, no nos gustáramos, siempre me quedaría el festival y así no parecería que yo hubiera perdido el tiempo en emprender un periplo sin sentido, ya que existiría otra razón para justificar el esfuerzo además de la de verle a él. Y además —añadía— yo ya conocía a Adrian, que me tenía en gran aprecio, no estaría sola, de forma que, si las cosas se torcían, siempre podía contar con su compañía y con su apoyo (un email de Adrian, instigado, supongo, por Gabriel, vino a confirmar esta afirmación). Por otra parte —continuaba— si no nos gustábamos también podríamos recurrir al truco casero de la infancia y fabricarnos un teléfono casero con dos latas unidas por un hilo de bramante para seguir practicando nuestro juego favorito desde diferentes habitaciones, sin necesidad de vernos cara a cara. La broma no dejaba de tener su gracia, pero yo no las tenía todas conmigo y, sin embargo, y sin saber a ciencia cierta por qué, acepté la propuesta y reservé un billete con una antelación de mes y medio sobre la fecha de salida, con la intención de quedarme en Montreal durante dos semanas.

Las cosas siguieron como hasta entonces, con la diferencia de que las conversaciones telefónicas se ampliaron: a la práctica de nuestro juego favorito había que añadirle todo lo relacionado con el viaje. Preguntas como: «¿Estás seguro de que puedes alojarme quince días?» o «¿No molestaré?» fueron repetidas hasta la saciedad, y una y otra vez se me garantizaba que mi presencia sería bienvenida y que, en caso de que la realidad defraudara las expectativas de la fantasía, nadie me exigiría nada, ni entrega afectiva ni contacto carnal, porque yo siempre dejé claro que para mí el juego no era más que eso, un juego. Y entre tanto el juego se iba apoderando de mis noches: me había hecho adicta a aquella voz tan de azúcar que serpenteaba persuasiva, que paladeaba y alargaba las vocales como si las saboreara, aquella voz musical que invadía el espacio como una materia sólida y aplastaba cualquier tipo de idea o de sentimiento que no tuviera que ver con lo que la voz narraba, que no tuviera que ver con las ganas de prolongar aquello, de sentirse viva, palpitando en esa dilación deliciosa del tiempo, del tiempo que no se respira en un mundo que no es físico, del tiempo que es tan relativo como para que dos personas hablen entre sí aunque estén viviendo horarios diferentes —pues su día era mi noche y viceversa—, del tiempo que resbalaba sobre la piel como su voz, con liviandad de ángeles o pájaros, al amparo de una música de palabras que destruía y reconstruía la realidad a su antojo. Sin embargo, yo seguía insistiendo en mis correos: esto sólo es un juego, esto sólo es un juego, nuestro juego favorito.

Había edificado en mi interior una especie de santuario en el que guardaba mis recuerdos y deseos más secretos, y allí le tenía entronizado, rey absoluto de mi cuarto de juegos. Aquel santuario se había convertido poco a poco en el único escenario de mi vida real, el centro de mis actividades importantes. Allí llevaba los libros que leía, las películas que veía, los cuadros que me impresionaban y las cosas que no quería contar a nadie. Fuera, en el escenario de mi vida cotidiana, la irrealidad empezaba a presidirlo todo. Todo estaba revestido de un barniz de insuficiencia, y me sentía como si chocara con un montón de impedimentos y obstáculos que no me dejaban ser yo misma: los prejuicios y las convenciones de la gente que me rodeaba, que no entenderían, (o eso creía yo), la naturaleza de mi juego favorito, la verdadera naturaleza de mi yo. Me sentía ausente, tan lejana a todos mis conocidos que a veces me sorprendía de que aún me contaran entre ellos. Lo más densamente real no estaba sucediendo en el plano de la presunta realidad, la fantasía resultaba mucho más palpable y firme que la vida que se sucedía inexorable, día a día, con su mortal monotonía, fuera de los límites del santuario.

Exactamente tres días antes de la fecha prevista del viaje recibí un mail de Gabriel. Decía que se había enamorado. Nosotros nunca habíamos hablado de la posibilidad de que en el mundo físico existieran otras relaciones que, en cualquier caso, no afectarían a nuestro juego, pero se sobreentendía que podía haberlas. Según parecía, él había estado flirteando con una chica y había acabado por decidir que quería que el flirteo se convirtiese en algo más serio. «Tú siempre dices que lo nuestro no es más que un juego. Pero esto es serio. Es real.» Poco después llegaba un mail de Adrian: «No anules el viaje. Esta vez no te invita Gabriel. Te invito yo. Yo ya me había hecho a la idea de que vendrías, estoy seguro de que te encantará el festival y no tiene sentido que pierdas el importe del billete. Ven, por favor».

Yo no acababa de decidirme. Por una parte, no se me iba a presentar otra oportunidad de asistir a un festival de jazz del que siempre había oído hablar maravillas. Por otra, me parecía una locura aceptar la invitación de un cuasi desconocido. Y lo peor de todo es que descubrí que, por muy virtual y lúdico que el juego hubiera sido, por mucho que negara yo su peso y su influencia en el mundo físico, experimentaba unos celos terribles y una especie de extraña angustia de abandono, un dolor reposado y silente que no se manifestaba a gritos ni a lágrimas, pero que me estaba quitando el apetito y no me dejaba dormir. Quizá se tratara de un síndrome de abstinencia, puesto que yo era una adicta, una ludópata muy particular.

Consulté con mis amigos íntimos y todos convinieron en lo mismo: debía ir. Si las cosas se torcían, siempre me quedaba la posibilidad de buscar un hotel. Además, había arreglado todos mis asuntos de trabajo para poder tomarme dos semanas de vacaciones, Entonces ¿por qué iba a perderlas y perder de paso el importe del billete?

Cuando llegué a Montreal me encontré con que se me había reservado el cuarto de invitados en una casa luminosa y estoicamente desnuda, de habitaciones amplias y extrañas resonancias agazapadas en los rincones, situada exactamente en la falda de una colina —el Mount Royal—, una ubicación que la ancestral ciencia del Feng Shui señala como particularmente afortunada. Adrian se adaptaba casi exactamente a la imagen que yo conservaba (alto, discreto, cortés, ojos azul pálido, hombros encogidos), Gabriel, sin embargo, había cambiado mucho, o eso me pareció, y el cambio me obligó a recordar que durante nuestros dos meses de relación virtual él había existido también por sí mismo y no sólo en relación a mí, a la persona que pensaba en él en horizontal, mientras que él seguía su vida en vertical. La aparente transformación acusaba todos los momentos vividos de forma autónoma.

Desde el principio me acogí a la amplitud y el calor del ala protectora de Adrian, que se brindó a hacer de *chevalier servant* y se convirtió en mi eterno acompañante —gentil disposición de una sombra perenne pero discreta que se mantenía siempre a una elegante y respetuosa distancia— durante los diez días del festival —obviamente, ya no trabajaba en la organización del congreso, se ganaba la vida como corrector, editor y traductor *free lance* y disponía pues de mucho tiempo libre—, aunque desde el principio nuestro acuerdo tenía más de simbiosis que de caballeroso ofrecimiento: él me protegía y animaba con su compañía, pero yo había insistido en hacerme cargo del importe de su abono alegando que me habrían salido mil veces más caros los gastos de alojamiento en cualquier hotel y que, en cierto modo, me sentía obligada. La verdad es que no parábamos mucho por casa y, por suerte, en poco coincidíamos con Gabriel. En las pocas ocasiones en que nos cruzamos en el pasillo o en la cocina ambos nos plegamos al silencio por cobardía, como un pacto involuntario de labios sellados, aunque el contumaz mutismo agravaba en realidad las cosas por lo que tenía de reproche (yo le reprochaba, sin palabras, que me hubiera dejado por otra y él me reprochaba, también sin abrir la boca, que me hubiera presentado en su casa a complicarle la vida), por lo que sugería esa atmósfera tensa de silencio estallando de preguntas, de lo que no se decía con la boca sino con el cuerpo, mensajes cifrados —comunicación no verbal— que surcaban corrientes de rencor: lentas botellas errando en negros mares. Al amor, mariposas en el estómago, le había sucedido el orgullo, cangrejos en el estómago, las pinzas rabiosas exigiendo una reparación. Los dos actuábamos casi como si el otro no existiera, cosa complicada, porque nos forzábamos a desviar la mirada, a conseguir que huyera de lo obvio (la persona que teníamos enfrente, los ojos que involuntariamente se detenían sin querer en el otro antes de desviarse amedrentados, con un leve fulgor acuoso e inmóvil, un mar de ceniza) para posarse en lo inesperado (la ventana, el alféizar, la silla que en circunstancias normales nunca nos pararíamos a contemplar). Jugábamos a mirar sin ver, a situar los ojos en el filo de lo verdaderamente contemplable, en el espacio neutro y anodino que no contuviera al otro. Gabriel pocas veces se dirigía a mí, y cuando lo hacía no hablaba, casi se diría que gritaba en voz baja, tal era el resentimiento contenido en frases tan aparentemente inocuas como ¿te lo pasaste bien ayer? o ¿has visto el candado de mi bicicleta? En cualquier caso, poca importancia tenía lo que se hablaba, si lo que verdaderamente cuenta es lo que se calla. Vemos lo que hay a partir de lo que no hay.

Había conseguido casi eliminarle en el mundo físico, restringirle al contacto mínimo, a unos pocos minutos de coincidencia diaria (o ni siquiera diaria, pues a veces no aparecería por casa: se suponía que dormía en casa del nuevo amor), pero no había conseguido expulsarle del otro, pues se me aparecía en sueños con avidez persuasiva y real, volviendo a donde pertenecía, instalándose a sus anchas en el territorio blanco y secreto de las sábanas, el mismo que había habitado durante dos meses, cuando venía a verme cada noche (cita de todas las noches) en mi imaginación, en mi subconsciente, en mis sueños. Y a la mañana siguiente sólo me quedaban unos cuantos recuerdos disueltos en sueño que se abrían paso a través de capas y capas de modorra tibia y pegajosa como los pocos granos que quedan en la mano cuando se ha intentado inútilmente apresar un puñado de arena.

Pero pronto sustituí un amor por otro: me enamoré de la ciudad. Me contagié enseguida de esa *joie de vivre* adictiva que Montreal entera respira durante una semana al año, cuando la música la arranca del tiempo en un instante desmesurado, una semana que a ratos parece corta como un suspiro y a veces larga como un éxtasis, y pronto experimenté el sentimiento de no estar recorriendo la ciudad sino de que, más bien, la ciudad me estaba recorriendo a mí, la misma ciudad que se había vestido de luces, con montones de escenarios al aire libre, las calles hormigueando de gente y una melodía nueva agazapada en cada esquina. La música me había poseído de la misma forma que en su día me poseyó el sonido hipnótico de la voz de Gabriel: una sólo abandona a un amor por el mismo amor, la misma energía proyectada en otro cuerpo, en otro espacio, y una se siente a sí misma en la música desde el momento en que la música remite a lo más particular y privado de uno mismo convocando a momentos que se asocian a ciertos sonidos y trayendo el pasado al presente de repente como un rebote duro de pelota, un vómito instantáneo de imágenes, inmovilizando el tiempo en un presente que todo lo contiene. La música te aleja de ti misma porque remite a lo particular pero a la vez nos pone en contacto con lo general, con un denominador común que define a toda la raza, puesto que todas las culturas identifican los rituales comunales con la música y todos nacemos con empatía musical. ¿Qué quiero decir con esto? Que me sentí tan yo misma como para poder disfrutar de la ciudad y a la vez tan poco yo como para que me olvidara de la razón que me había llevado a ella y no pensase más en con quién dormía o no dormía Gabriel.

Tan feliz y confiada estaba, tan segura de encontrarme a salvo, que olvidé un detalle importante: que en el amor, y en el jazz, el placer depende de la sorpresa, de lo inesperado, de la improvisación. El momento sublime de un concierto o de una relación es precisamente ése en el que todo se descalabra, en el que lo previsible se hace imprevisible, y es entonces cuando se cumplen las armonías y los actos que segundos antes resultaban inimaginables. La genialidad para convocar lo inesperado que hizo único a Miles, la capacidad de sorprendernos que hace memorable a un amante, ese darle la vuelta a la realidad como si fuera un calcetín para presentarnos otra completamente distinta, para maravillarnos con algo con lo que ni remotamente habíamos contado.

Era sábado por la mañana y yo había desatendido los promisorios cantos de sirena que me llegaban en forma de concierto al aire libre, pero después de cuatro noches a razón de tres conciertos diarios, y todas rematadas bailando hasta las tres de la mañana en el Club Soda, no me sentía con cuerpo ni con ganas para hacer otra cosa que quedarme en casa sesteando hasta las siete, hora en que pensaba largarme para ver (por enésima vez) a Chick Corea. Cuando, amodorrada y legañosa, me dirigía al cuarto de baño, me sorprendió escuchar el rumor de una conversación en el salón, las voces empastadas de Gabriel y Adrian, barítono y tenor, armonizándose *a capella,* extraña melodía matinal. ¿Qué coño hace aquí Gabriel?, me pregunté, pues ya he dicho que no solía parar mucho por casa y que, en general, dormía en casa de *la otra,* de la que yo sólo sabía que se llamaba Ángela, pues la chica jamás se había personado en casa, no sé si por cobardía o por caballerosidad de Gabriel, pues nunca tendré claro si él quería evitarme a mí el doloroso encuentro con mi sucesora o evitarse a sí mismo el enojoso e incómodo espectáculo de un enfrentamiento entre rivales que podía derivar en cualquier cosa, desde un ligeramente molesto cruce de miradas desviadas hasta un fuego verbal de proporciones incendiarias. Curiosa, me acerqué al salón en el que Adrian y Gabriel estaban tomando una cerveza, el uno con su habitual y cortés calma congelada, el otro con una expresión sorprendentemente apacible en el rostro, que casi parecía nuevo, una máscara que se hubiera puesto sobre el antiguo, sobre aquel semblante de facciones desencajadas y ojos amargos y esquivos. Pero me resultaba incómoda e incluso inconcebible la opción de sentarme allí entre los dos, como quien no quiere la cosa, como si la trémula proximidad de Gabriel no hiciera bullir en mí una extraña e hirviente amalgama de deseos y rencores enfrentados que me inundaba las venas. «¿Queréis comer algo?, me apetece cocinar», dije, porque cocinar siempre me relaja y porque así tenía una excusa para mantenerme ocupada y alejada del salón. «No creo que haya gran cosa para cocinar», respondió Adrian. «Pensaba ir al *depanneur* de la esquina», le informé. «El *depanneur* es carísimo», intervino inopinadamente Gabriel, y otra vez se me colaba tentador en los oídos ese silbido de serpiente sabia incitando a catar el fruto prohibido (desde Eva, a las mujeres se nos seduce por la palabra). «Podríamos ir a Saint Catherine», continuó (esa voz, esa voz...), «hay un supermercado que abre los domingos, yo te acompaño». Le pregunté si se iba a quedar a comer, algo sorprendida. Me miró como si yo estuviera loca, como si resultara evidente, un axioma cristalino, que iba a comer en su propia casa.

Hacía un día brillante y la ciudad parecía cegada por la collera amarilla de una luz cenital, rabiosa, inesperada. Quizá la propia ciudad celebraba nuestra tregua (una *entente cordiale* que había acercado a los que hasta entonces eran dos beligerantes competidores por un mismo territorio, cada uno intentando a la desesperada definir las fronteras de lo que es y no es espacio neutral en una casa) mientras contemplaba cómo bajábamos por Coté des Neiges hasta Saint Catherine, cómo Gabriel trotaba a mi lado, nervioso, cómo intentaba hacer chistes y tartamudeaba, excitado como un perrito que saliera de paseo. «Ya no estás enfadada conmigo», preguntó o afirmó. «No, ni lo estoy ni lo estaba. Estaba dolida, que es distinto», aclaré. «Me alegro, porque me apetece volver a estar en mi apartamento sin sentirte tan tensa.» «Yo no estaba tensa, el tenso eras tú.» «Lo que tú digas», condescendió él, trotón y apurado.

Elegimos tomates y melones en un supermercado que hervía de aromas y colores, compramos vino y queso, yo dos pasos por delante, él arrastrando un carrito, habríamos parecido ante cualquier extraño una pareja bien avenida y compenetrada. «Nos vamos a llevar muy bien, ya verás», me anunció Gabriel. Y hablaba de una vida compartida como compañeros de piso que se presentaba idílica, amable, un remanso de paz para la siguiente semana, el oasis en el que transcurrirán mis últimos siete días en Montreal. ¿La razón de tan repentino cambio? Ni idea, no podía imaginarla.

Ya en casa, se ofreció a hacerme de pinche y revoloteaba a mi alrededor mientras yo cocinaba, acercándome el colador, o la batidora, o el cucharón de madera, mientras nos bebíamos lentamente, a sorbitos espaciados, una botella de vino blanco. Hacía calor en la calle y más calor en la cocina, así que en algún momento él se quitó la camiseta y descubrí, redescubrí, un cuerpo bonito que ya casi no recordaba, que nunca había visto a la luz del día: abdominales lisos como una tabla de lavar, los brazos reventando de músculos y venas, tan blanco que casi parecía irreal, mientras Adrian bebía cerveza en el salón, ajeno a nosotros, leyendo una copia vieja del *Adbusters*, y yo no entendía muy bien por qué había decidido dejarnos a solas, olvidarse de nosotros, si es que estaba harto de mi compañía y ahora necesitaba tiempo para sí mismo, si había decidido transferir a Gabriel la noble (quién sabe si engorrosa) tarea de ocuparse de mi persona. De vez en cuando Gabriel abandonaba la cocina para cambiar el disco. Reconocí a Dave Brubeck. «Me cuesta mucho admitirlo», le dije, «pero para ser una cucaracha tienes un sorprendente buen gusto en música». «No mucha gente aprecia mi gusto en música.» «Bueno, puede ser que los dos tengamos muy mal gusto.» Se rió, no una risa cristalina de esas de campanillas, más bien con una especie de carraspera ronca, como de animal que ronroneara. Habíamos apurado la primer botella sin darnos cuenta y los dos estábamos ya bastante borrachos, pero abrimos otra de todas formas. Hacía un calor pegajoso y envolvente, una gota de sudor resbalaba por los abdominales torneados de Gabriel, la *quiche* estaba lista, la masa del mismo color que su piel, pusimos la mesa y comimos, seguíamos bebiendo, el sonido estrangulado del piano de Brubeck goteaba notas sobre el ambiente como goteaba el sudor sobre el torso desnudo de Gabriel, la tarde empezaba a caer y desde la ventana se sucedía un festival de naranjas y fucsias y malvas encendidos, el sol que se fundía, Gabriel que hablaba de antiguos veranos en la ciudad y de fiestas en el tejado. «¡Pero tú no conoces el tejado!», exclamó de pronto, como si acabara de caer en la cuenta, e insistió en que debía visitarlo, como si hablara de una de las siete maravillas que estaba precisamente ahí, encima de mi techo, y a cuya existencia yo había permanecido ajena, ignorante de mí. Apuró el ultimo trago de vino, ya había caído la segunda botella, e insistió, con los ojos brillantes, y la palabra *roof* temblándole en la boca como si fuera un conjuro, en que le acompañase. Pero no se trataba de una azotea cualquiera, de los terrados mediterráneos que conocí en la infancia, uno no podía entrar así como así, faltaba una puerta de acceso, y éste sólo parecía posible si se saltaba desde el rellano de la escalera a uno de los alféizares para trepar desde allí al tejado. «No concibo cómo alguien pudo organizar una fiesta en un lugar con semejante acceso», pero en cualquier caso, borracha como yo estaba, no le encontré mayor problema a escalar desde el rellano (a doce metros del suelo) hasta el alféizar (quizá medio metro más), con una falda estrecha y sandalias de tacón. El esfuerzo, sin embargo, mereció la pena, pues desde allí arriba se veía todo Montreal, la línea de los edificios recortándose sobre la puesta de sol. El alcohol intensificaba la percepción y el ocaso se transformó de pronto en una obra de arte, en un cuadro de Rothko, en una epifanía. Una vez más, alguien veía lo que quería ver. Y ese alguien era yo, aportándole a la tarde un sentido nuevo, mágico. Nos sentamos en una vieja colchoneta que supuse vestigio de alguna fiesta. No sé quién inició el movimiento, pero en algún momento nos encontramos tumbados de perfil el uno frente al otro, las cabezas muy juntas, pero sin rozarnos, y creo que fui yo la que emprendió el acercamiento definitivo, la que juntó mis labios con los suyos. Él respondió y su lengua avanzó al encuentro de la mía. Mi cabeza, que seguía funcionando, a pesar del alcohol, como una máquina engrasada, me advirtió que aquello no iría más allá, que él se daría cuenta de lo que estaba haciendo, que tendría que parar en algún momento, que todo se quedaría en un beso inocente en el tejado, una manera de sellar una amistad incipiente, pero antes de que me diese cuenta ya lo tenía encima, sujetándome las manos sobre la cabeza, ya me besaba el pelo, ya me buscaba los pechos bajo la blusa, ya estaba apoyando la pierna sobre los muslos para separármelos, ya me estaba besando el cuello, hablándome al oído, *you are so beautiful, so fucking beautiful,* con esa voz ronca y pegajosa, tan de azúcar, demorándose en cada sílaba y repitiendo mi nombre, *you are so beautiful, so fucking beautiful,* ya estaba hablándome y besándome cada vez más cerca de la boca, envolviéndome en saliva y en caricias y en palabras, y en el fondo de las salivas y las caricias y las palabras alentaba otro reino, respiraba otra yo, reclamaba su lectura un texto no terminado, su final una historia que se dejó a medias, y yo ya me estaba abandonando, dejando que la falda se deslizara cuesta abajo por los muslos y las rodillas y las pantorrillas, adiós falda, *you are so beautiful, so fucking beautiful,* las lenguas encontrándose, mezclándose, una araña de dedos que baja por el vientre y avanzaba bajo el elástico de las bragas, una araña de dedos que se tropezaba en un charco mojado y que se escondía en un hueco, un placer delicioso en el que por debajo latía algo parecido al miedo, *no debería hacer esto, no debería hacer esto,* un miedo que no conseguía acallar al placer, una conciencia de cómo la araña reculaba y se marchaba y cómo su lugar lo ocupaba un bulto conocido que insistía en avanzar con presión rectilínea, pero el miedo contraatacaba desde su escondite subterráneo, *no debería hacer esto, no debería hacer esto,* abrí los ojos para volver al reino de las cosas decentes, del pensamiento lógico, del orgullo encendido, de los mecanismos de defensa, y entonces reparé en los balcones vecinos, en las cabecitas borrosas que se asomaban y que sin duda nos contemplaban («Gabriel, hay gente mirándonos». «No les mires, mírame a mí»), y era aquélla la misma voz ronca y demorada, la misma voz que me había enganchado a través del teléfono, la misma voz pegajosa y húmeda que se abría paso entre jadeos, la voz que me envolvía y me transportaba y me levantaba de tal manera que decidí cerrar los ojos y sentir cómo Gabriel me sujetaba, los dedos engarfiados en mis nalgas, y cómo avanzaba aquel bulto —presión rectilínea, constante—, cómo se deslizaba entre mis piernas, cómo entraba resbaloso y se instalaba y salía y volvía a entrar, los oídos abiertos, abiertos a sus palabras, a sus jadeos, a su voz de mermelada, de saliva, de esperma, *you are so beautiful, so fucking beautiful,* los oídos abiertos, demasiado abiertos, porque por entre los jadeos y las palabras se coló de pronto no el sonido de los coches de la calle ni el de alguna televisión perdida sino el de unos gritos claros y punzantes que me estaban chirriando en los oídos. «Gabriel, nos están vitoreando.» «No pienses en ellos, piensa en mí.» Pienso en ti, intento concentrarme en tu voz y en tu persona que me está penetrando con fuerza inapelable de forma que los aplausos de los vecinos se quedan como el tiempo, congelados, colgados en el aire, quietos y en suspenso, y sigo concentrándome en tu voz, y en su persona, y en mi propia respiración que se acelera, el oxígeno va inundando mi cerebro, estoy entrando en trance, mareándome de puro placer, una frenética soldadura de órganos y fluidos. «*Fuck*», exclamó de pronto Gabriel, y súbitamente se detuvo y salió de mí, los gritos ya eran demasiado sostenidos como para obviarlos, media calle asomada a los balcones, yo volví a la conciencia, demasiado atontada como para sentir vergüenza, (el cuerpo siempre se queda desorientado cuando se desgaja del amante) y de pronto la tierra, que se había quedado detenida, comenzó a girar de nuevo, lentamente

«Deberíamos seguir abajo», sugirió él o impuso, no recuerdo. «Deberíamos.» Me desenrosqué y me alcé en vertical y terminé con una pequeña reverencia, desnuda, en honor de mis complacidos espectadores —vítores y aplausos dignos de un partido de liga—. Recogí mis cosas con dignidad de reina, me calcé e intenté vestirme como pude, abrochando los botones en el ojal equivocado, mientras Gabriel se vestía a su vez, también como buena o malamente podía, enredándose en la camiseta, metiendo el brazo por el agujero del cuello, maldiciendo de nuevo, «*fuck*», hasta que por fin emergió su rubia cabeza despeinada y sudorosa. Me tendió la mano y nos volvimos por donde habíamos venido, pero es entonces cuando caí en la cuenta de que si intentaba saltar al rellano de la escalera desde la ventana podía matarme, y Gabriel saltó, y aterrizó precisa y firmemente en el rellano con gracia de gimnasta, y me tendió la mano desde su posición segura. Arriesgué mi vida y salté a la vez, proeza más meritoria incluso si tenemos en cuenta que yo calzaba unas sandalias de tacón muy elegantes y muy incómodas. Acalorada, roja, despeinada, bajé el tramo de escaleras hasta el apartamento. Adrian me ofreció una cerveza con sonrisa cómplice. No preguntó. Yo sabía que él sabía. Los dos sabíamos que yo sabía que él sabía. Gabriel y yo nos encerramos en la habitación y allí desaparecimos durante horas.

Las explicaciones no tardaron en llegar, aunque nadie las reclamara. No me había hablado nunca de ella porque en principio ni se había fijado: una chica bajita, de sonrisa limpia y vestimenta sobria, tan aséptica, tan a juego con el entorno como para pasar desapercibida, a la que había visto tantas veces sin nunca mirarla. Le costó incluso darse cuenta de que le dedicaba una atención especial, unos saludos algo más festivos y joviales de lo esperable, y no se le había ni ocurrido pensar en ella como otra cosa que la esforzada y laboriosa ayudante, una borrosa presencia en bata blanca, hasta que ella misma le propuso salir.

«Ella representaba todo aquello que tú me negabas: promesas, compromiso, sensación de permanencia. Mientras tú intentabas ahuyentar la realidad, ella vivía firmemente instalada en sus dominios. Cuando ella averiguó que tú venías (yo había intentado ocultárselo, pero de alguna manera se enteró), me puso entre la espada y la pared. Y yo no hago promesas que no puedo cumplir. No es que tú no me gustaras, es que siempre te mantenías distante, esquiva, y pensé que todo nuestro encuentro iba a reducirse a que tú jugarías un poco más conmigo para volver después a esa tierra de nadie donde has estado siempre. Me sentía utilizado. No sé si quería vengarme, puede. Creo que estaba asustado.»

Si Adrian insistió tanto en que yo no debía anular mi viaje, decía Gabriel, fue sobre todo por una cuestión de cortesía. *Overpolite*, como buen canadiense, le parecía inconcebible que una invitación formulada con tanta antelación se cancelara de una forma tan abrupta. Pero yo sospechaba ya que más allá de un Adrian amante de las formas y las buenas maneras, existía un Adrian juguetón y curioso que no quería perderse la jugada final de una partida que se presentaba tan interesante. Según él mismo me confesaría más tarde, Adrian estaba al corriente de nuestro juego desde la noche en que descolgó el teléfono para hacer una llamada y escuchó la conversación de Gabriel, que hablaba desde su habitación, y tras unos segundos de vacilación, desechó la primera idea, la que dictaba la buena educación y el respeto a la privacidad ajena, y en lugar de volver a colocar el auricular en su cuna se quedó escuchando, colocando una mano sobre el micrófono para que no identificáramos su respiración, ese aliento febril y acelerado del inesperado e inadvertido tercero en nuestra historia, del *voyeur* que no ve pero que escucha, del espía en una irrealidad ajena que calla disfrutando por vía vicaria de dos cuerpos que no podía disfrutar en la vida real. Quizá por eso quiso que viniera, porque yo era el puente que le acercaba al cuerpo de Gabriel, confuso paso entre la realidad y el deseo, un camino hacia el cuerpo que siempre había deseado y que no podía tocar, un bálsamo que restañara la nostalgia de los besos nunca robados.

«La noche en que llegaste a casa desde el aeropuerto, lo recuerdo todavía, lo primero que vi salir del taxi fueron tus tacones de estilete, y después se me aparecieron lentamente tus piernas —largas, torneadas, palaciegas— y no me hizo falta siquiera esperar a ver el resto, antes incluso de ver tus ojos y tu melena ya supe que me había equivocado, y desde aquel momento no conseguía sujetar a mi imaginación, que brincaba y se desbocaba y se ramificaba en miles de imágenes diferentes, siempre visiones de ti. Te encontré tan distante, tan orgullosa, tan exquisitamente desdeñosa... Ni siquiera te mostrabas enfadada ni triste, pero aquella corrección afilada que mostrabas resultaba mucho más hiriente que un reproche y más conmovedora que las lágrimas, y así empezó la tortura, porque cuando estaba con ella no podía evitar que me acosara la presencia de otro universo alternativo, irreal, que parecía más real que la propia Ángela, en el que habitabas tú, inesperadamente presente y concreta, abierta a todo tipo de susurrantes posibilidades. Pero no se trataba de un sentimiento nuevo: antes de verte, cuando sólo podía escucharte, cuando no eras más que una presencia sin cuerpo, ya entonces no podía dejar de pensar en ti.»

Cuando tenía diecisiete años leí *La educación sentimental* y pensé que si Flaubert había dicho aquello de que Madame Bovary era él, bien podía yo decir que Frederic era yo, de tal manera me reconocía en su tendencia a desear huir de los cuerpos cercanos que tan dolorosamente había deseado cuando eran distantes. Pasiones consumadas, pasiones consumidas, pues ningún gran amor se ajusta al ideal de perfección que todo Gran Amor postula y necesita. Por eso es más fácil amar en el territorio del deseo que en el de la realidad. Y por eso resulta más sencillo amar a una construcción virtual que a un ser de carne y hueso, por no hablar del inevitable margen de error que existe entre el centro más hondo de un hombre físico y la percepción que de éste pueda tener una mujer, por muy íntima que ésta sea. Sin embargo, la construcción virtual se ajusta exactamente a lo que se espera de ella. Hay quien dice que esta compromisofobia nos afecta a aquellos que fuimos emocionalmente heridos antes de tiempo: el trauma es tan grande que nos impide volver a entregarnos, y si nos encontramos con la posibilidad de volver a amar, que lleva aparejada la posibilidad de volver a ser traicionados, abandonados, activamos nuestro mecanismo de defensa. Es una fobia que actúa como cualquier otra. Igual que quien no puede viajar en avión o no soporta subir a un ascensor, el compromisofóbico se siente incapaz de precisar las razones de su angustia y mucho menos de superarlas, abrumado por un imperioso sentimiento de terror.

En mi entorno conozco a muchas más compromisofóbicas que compromisofóbicos. Por cada soltera que afirma que no quiere casarse de ninguna manera y que está feliz como una perdiz, conozco a cinco hombres lamentándose de su soledad. Al fin y al cabo, la mayoría de las mujeres de mi generación hemos crecido criadas por una madre que no trabajaba fuera de casa, y en muchos casos esta situación no se debía a una elección voluntaria de nuestra progenitora, sino a la imposición de un padre que no la dejó estudiar o un marido que consideraba un deshonor que *su* (destaco el posesivo) señora trabajara. Muchas hemos escuchado a nuestra madre lamentarse del error que cometió y asegurar que el matrimonio y la maternidad la habían anulado, que no la habían permitido conservar el menor espacio —literal o figurado— para sí misma. Para colmo, nuestras madres no podían concebir siquiera una relación igualitaria con un hombre —nadie les había siquiera insinuado tal posibilidad— con lo cual tendían, consciente o inconscientemente, a culpar a nuestro padre o al suyo de todos sus problemas y a presentarnos un retrato del hombre como ser insensible incapaz de considerar a la mujer como poca cosa más que una esclava. Así las cosas, ¿a alguien le sorprende ahora que entre la élite de mujeres trabajadoras y autosuficientes tantas conciban al matrimonio como una cárcel, una prisión o una tortura y ascienda espectacularmente en este micromundo la proporción de solteras, divorciadas o madres solas?

Hablo de micromundo porque lo cierto es que la tasa de empleo femenino en el primer mundo es muy baja, no llega a la tercera parte. Y de esa tercera parte la mayoría de las mujeres ocupan el subempleo, trabajos alienantes y mal remunerados concebidos (por el patrón) y aceptados (por la trabajadora-esclava) sólo para obtener un sueldo complementario al que el hombre aporta a la unidad familiar. Pero existimos otras mujeres bien pagadas, habitantes de ese micromundo al que supuestamente pertenecen Ally McBeal o Bridget Jones. Claro que Ally McBeal es una abogada a la que nunca hemos visto preparar un juicio, buscar jurisprudencia, consultar archivos..., a la que nunca le fijan una vista seis meses después de presentar la demanda ni tiene que embarcarse en interminables juicios de tres o cuatro años remontando los meandros laberínticos del sistema jurídico. Ally McBeal es una abogada que no existe, o que existe en otro plano de la realidad. En primer lugar no existe porque un personaje como ella no tiene cabida en la realidad nuestra, en la que tú y yo habitamos. Y a poco que siga adelgazando, tampoco lo tendrá en el mundo catódico, porque cualquier día de estos desaparecerá, se desvanecerá en el éter y sólo nos quedara su vocecita de pito: Ally reducida a una voz en *off*, disuelta en la realidad alternativa que nos esforzamos en considerar primaria, empeñadas en olvidar que una abogada de menos de treinta años o bien está trabajando como una negra doce horas diarias, casi siempre a cambio de un sueldo ínfimo, o bien está en el paro, pero que desde luego lo que no se pasa es el día en el despacho flirteando con el jefe, cotilleando con un water parlante o suspirando por un ansiado novio que nunca llega, porque los novios llegan, los amantes juegan al escondite y llaman a la puerta, amantes de todo tipo, los de rubores tibios y pasos engacelados y los de voz tronante y áspero ademán, los que traen en sus ojos extraños litorales y los que van llenando la casa de baratijas, amantes altos y bajos, rubios, castaños, pelirrojos y morenos, blancos, negros, amarillos y mulatos, católicos, musulmanes, judíos y protestantes, hay tantos hombres ahí fuera que bastaría extender la mano para hacerse con uno, pues siempre hay un hombre ahí fuera, paseando por la acera, al alcance de los dedos, a la orilla de la cama, tú lo sabes tan bien como yo y no puedes negarlo, pero falta valor para abrirles la casa, y es más fácil echarles a ellos la culpa de nuestros fracasos que admitir que no queremos que se queden.

Al fin y al cabo, la vida de la compromisofóbica no es dura ni requiere de especial adaptación, las parejas se van sucediendo en una razonable monogamia sucesiva. Al cabo de un tiempo una dice que empieza a agobiarse, que su amante no le comprende, o que lo que está viviendo, pese a tratarse de un sentimiento tierno y agradable, no es ni de lejos ese Amor Verdadero al que de verdad aspira. Paradójicamente, esta obsesión moderna por el Gran Amor, el Único, el Irremplazable, sirve de excusa perfecta para rechazar el amor cuando éste se presenta, y así la compromisofóbica se siente moralmente respaldada por la sociedad en la que vive. No es que rechace el amor, se dice, es más bien que el amor aún no le ha llegado. Pero a los treinta y cinco la vida comienza a desteñirse y parece que se achicara, o al menos eso dijo Cortázar, y para colmo, en el caso de las mujeres existe ese problema añadido de los hijos no nacidos que reclaman un vientre, un cauce tibio y propicio para el fluir de la especie —y nana, y pecho, y cuna, y peluches—, y el de ese reloj biológico que con su insidiosa precisión germánica nos recuerda que el plazo se acaba y que no tiene sentido agotarlo esperando a ese Príncipe Azul que seguramente nunca va a llegar, que probablemente ya esté viviendo en Chueca con El Hombre de Nuestra Vida. El equilibrio es dinámico, me digo, por consiguiente, no existe el Estado Perfecto. ¿Pero cómo negar que a los tres días de recuperar a Gabriel ya estaba deseando subir al avión, volver a mi casa y olvidar lo sucedido, y ya estaba confirmando los peores temores de Gabriel, los que le impulsaron prudentemente (la intuición no constituye una prerrogativa masculina, diga lo que diga la sabiduría popular) a solicitar asilo en los primeros brazos hospitalarios que se le ofrecieron para huir de mí? Y ahora, ¿sabes?, mientras escribo esto me debato entre el impulso de escribir el último mail definitivo que dé cumplido cierre a la historia aquí narrada y que corte toda relación que pueda seguir habiendo entre mi vida y Montreal, o el de seguir jugando a mi juego favorito y cumplir así la luminosa promesa que encerraba aquel corazón de luz en el techo, y sé que tú me entiendes, yo sé que tú me entiendes porque llevo ya años viéndote perseguir hombres casados, o sufrir por gays inalcanzables o suspirar por infieles crónicos, y por eso yo sé que tú me entiendes, como sé que después de leer esto no te verás con valor para darme consejos, por mucho que tú digas que eres mi amiga del alma, por mucho que yo sepa de lo bien que me entiendes.

Sola

Estaba yo poniendo copas en la *rave* de las Supernenas, que es una *rave* sólo para chicas que se hace un jueves de cada mes en el *Long Play*, un club de la plaza Vázquez de Mella. Bueno, *rave* la llaman ellas. Yo casi diría verbena, porque en la planta de abajo, que es donde yo trabajo, no ponen más que el *Aserejé,* Enrique Iglesias y cosas por el estilo. Yo siempre pongo copas porque las que lo organizan son colegas. Y eso, que estoy yo detrás de la barra y me viene una piba que yo no conozco de nada y me dice: Oye, ¿tú eres la Noe? Y digo: Sí, yo misma. Pues que traigo un mensaje de la ex novia de tu ex novia. Así lo dice: *la ex novia de tu ex novia*. Que qué hace con la perra. Mira, bonita, le digo, le vas y le dices que me parto la caja. Así mismo se lo dices. Que dice la Noe que SE-PAR-TE-LA-CA-JA. Y que la próxima vez que me quiera decir algo, que venga ella a decírmelo.

Íbamos por Segovia, en una montaña, una colina, en Cuca. Cuca es mi coche, mi descapotable. Un escarabajo descapotable que tiene exactamente mi edad, veintiséis años. Se llama Cuca por cucaracha, aunque es un escarabajo, pero llamarla Esca no era plan. Lo compré de segunda mano en un concesionario de la carretera de Burgos. Acababa de cumplir dieciocho años y llevaba dos ahorrando para comprarlo, desde que empecé a trabajar en el restaurante de mi tía, en Vallecas, ayudando en la cocina y a veces a servir mesas. Mi tía quería que comprara otro coche, algo más práctico, más tipo furgoneta, pero a mí me dio la perra con el escarabajo y lo compré. Y eso, que íbamos en la Cuca y la Remi iba de pie y pasamos al lado de una presa de agua y entonces, de repente, vio a esta perra y me dijo que parara el coche. Se bajó del coche, y bajé yo también, y claro, vimos que la perra estaba toda magullada, flaquísima, hecha una pena mora. Miramos alrededor, no había nadie, no había ná, y entonces ella se puso loca con que nos la lleváramos, y yo que no, y ella venga que sí, que sí. A mí no me gustaban los perros, y desde luego aquélla no me gustaba nada. Semejante rata pulgosa. Y no lo digo en broma, porque la perra venía con un circo de pulgas propio. Y garrapatas. Un montón. Enormes, algunas de ellas del tamaño de una lenteja o hasta de una judía. Que luego tuve que desinfectar con zotal. Al coche y a la perra. Pero Remi se puso tan megapelma que pensé que le daba un chungo allí mismo. Así que al final dije que sí, cualquier cosa con tal de que se callase. Además pensé que a la Remi la vendría bien tener algo de lo que hacerse responsable, algo suyo a lo que querer. Pero dejé claro que la perra iba a ser suya y no mía, que a mí no me gustaban los perros. Y ella que sí, que sí, que yo la cuido. Así que la metí en el coche y hala, la perra pa casa. Cuando hubo que buscarle nombre pensé en lo raro que era que la perra la encontráramos en un sitio como aquél, que no había un alma en kilómetros ni una casa. Nada. A saber cómo habría llegado la perra hasta allí. Y decidimos llamarla *Sola*. Y con *Sola* se quedó.

Yo conocí a Remi a lo mejor en un momento débil de mi vida porque yo entonces estaba atiborrándome de hormonas para donar un óvulo. Lo hice para ganar dinero, porque te pagaban ciento cincuenta mil pesetas. Y yo estaba desequilibrada porque antes de extraerte el óvulo te llenan de hormonas y es como si tuvieras la regla, pero multiplicado por diez. Yo creo que debió de ser eso, porque si no, no me lo explico, sabes, porque tampoco ni siquiera es que fuera una caña de guapa ni nada de eso, la Remi. Yo la conocí en el Escape, que es un bar de copas de la plaza de Chueca, donde curraba entonces la Nazareth, que es mi mejor amiga, y por esa temporada trabajaba también Remi los fines de semana. Esta chica tenía un cuerpazo, no una cara muy bonita, pero sí un cuerpazo. Ésta sí que es un hombre atrapado en un cuerpo de mujer, porque de forma de ser es muy masculina, la Remi, pero tenía un par de tetas de escándalo. Llevaba el pelo rapado, bueno, llevaba una cresta, muy punkarra, muy punkarra. Y eso, que la conocí en el Escape. Me acuerdo además de la frase estrella, yo estaba con Nazareth en la barra y se acercó la Remi y soltó: Joder, tía, necesito una novia. Y Nazareth dijo, de coña: Yo es que conozco a pocas personas, la única que te puedo presentar es aquí la Noelia. Y nos miramos y yo me reí. Y nada, al día siguiente Nazareth la invitó a su casa para que la ayudara a poner unas cortinas, porque la Remi era ebanista. Bueno, ebanista... Había dado unos cursos del INEM, del paro, y decía que era ebanista. Y me invitó a mí también, coincidimos y yo vi que ella me miraba de una forma un poco así. Me mintió con la edad. Yo le pregunté que cuántos años tenía y ella me dijo que veinticuatro. Y nada, esa noche salimos. De repente se me acercó y me regaló una pastilla que ponía *LOVE*. Las llamaban las *love*. Es que ella entonces pasaba pastillas. Bueno, de todo. Pasaba de todo. Speed, coca, pastillas, tripis,... lo que se terciara. Y eso, que entre las hormonas y la pastilla que me dio, más que la tía me atacó, porque me saltó encima... También debo decir que yo no la rechacé porque entonces no sabía nada de ella. O sea, que parecía en principio una chica normal. Bueno, normal dentro de que era camella y un poco punkarra. Y luego nada, esa noche se vino. Yo creo que ella ya sabía. Sabía todo, que nos íbamos a enrollar y que yo tenía casa, porque cuando vinimos aquí ella traía una mochila, y de repente veo que empieza a sacar de la mochila el cepillo de dientes, un cambio de bragas, una camiseta... A mí no me salió preguntarle. Yo entendí que ella ya sabía, porque era bastante evidente. Lo que pasa que, no sé... Y nada, al día siguiente de haber venido con su mochila y todo, no sé cómo me encontré en casa de su madre, en Fuenlabrada, ayudándola a coger toda su ropa y todas su cosas, a meterlas en cajas y a traerlas aquí. Me acuerdo que yo le decía a Nazareth al día siguiente: ¿Pero tú crees que ella está conmigo por la casa? Y Nazareth dijo: No sé, tonta no es, pero no creo. Porque la casa es mía, mi hermano y yo la heredamos cuando se murió mi madre, pero como mi hermano ya está casado y ya tiene casa él, pues me la dejó. Mi padre vive por su cuenta, con otra mujer. Se fue cuando yo era pequeña. Así que vivo sola. Y alquiler no tengo que pagar.

Ella siempre había vivido más que nada del trapicheo, pero yo poco a poco intenté sacarla de eso, así que al mes vivía más bien de mí y yo vivía de ahorros, del paro y de lo que había ganado de vender el óvulo. Pero luego yo me dejé llevar en la rueda también y fue ahí donde descontrolé. Porque yo pensaba, antes de conocerla, en volver a trabajar, de camarera o de lo que fuera, pero fue donar el óvulo, estar con Remi y perderme. Porque me parecía que con lo mal que estaba la Remi no estaba la cosa como para dejarla sola mucho rato, no podía largarme de casa ocho horas diarias, y además es más fácil dejarse llevar por el rollo de no hacer nada que ponerse las pilas. Y así empecé a robar todo lo que hacía falta. Comida y todo. Pero sólo en grandes superficies, en las pequeñas no, que me da cosa. A mí me decía la Remi, pues necesito tampax, o nos hace falta cristasol, o quería yo un libro. Y nada, tiraba yo para la Fnac o pal Corte Inglés. Y la comida en Carrefour y Alcampo, sobre todo. Aparte de robar en el supermercado todo lo que podía, yo, con la fruta y la verdura, lo que hacía era engañar en el peso. O sea, tú coges veinte kiwis pero sólo pesas uno, y el ticket que sale es «Kiwis, veinte céntimos». Y luego llegábamos a la cola y yo elegía la cajera, porque por las caras las veo, la que pasa de todo y la que se toma el trabajo en serio y está ahí controlando, porque por ejemplo, si yo me hago cajera y veo que alguien está tomándome el pelo con el precio de la verdura, pues me la suda, no es mi problema. Y eso se nota en la cara. Las hay que miran el importe de la mercancía y las hay que no saben lo que te están cobrando. Por lo general las jóvenes pasan más de todo, y las más mayores controlan. Me acuerdo una vez que vamos a la caja y digo yo: Ésta. Y entonces se pone la Remi: Es que ahí he visto yo a otra que me gusta más. Y me digo: Bueno, pues por una vez vamos a hacerle caso a la Remi porque si no se me pone pesá. Y vamos a ésa. Y yo sabía. Sabía que era de las malas. Y, de hecho, llegamos a ésa y en eso que pongo las ciruelas sobre la caja, dos kilos a dieciocho céntimos, y ya está la cajera coñazo: Esto está mal... Y yo: ¿Cómo que esta mal? Y la cajera: Pues que está mal, que no coincide el peso con el importe. Y yo: Pues nada, pues lo dejo, vamos a otra cosa. Y pasa otra bolsa y la tía: Que esto también está mal. Y yo: ¿Qué pasa, que está el peso estropeado o qué?, pues nada, que lo dejo también. Y pasa la tercera bolsa y, claro, lo mismo. Y la tía mirándome con cara de perro. Así que yo me pongo hecha una furia, que si esto es una vergüenza, que si nosotras tenemos médico en una hora y no estamos para perder el tiempo por culpa de un peso estropeado, que si tal que si cual. Pues mira, pues deja toda la verdura y cóbrame el resto, rápido, que me tengo que ir. El resto no era nada, claro, porque casi todo «el resto» lo llevaba yo metido en los bolsillos y en la mochila. Y nada, que la tía se quedó flipada. Y es la única vez que me han pillado, y fue por culpa de la Remi, porque yo cuando voy a robar me visto distinta, más *light*, medianamente normalita, con unos vaqueros y una camiseta y tal. Muy arreglada no, porque no sé. Arreglarme, lo que se dice arreglarme, no sé. Pero mona. Y como yo tengo cara de buena de por mí, pues doy el pego. Y sobre todo porque lo hago con mucha naturalidad, teniendo muy claro que lo hago con la conciencia limpia porque yo sé que en esos sitios no hago daño a nadie, que ya tienen un fondo destinado a robos, que no es como si robo en un puesto del mercado y que el dueño vive de eso, que le hago una putada. Pero el dueño de El Corte Inglés, la Koplowitz o quien sea, no se va arruinar porque yo robe una caja de tampax, está claro. Y lo hago porque me tengo que mantener. Y además entonces tenía que mantenernos a dos, a mí y a la Remi, porque ella siempre decía que no estaba pa trabajar, que estaba mal y que no podía trabajar.

Yo desde el principio ya vi que la Remi lo que decía que iba a hacer no lo hacía. Porque cuando se vino me acuerdo que decía: Tal día voy al taller y empiezo a trabajar. Porque un primo suyo tenía un taller y la quería ayudar, y estaba dispuesto a meterla allí. Pero claro, nunca fue al taller. A lo mejor me montaba algún pollo, y tenía reacciones raras pero, incluso así, el primer mes no pensé yo nada raro. O no lo quería notar porque estaba enamorada, porque sí es verdad que la Remi de repente era la chica más encantadora del mundo, que me quería muchísimo y tal, y al segundo era un ogro que se le iba la olla de pronto por cualquier tontería, porque no hubiera yogures en la nevera o su jersey favorito no estuviera limpio. Pero se le iba de verdad, como si estuviera poseída. La niña del Exorcista, poca cosa a su lado, de verdad. Se ponía a gritarme con unos berridos que parecía que se iba a caer el techo de un momento a otro y a veces acababa llorando de pura rabia. Y yo me daba cuenta de que aquellas no eran reacciones normales, de que algo raro había. Se ponía a chillar como una histérica y no había forma de calmarla. Para mí que era su forma de llamar la atención, y realmente creo que no era consciente de lo que hacía ni de lo que le pasaba ni de nada. Porque a Remi tú la ves y te piensas que es superdura, un peazo tía, pero luego no, no es así. Es muy frágil, y no se quiere nada y tiene mogollón de complejos, se siente lo peor. Y tampoco le han enseñado ningún tipo de principio ni de valor. Yo ya desde muy pronto me di cuenta de que estaba enferma, eso lo veía cualquiera con dos dedos de cabeza. Yo lo vi enseguida. Lo vi enseguida y no tuve un par de ovarios para decirle: Lo siento, Remi, comete tú tu marrón. Porque no. Porque no pude. No pude y de eso no me arrepiento. De lo que me arrepiento, a lo mejor, es de cómo me dejé llevar por ella. Porque podía haberla ayudado sin implicarme tanto.

Al mes y medio de estar juntas me sacó un cuaderno y me dijo: Mira, mi psiquiatra me ha dicho que le escriba la historia de mi vida. Y había empezado: *Me llamo Remedios*

Carmona y nací en 1982 en Madrid... Y me dijo pues que iba al psiquiatra y que le había mandado medicación porque ella no estaba bien de la cabeza. Y yo pensé: Joder, una chica de esta edad que ella solita se va a la Seguridad Social y se busca un psiquiatra, qué valor. Me dio hasta un punto de ternura. Y yo le preguntaba ¿Pero qué tienes? Y ella me decía: *Borderlain, borderlain*. Y yo le dije: Vale, pues me llevas a conocer al médico ese que quiero que me explique él qué es eso de ser *borderlain.* Y fui al médico y me pasó unas fotocopias en inglés, porque el caso es que parece ser que aquí en España esta enfermedad no saben ni lo que es. Y como yo inglés no sé me fui a Leo, la novia de Nazareth, que ella sí sabe, y más o menos me lo tradujo. Pero a mí no me parecía normal que a una chica de veinte años, *bordelain* o no *bordelain*, la llenaran de pastillas. Porque se levantaba, tres pastillas; comía, otras tres; se acostaba, otras tres. Y para colmo se metía como veinte porros al día. Más drogas no, no se metía más drogas porque había tenido problemas con el speed, que había estado muy enganchada pero ya lo había dejado. Cuando la conocí pasaba de todo, trapicheaba, pero no se metía. Y luego dejó también de pasar porque yo no quería que lo hiciera. Así que me puse a buscar por Internet con ayuda de Nazareth y Leo, y empezamos a ver Lexatin, Orfidal, Seroxat, efectos secundarios, contraindicaciones, posología, tal y tal. Y yo empecé a ver una serie de cosas que me echaron muy patrás. Por ejemplo, había unos artículos en inglés que encontró Leo y los tradujo y hablaban de que este tipo de pastillas podía provocar reacciones agresivas, y a mí eso me coincidía mucho con Remi, porque es que ella no es que se cabreara, es que se le iba la bola de pronto, de verdad, por cualquier tontería. Entonces la empecé a comer la olla, y a decirla: Mira Remi, tienes veinte años, no es normal que te metas tantas pastillas, y mira todos los efectos secundarios que tienen, y tal y cual y pascual. Y luego que la Remi tenía que tomar protectores de estómago, porque el estómago se lo estaba jodiendo con tanta mierda. Y la dije: Mira, aquí lo que hay que hacer es quitarte de esta medicación y mandar a tomar por culo al psiquiatra este, que es gilipollas. Y lo hicimos, y fuimos bajando poco a poco las dosis. Pero claro, era muy duro porque la Remi tenía verdadero mono de pastillas, la daban unos ataques de ansiedad tochísimos, peor que ningún mono.

Yo, con la convivencia, empecé a tratar a su familia y me di cuenta de dónde le venía a la Remi tanta locura. Muy pobre, la familia. Que no es que nosotros seamos ricos precisamente, pero vamos, a su lado, reyes. El padrastro es albañil y la madre limpia unas oficinas. Y beben los dos como cosacos. Alguna vez, cuando estaba yo con la Remi, me fui de bares con ellos y era increíble ver cómo chupaban, sobre todo la madre. La madre tenía cuarenta años, pero parecía que tuviera cincuenta por lo menos de lo que se había estropeado. La madre de Remi, yo la he conocido no te diré que bien, pero lo suficiente, y te puedo decir que es una señora un poco enferma. Bueno, un poco... Un mucho. Que nunca se ha ocupado de la hija para nada, que es una hija única que tuvo con un gitano que al mes de tenerla desapareció y nunca más se supo. Y como, por lo visto, a esta chica le habían diagnosticado un trastorno límite de la personalidad, cada vez que yo llamaba a su madre porque no sabía qué hacer con Remi o cómo tratarla, o porque a Remi le hubiera dado una crisis o por lo que fuera, la madre siempre me decía que eso lo había heredado de su padre, porque su padre estaba mal de la cabeza. El caso es que yo creo que de tanto decir la madre que la hija estaba mal de la cabeza, pues acabó por convencer a la hija. A mí la madre una vez, cuando la Remi amenazaba con dejarme, antes de que pasara todo el follón, cuando yo todavía me hablaba con la Remi, un día que la llamé me dijo, después de toda la charla, para acabar la conversación: Mira, Noeli, lo que te digo, ya no como madre de Remi ni ná, sino como persona mayor que tú: de todas maneras, la próxima vez ten cuidado con quién te metes en casa. Y para que una madre diga eso de su hija... Ya ves, que puede que incluso tuviera razón pero, yo qué sé, se supone que los padres son las únicas personas en este mundo que te quieren de forma incondicional, y esta pobre chica es que no tiene ni eso. Por ejemplo, cuando la Remi tenía diecisiete años dijo en casa que era lesbiana y el padrastro la metió una paliza brutal y la echó. Y la madre se quedó callada.

Pues eso, pasan los meses y la Remi de mal en peor, cada día más histérica, más agresiva, con más ansiedad. Cada dos por tres intentaba irse de casa de mala manera, llorando, gritando, diciendo que quería irse a casa de su madre, que se quería ir a cualquier parte, pero que se quería ir. Yo empezaba a darme cuenta de que ella no estaba enamorada de mí, pero yo no podía permitir que ella se fuera de aquí para volverse con su madre, no me sentía capaz de dejarla volver a aquel infierno. Se lo intentaba explicar: Mira Remi, yo sé que si tú te vas yo lo voy a pasar mal un tiempo, pero luego voy a estar bien, porque al fin y al cabo yo tengo mi casa, mi vida, mis amigas, y soy de otra pasta, pero yo no puedo, no puedo, de verdad, Remi, créeme, no puedo dejar que te vayas de aquí. Porque tenía la sensación de que si la dejaba irse se iba a hundir. Y yo quería salvarla. Ahora me hace gracia decirlo, pero es la verdad. Así que me montaba muchos números, rompía cosas, gritaba, se ponía a llorar, decía que se iba... Pero nunca se iba.

Una mañana se levantó muy mal, venga a llorar, decía que se moría de angustia, que no aguantaba más, y me asustó, así que cogimos el coche y nos fuimos a ver a su psiquiatra. Normalmente no cogíamos el coche porque no teníamos pasta ni para gasolina, así que ya te puedes hacer una idea de la urgencia. Pues eso, que nos presentamos en la consulta sin cita previa ni nada, pero la Remi le cuenta a la enfermera que está fatal y tal y la enfermera nos deja pasar. Entra la Remi y yo me quedo sentada en la sala de espera. Y sale con una carta y me dice: Nada, que esto es el parte de entrada al psiquiátrico. Me dijo que le había pedido al médico que la internara en el psiquiátrico y que él le había dicho que sí. Y yo, claro, cogí la carta, entré en la consulta, le llamé al médico de todo y le rompí el papel en pedacitos en sus mismas narices. Así que llamé a una amiga mía que tengo que su padre trabajaba de bedel en la Comunidad y me contó del programa CACI, que es un programa para jóvenes sin medios económicos. Fui ni se sabe la de veces y al final conseguí meter ahí a la Remi y que le asignaran una psicoanalista. Y a la tercera sesión fue cuando me dejó. Vino y me dijo que se había dado cuenta yendo a la psicoanalista de que no estaba conmigo por amor, sino por necesidad. Pero esta vez me lo dijo con calma, sin histerismos. Me dijo: Mira Noe, me he dado cuenta de que así no puedo seguir porque no estoy enamorada de ti. ¿Y dónde te vas? Pues a casa de mi madre. Y ahí la dejé ir porque la vi mejor, más madura, más entera. Y yo ya me quedaba más tranquila. Me daba el mismo dolor, el mismo mal rollo, el mismo todo, porque lo pasé fatal. Pero me dije: Bueno, ahora sí que se puede ir. Porque por lo menos ya no estaba enganchada a las pastillas, se había quitado de la medicación y estaba yendo a la psiconalista. Y ¿cómo lo vas a hacer?, le digo. Pues nada, que viene esta amiga y me ayuda a llevarme todas mis cosas. Me sonó un poco raro, porque yo no le conocí muchas amigas, pero no le di más vueltas. ¿Y la perra?, ¿qué hacemos con la perra?, le dije. Pues yo en casa de mi madre no la puedo tener. Pues yo tampoco puedo, ya sabes que no me gustan los perros. Total, que me quedé con la perra. Y a los dos días se presentó en casa una tal Eva, una chica así como normalita, esmirriada, tirando a feúcha, que metió todas las cosas de la Remi en tres cajas, y de ahí a su coche. Y yo me quedé sola. Sola con la perra *Sola*.

A los tres días o así llamé a la madre de la Remi para preguntar por la niña, a ver si estaba mejor, si seguía yendo a la psicoanalista y tal. La madre me dijo que la Remi no vivía allí. A mí casi me da un chungo porque pensé que se había ido al psiquiátrico. Y llamo a la Remi al móvil veinte veces. Remi, que dónde estás. Que a ti no te importa, que no me controles. Remi, que me digas dónde estás. Yo acojonada, claro. Pensando cualquier cosa, que estaba en la calle, que estaba en el psiquiátrico. Yo es que soy tonta.

Que no se fue por eso que me dijo, por el cuento de la psicoanalista que le abrió los ojos. Se fue porque conoció dos días antes a otra, a la tal Eva. La Remi ya había visto que yo la ponía límites, que no la dejaba meterse, que no quería que trapicheara, y este rollo a ella no le iba. Después ya me enteré de todo porque ellas iban mucho por Chueca. Que la Eva era otra deprimida y que la Remi tiene mucho ojo, que no es tonta, sabes, que no se va a pegar a gente fuerte. Se pega donde ve que se puede pegar.

En cuanto se fue la Remi fue cuando me di cuenta de que me tenía que poner las pilas y hacer algo con mi vida, así que robé un *Segundamano* en el quiosco de prensa de la Fnac y empecé a llamar a todos los curros que se anunciaban. Y a la semana estaba currando en un Vips. Que tiene gracia, porque en ese Vips había yo robado ni se sabe la de veces. El curro era un horror porque me tocó el turno de tarde, que es el peor. En fines de semana hay unas colas en caja tremendas, y encima el ruido. Porque la música de fondo es insoportable, Operación Triunfo todo el día y la peña gritando y armando jaleo, que cuando acabas se te ha subido a la cabeza un dolor que no te lo quitas. Pero me venía bien currar porque por lo menos tenía la mente ocupada y no pensaba tanto en la Remi aunque la echara mucho de menos a pesar de lo mal que me lo había hecho pasar. Y la perra parecía triste también. Me seguía por toda la casa. Si me sentaba yo, se sentaba ella; si me levantaba, pues detrás. Dormía a los pies de la cama, me seguía hasta el cuarto de baño. Si yo lloraba pues se me subía encima y me chupaba la cara, como en las películas. Y así me empecé a dar cuenta de que le había cogido cariño a la perra. Y en éstas que la perra un día se pone a vomitar sangre y a cagar sangre, y yo me asusto muchísimo y hala, la perra al coche y al veterinario. La habían envenenado y casi se muere. Y venga a llevarla al veterinario y a ponerle suero. La llevaba y la dejaba allí un día o dos, pero se volvía a poner mal y había que volverla a llevar. Me gasté un pastón que me lo tuvo que dejar Nazareth, claro. Y la perra me miraba con aquellos ojos tristes, enormes, que lloraban. De verdad que la perra lloraba, con lágrimas, como los humanos. Y cuando por fin me la llevé a casa la traje una cesta y su propia mantita que robé en El Corte Inglés, la manta, porque la cesta era demasiado grande, y la perra se quedaba allí todo el día, tumbada, esperándome. Superbuena, la perra.

Después de haberlo dejado con la Remi y de saber cómo me había engañado, yo, con todo, aún intenté seguir siendo su amiga. No la dije, hala, a tomar por culo, tú, hija de puta y tal. No, al contrario. Yo pensaba que a este tipo de personas, que viven enfurecidas, no hace falta enfurecerlas más. Lo que hay que hacer es intentar pacificarlas. Para mí la Remi era un peligro público, una bomba suelta por la ciudad. Y yo me libré de esa bomba, pero sé que hay muchas personas expuestas a ella. Yo sabía que tenía un poder tranquilizador sobre Remi, que a mí me escuchaba, aunque fuera a regañadientes, y por eso por mucho que para mí hubiera sido mejor decir hala, a tomar por culo, dije no, voy a seguir intentando ir de buen rollo. No quería crearle más traumas ni darle más motivos para lo suyo, porque su filosofía es: ¿Me joden?, pues yo jodo el triple, y yo quería enseñarle que no, que no hay que ir por la vida así, que hay otras formas, que no todo el mundo tiene intención de joder a los demás, que hay gente que se preocupa por lo demás y que asume los errores. Intenté ser amiga suya, pero no había manera. Me trataba muy mal, delante de la gente me montaba unos pollos tremendos cada vez que coincidíamos en Chueca, me había perdido el respeto. Tanto que Nazareth me decía: Tía, tú estás boba o qué, no dejes que esta chica te hable así, que quién es para tratarte de esa manera después de todo lo que has hecho por ella. De qué, no le permitas ni una más. Ni enferma ni pollas, lo que es una auténtica hija de la gran puta. Y entonces yo empecé a marcar un poco las distancias y le pedí las llaves de mi casa, que no me las había devuelto. Al principio por lo suave: Oye, que me voy a pasar por el Escape esta noche, que si vas a ir a Chueca que me lleves las llaves, que se las dejes a Nazareth. Ni puto caso, claro. Ya luego, más borde: Remi, que me des las llaves de una puta vez. Nazareth me decía de cambiar la cerradura, pero yo por muy loca que estuviera la Remi, no la creía capaz de destrozarme la casa, o algo así. Y además, ¿tú sabes lo que cuesta un cerrajero? Yo no tenía un puto duro ni valor para pedirle más préstamos a Nazareth después de lo de la perra.

A los tres meses ya la perra era mía. Porque habían pasado tres meses y yo sabía que ésta no tenía ninguna intención de ná. Y además pensé, a ver, qué pasa ahora, cuando ella puede es suya y cuando no, no. Ya me ha dejao la perra, ya me he hecho cargo. Como me tuve que mentalizar para quererla, me mentalicé tanto que ya la perra era mía. Y punto. Y yo me levantaba con ella y también me comí lo de su envenenamiento. Y yo pensé, esta perra ya es mía. Me he comido todos estos marrones, y he probado que la quiero. Y además como no hay más cojones, es mía, porque nadie más la quiere. Y cuando ella vio que yo ya quería a la perra, entonces empezó a joder. Me llama un día. Pues déjame la perra que me voy con Eva al pantano de San Juan y me la llevo. Y yo: Mira Remi, con tranquilidad, lo de perra ya lo veremos. Aparte, que la tenía miedo, que la Remi era capaz de cualquier cosa, que yo ya le había visto su otro lado, a ver si ésta se me lleva a la perra y no la vuelvo a ver. El caso es que una tarde me marcho al Vips, vuelvo, y me encuentro con que había venido la Remi, las llaves se las había dejado al portero, pero a la perra se la había llevado. Se llevó a la perra y un montón de cosas. Cosas sin importancia material: ropa, libros, cedés... Pero cosas que para mí tenían valor. Lo había hecho por joder. Y ahí ya me enfureció. La llamé al móvil: Remi, que dónde estás. No tengo por qué decirte dónde estoy. Remi, todavía estás a tiempo de volver con la perra y de que hablemos y encontremos una solución, porque esto así no se va a quedar, dime dónde estás. Pues no tengo por qué decírtelo. Remi, que me estás buscando y me vas a encontrar. Y en ese momento oí sonar un teléfono de fondo y me pareció reconocer la voz de su madre que decía *diga*. Así que colgué y llamé a casa de su madre. Estaba comunicando. Llamo a Nazareth y a Leo, pillo el coche, las recojo y en menos de un cuarto de hora estábamos en Fuenlabrada, justo bajo su portal. Pero la Remi, que no es tonta, se había coscado y ya se había ido. Y en la casa no había nadie. La llamo otra vez. Remi, estoy delante de la misma puerta de tu casa, más vale que vengas que si no voy a montar un pollo que te vas a cagar, que se van a enterar todos tus vecinos (se lo decía porque la madre le tenía un miedo tremendo a los vecinos y a que se enteraran de que tenía una hija lesbiana). Que no tengo por qué decirte dónde estoy, Noe, y que va a ir dentro de nada Josemi y como montes un pollo te lo va a montar él (Josemi era el novio de la madre). Perdóname que me parta el culo, Remi, pero aparte de que Josemi no me da ningún miedo, Josemi pasa de ti como de la mierda, lo sabes perfectamente, y en esto no se va a meter. Voy a ir con la policía entonces. Vale Remi, pues vente con la policía y les explico yo lo que pasa y seguro que resolvemos esto mucho mejor. Bajo a la calle y me veo aparcada su moto, y me digo, tate. Teléfono: Remi, estoy al lado de tu moto, será mejor que vengas o te hago un destrozo que no te lo arregla ni tu primo ni nadie, tú verás. (Me estaba marcando un farol porque yo no soy tan hija de puta, pero eso Remi no lo sabe, se cree que todo el mundo es como ella.) Que la moto no la toques, que ni se te ocurra. Y a los dos minutos aparece. Con la pringada de la novia pero sin perra. Que dónde está la perra. Que a ti qué te importa. Que dónde está la perra. La perra en Alcorcón, en casa de Eva. Y yo diciéndole a la novia: Mira, si de verdad la quieres, lo primero que siga yendo al psiconalista, porque está chica está fatal, está enferma. Y lo segundo, devuélveme a la perra, porque tú, que pareces una chica normal, entenderás que es absurdo que se quede con mi perra una desconocida. Porque tú eres una desconocida. Para mí eres una desconocida. Y para Remi también, que te ha conocido hace nada. Abre los ojos, que te estoy avisando por tu propio bien. Si esta chica me está haciendo esto, después de todo lo que he hecho por ella, a ti dentro de dos meses te va a mandar a tomar por el culo. Ni se va a acordar de tu nombre y te vas a quedar tú con la perra, porque esta chica no tiene ninguna intención de trabajar ni de cuidar a nadie, mucho menos a una perra. La Eva abre la boca por primera vez: Tú no sabes lo que dices, tú no entiendes nada. Yo: Mira chica, me la sudas, yo ya te he advertido, pero si tú eres gilipollas, no es mi problema. Y tú, Remi, devuélveme a la perra, que no te lo quiero repetir más veces. La Remi: Que pases de mí. La Leo que casi le salta al cuello a la Remi: Pero tú quién te crees que eres, niñata, que no eres más que una niñata de mierda. Las tuvimos que separar, porque se enzarzaron. Yo encantada. Que montaran el pollo, que se enteraran todos los vecinos. Yo decía que las seguía hasta Alcorcón si hacía falta, que no me iba sin mi perra, pero al final Nazareth me calmó: Venga tronca, piénsatelo bien, no puedes entrar en su casa así como así y tampoco podemos seguirlas hasta Alcorcón como si fuéramos estarky y jach. No te busques líos. Además, a ti no te gustan los perros. Entonces la cabeza me hizo clic: Vale Remi, te quedas con la perra. Pero tú para mí estás muerta. ¿Me entiendes? Muerta. Y no quiero un solo recado, un mensaje al móvil, ni una llamada perdida, ninguna, ninguna, ningunísima tontería, nada. Borra mi número. Y si me ves por la calle y sabes lo que te conviene, haz que no me has visto. Te das la vuelta o cambias de acera. Porque la próxima vez ni te aviso. Volvía a ser un farol, porque no sería capaz, pero ella es más tonta que yo y yo sabía que ella le tenía respeto a mi tío, el del restaurante, porque estuvo en la cárcel de joven y tiene fama de peligroso. Mentira todo, que el pobre hombre es un cacho de pan y no fue a la cárcel por hacerle daño a nadie sino por robar para comer, pero eso la Remi no lo sabe. Lo que sí sabe es que mi tío me quiere mogollón. Le dije: La próxima vez es que ni te aviso. Te mando al Deme y que haga él lo que le parezca. Y ella *Sísísísísí* como quien oye llover. Y ya se iban ella y la Eva cuando veo que la Eva se da la vuelta y como que sonríe. Y las últimas palabras que me oyó fueron: Tú ríete que ya llorarás y te acordarás de mí. Y efectivamente.

Cuando la pringada aquella que ni sé ni su nombre desapareció por entre la masa del Long Play, me quedé hecha polvo en la barra. Y le dije a la Nazareth, que también trabajaba aquel día: Nena, cúbreme, que tengo que ir al baño. Que no quería que me viera nadie así, tocada. Porque yo ya creía que lo de la Remi ya se me había olvidado. Pero de repente me había vuelto a venir toda la historia a la cabeza, de golpe. Toda la movida de Remi, los ojos enormes de la perra. Así que salí a la pista a buscar a la pringada aquella a codazos entre la gente, y la dije: Tú, le dices a la *ex novia de mi ex novia* que si quiere hablar de la perra que me llame. Que ya sabe mi teléfono, y si no que lo pregunte en el Escape, a Nazareth, en la barra.

Total, que a los dos días me llama la Eva y me da una dirección en Alcorcón, en el quinto coño, para que vaya a recoger a la perra. Y cuando llego me encuentro una casa asquerosa, hecha una puta mierda, vamos, que ni con una pala la recoges. Latas de cerveza vacías, cartones de Telepizza arrugados, bragas tiradas por el suelo... Daba asco. Y en esto que oigo como un gemidito muy débil. Al principio casi ni se escuchaba, pero luego iba subiendo. Y me digo, tate, es la perra. Qué donde tienes a la perra. Que está ahí dentro. Y entro a la cocina y me encuentro a la perra en la galería, atada con una cadena, rodeada de cagados y meados. Y la pobre perra que me ve y se pone a tirar de la cadena, venga a llorar y gemir, que por poco se ahorca. Y ahí me enfurecí. Pero tú, hija de puta, cómo se te ocurre tener a la perra así, sufriendo. Me faltó esto para meterla una hostia, de verdad. Y eso que en general sé contenerme, no soy como la Remi en eso. Es que se me saltaban las lágrimas de verla así a la perra. No podía evitarlo, no quería que me viera llorar la muy hija de puta aquella, pero no lo podía evitar. Así que la desaté y la abracé muy fuerte, la perra venga a lamerme la cara y a gemir. Y le dije a la perra, sorbiéndome los mocos y la rabia y las lágrimas: Vamos bonita, que te vienes conmigo a casa, a tu casa. Que no vas a estar sola nunca más. No vamos a estar solas nunca más ni tú ni yo. Nunca más solas.

Mal acompañada

Fuera llueve. El agua se desvía, forma charcos, o se junta en pequeños riachuelos que van a morir a las alcantarillas. El cielo es de un gris húmedamente sucio. Una mujer entra en el restaurante con paso firme, la barbilla alta y el pelo mojado. El camarero la intercepta para preguntarle si tiene mesa reservada. Ella señala a un hombre que la espera, sentado en una mesa en un rincón del fondo. La mujer atraviesa el pasillo entre las mesas mientras él se levanta, caballeroso, para apartarle la silla. Ella se sienta mordiéndose los labios, como si contuviera una mueca.

Los dos son bastante bien parecidos y deben de andar por los treinta y tantos, ya más cerca de los cuarenta que de los treinta. Él lleva un traje de chaqueta que se adivina caro, pero algo en la indumentaria —traje gris, camisa blanca, corbata azul marino— falla, quizá la excesiva y gris sobriedad del conjunto. Ella viste vaqueros y un jersey muy sencillo, pero resulta mucho más elegante que él. No lleva joyas ni maquillaje. Él parece nervioso y ella cansada.

—Muchas gracias por venir.

—No me las des a mí. Dáselas a Alessia. Estaba harta de sus mensajes en el contestador. No sé si me aconsejó venir porque pensaba que te merecías que yo te escuchara o simplemente porque estaba harta de escucharte.

—No tienes derecho a hablar así. No te reconozco. No sabes lo mal que lo he estado pasando. Tu propia madre no entiende lo que has hecho. A ella también le has causado mucho daño.

—No sé por qué tuviste que llamar a mi madre. Lo nuestro es asunto nuestro y de nadie más. Además, tú tienes madre ¿no? Deberías haber hablado con ella. Con tu madre, no con la mía.

Él se queda pálido, entreabre los labios y sólo unos milímetros faltan para que pueda decirse que está boquiabierto.

—Lo dicho, Natalia, no te reconozco. Sabes que tu madre y yo siempre nos hemos llevado muy bien. Y además, ¿qué querías que hiciera? ¿No llamarla?

—El que mi madre te tuviera tanto aprecio siempre me resultó raro. Hay que desconfiar del tipo de hombre que las madres quieren para una.

—Natalia, este tipo de actitud no te beneficia en nada.

—Yo no he sido la que quería acordar esta cita, te recuerdo.

Él parece desconcertado. Evidentemente no está acostumbrado a que ella adopte actitudes tan duras y cortantes. El camarero se acerca oportunamente a la mesa y así le permite a él ocultar la contrariedad mientras ordena de memoria, sin consultar el menú, pues lleva años siendo cliente asiduo del restaurante. Ella, con gesto de desgana, anuncia que tomará lo mismo que él, como si comer o no comer le diera exactamente igual. El camarero se retira con exquisita educación, dejándoles de nuevo frente a frente.

Víctor suelta un discurso muy parecido al que ella había estado esperando. Cómo pudo ella marcharse así, de la noche a la mañana, sin que mediase discusión ni explicación de por medio, dejando una miserable nota. Nadie lo entiende, nadie. Ni él, ni la familia, ni los amigos. Le ha dejado destrozado, pobrecito de él. El monólogo podría resumirse en una frase que en su día dio título a una canción bastante hortera: ¿Cómo pudiste hacerme esto a mí? Natalia le examina con distancia y desapasionamiento y tiene que reconocer, a su pesar, que el individuo quejumbroso que le está largando el autocompasivo discurso mantiene aún alguna de las cualidades que en su día le hicieron sentirse atraída hacia él. El olor, por ejemplo, mezcla de sudor, feromonas, gel de ducha y Eau pour Homme de Cacharel. Los ojos verdes y grandes, de un color de charco, o de cristal de botella o de pantalla de televisión antigua. La voz indefinible, modulada pero a la vez tronante. Cuando se conocieron pensó que le recordaba a alguien, que ya lo había visto antes y, como entonces fue incapaz de precisar dónde había podido conocerle, pensó que quizá aquella mandíbula cuadrada le recordaba a Steve Mc Queen. Le resulta raro que él se queje tanto, porque él era un hombre que lo tenía todo. Lo que quería lo alcanzaba, simplemente alargando el brazo y extendiendo la mano, como quien dice. Trabajo, posición, piso en el centro, mujer guapa y discreta. Quizá lo importante de esta vida, piensa Natalia, resida precisamente en conseguir lo que no se alcanza. Disfrutar de lo ilusorio, de lo por llegar, de la esperanza, no sólo de lo tangible, de lo material. Eso es algo que él nunca hubiera podido hacer, porque él siempre fue un hombre racional, pragmático, cartesiano, un capricornio de los pies a la cabeza, tan cuadrado como su propia mandíbula. Pero por qué piensa eso si en realidad no le conoce, si le dejó cuando se dio cuenta de que, después de casi siete años de matrimonio, no le conocía de nada. Quizá nadie conoce a nadie, todos danzando en un baile de mentiras, y menos mal que no nos conocemos, porque si todos lo supiéramos todo de todos la vida sería más difícil de vivir, o eso había pensado ella cuando descubrió en él lo inesperado, la persona que había debajo del dominó en aquella fiesta de luces y colores, el limo en el fondo del pozo de aguas cristalinas. En el fondo vivimos todos lejanos los unos y los otros, quizá felizmente ignorantes de la verdadera naturaleza de nuestros semejantes. A alguna gente esta distancia nunca se les revela. Otros, como Natalia, la descubren un día, de repente, como iluminada de pronto por la luz de un relámpago, en medio de una tormenta de angustia. Ojalá hubiese ella permanecido tan ignorante como cuando le besó por primera vez, la pasión estallándole en el pecho, cuando se sentía tan feliz que apenas podía creerlo, cuando se preguntaba a qué santo le habría rezado sin darse cuenta. Cuando nada de él sabía, excepto que era el hombre más guapo que había besado en la vida. Espejismo bendito, pero efímero, una pasión abortada por la rutina y los compromisos antes de llegar a nacer. Fue novio, luego marido. Nunca pudo, o quizá no supo, llamarle amante. Él repite una y otra vez algo sobre una explicación, como si fuera éste el estribillo de su cantinela lastimera. *Me merezco* una explicación. *Me debes* una explicación. *Tengo derecho* a una explicación. Como un niño pequeño: Yo, yo, yo, dame, dame, dame. Ni por un momento se ha parado a pensar si ella ha podido sufrir también, si no fue algún tipo de dolor, de herida abierta de repente, lo que la hizo alejarse.

El camarero se acerca a la mesa, trae una botella en la mano. Sirve primero a Víctor, muy ceremoniosamente, apenas dos dedos de líquido en la copa, para que el señor pruebe el vino. Víctor sorbe un pequeño trago, saborea y asiente con la cabeza. El camarero acaba de llenar la copa de Víctor y sirve también a Natalia, que murmura un «gracias» casi inaudible.

—Una explicación. ¿De verdad quieres una explicación? Entonces deberías pensar en la cena a la que fuimos, justo la noche anterior a mi partida.

—Natalia, ya sé que esas cenas nunca te gustaron, pero ésa no es razón...

Pues sí, esas cenas nunca le gustaron, y siempre le reprochó a su marido que le obligara asistir. Cierto, no la obligaba, no le ponía una pistola en el pecho ni le amenazaba con dejarla, ni nada de eso, pero Natalia sabía que si se negaba a ir, los morros y la cara larga de Víctor podían durar semanas, así que siempre acababa enfundándose a regañadientes en un vestido de noche que le sentara lo suficientemente bien como para que los socios de Víctor pudieran envidiarle la mujer, pero que fuera a la vez lo bastante discreto como para que las mujeres de los tales socios no pudieran llamarla desvergonzada. Por alguna extraña razón, o quizá no tan extraña porque ya se sabe que a la mayoría de los hombres de cierta edad y estrato social no les gustan las mujeres que ganen más que ellos, ninguno de aquellos brillantes abogados había elegido para sí a una mujer igual de brillante. La mayoría de ellas eran amas de casa, a excepción de alguna que trabajaba como secretaria a tiempo parcial. Y no es que Natalia tuviera nada en contra de las secretarias, porque ella misma tenía una secretaria estupenda a la que respetaba mucho y sin la que no sabría vivir, pero éstas eran más bien del tipo de secretarias que se dedican a poner verde a toda la oficina en corrillo alrededor de la máquina del café. Así que lo normal era que durante las cenas ellos se dedicaran a hablar de fútbol y de asuntos del bufete y ellas, por su parte, a chacharear a ritmo de ametralladora sobre rebajas, personajes de la prensa del corazón, operaciones de cirugía estética y avatares de sus bebés, las que los tenían. La situación era tan tópica que si a Natalia, antes de casarse, alguien le hubiese dicho que algún día asistiría a una cena así, no lo habría creído, pues entonces pensaba que esas reuniones divididas por géneros, con cada grupo hablando de «temas propios de su sexo», eran algo ya pasado que sólo podía verse en alguna serie americana de los primeros sesenta, y no habría creído jamás que semejante caricatura pudiera tomar cuerpo en la vida real. Al fin y al cabo, sus pocas amigas trabajaban todas ellas en puestos de cierta responsabilidad, no tenían hijos y ni siquiera se habían casado, aunque algunas convivían con sus novios. Y, desde luego, tenían temas más interesantes sobre los que hablar que las desventuras de Ana Obregón o las virtudes del Botox. De modo que en aquellas cenas, Natalia se aburría soberanamente y siempre salía de casa con cara de asco, aunque luego acababa arreglándoselas para componer una expresión tranquila, segundos antes de llegar al restaurante, de forma que nadie en la mesa pudiera darse cuenta de que Natalia no estaba encantada con la noche que le había tocado.

Aquella noche la conversación giraba en torno al caso de un jugador de baloncesto catalán al que una chica había denunciado por violación. La chica decía que él la invitó a tomar una copa en su habitación del hotel, que ella aceptó y que él acabó forzándola. El jugador reconocía que hubo sexo aquella noche, pero aseguraba que se había tratado de una relación entre dos adultos que actuaban libremente. Como Natalia había esperado, todos los hombres se pusieron del lado del jugador, a partir del manido argumento de que «una chica que sube con un hombre a una habitación de hotel ya sabe a qué va». Natalia se mordió los labios para no decir lo que pensaba, porque sabía que el puesto de su marido dependía en gran medida de que él mantuviera una buena relación con sus socios. Lo que ella no esperaba es que las mujeres apoyasen sin reservas las tonterías que decían sus maridos, que a ninguna se le ocurriera pensar que si bien es cierto que una mujer que sube con un hombre a una habitación de hotel suele estar pensando en una sola cosa, también es cierto que esa mujer tiene derecho a cambiar de opinión y a decidir marcharse si le apetece, y a Natalia, como abogada que era, le parecía evidente que una mujer no se enfrenta así como así al calvario que supone iniciar una demanda (la vergüenza, las declaraciones frente a unos ojos inquisidores y fríos a los hay que rendir cuentas, el tiempo perdido, el saber que tantos hombres van a maljuzgarte, igual que lo hacían los hombres sentados a aquella mesa) sin tener sus buenas razones para hacerlo. Además, el nombre de la chica había permanecido siempre anónimo, así que quedaba claro que no se trataba de una de esas *starlettes* que van a *Tómbola,* o a *Gran Hermano,* o a *Crónicas Marcianas,* o a cualquiera de esos programas que tanto entretenían a las señoras sentadas a la mesa y que se dedican a contar cualquier historia real o inventada (embarazo, aborto, maltrato, infidelidad, siete polvos en una noche) que implique sexo con un personaje conocido, a la búsqueda desesperada de su cuarto de hora de fama o, más bien, de ridículo. Lo único que a Natalia la tranquilizaba es que de momento su marido no había abierto la boca, lo que le permitía suponer que Víctor pensaba como ella. Y entonces llegó el relámpago, la caída de la máscara, la percepción del abismo que se abría bajo los pies, cuando Víctor abrió la boca y contó un caso en el que él había trabajado a principios de su carrera, cuando todavía oficiaba de pasante en otro bufete. Una chica demandó a un muchacho de su misma edad. Decía ella que él la había violado en una fiesta, pero un montón de invitados les habían visto subir las escaleras juntos y muy abrazados y, para colmo, ella arrastraba una reputación que no era precisamente de estrecha. El caso ni siquiera pasó la fase de instrucción, porque hubo grandes contradicciones en el relato de la chica y el fiscal, ante la totalidad de testigos que estaban dispuestos a declarar en juicio que ella había consentido, no podía sostener la acusación. Y Víctor daba por hecho que la chica había mentido, que había acusado falsamente al chico llevada por el resentimiento, o intentando chantajearle, dado que la familia de él tenía mucho dinero. Natalia no volvió a abrir la boca durante el resto de la noche y cuando, de vuelta a casa, Víctor inquirió por su extraña actitud, ella dijo que la cena le había sentado mal. A él pareció satisfacerle la explicación, quizá porque Natalia traía malísima cara y se le había demudado el color. Cuando llegaron a casa ella se encerró en el baño y vomitó. Después le dijo a Víctor que prefería dormir sola en el cuarto de invitados porque temía que a lo largo de la noche podría volver a sentirse indispuesta y no quería despertarle. Casi cualquier mujer se habría negado a semejante acuerdo, y habría insistido en permanecer al lado del cónyuge enfermo, incluso en detrimento de su propio sueño, pero un hombre como Víctor no vio nada de extraño en la proposición y se marchó al dormitorio tan tranquilo, diciendo que ya se le caían los ojos de cansancio. A la mañana siguiente, cuando Víctor intentó despertarla, Natalia le anunció que se encontraba mal y le dijo que por favor llamara de su parte al despacho diciendo que no iría a trabajar Después se arrebujó de nuevo entre las sábanas y le pidió que la dejara seguir durmiendo, pues no se sentía demasiado bien y no había podido dormir mucho durante la noche. Víctor no dudó de su palabra, pues sabía que su esposa era una mujer responsable y que nunca dejaba de ir a trabajar si no tenía una razón verdaderamente seria. Se ofreció a llamar al doctor, pero Natalia insistió en que no era necesario, que ella sólo necesitaba dormir y descansar. Víctor, que ya llegaba tarde, le dio un beso en la mejilla a su mujer y salió disparado al trabajo. Cuando Natalia escuchó el ruido de la puerta de entrada al cerrarse, saltó de la cama y se puso a hacer maletas. Hizo cuatro y bien grandes, porque no pensaba en una separación provisional, sino que tenía muy claro que no quería volver a aquella casa. Pudo empaquetar su ropa, sus cremas y pinturas, algunos libros y objetos muy personales, y tuvo que dejar los muebles que había elegido en el pasado con tanto mimo, sus cuadros, sus libros, su colección de cedés, siete años de vida que se habían ido amontonando por cada rincón de la casa. Siete años de matrimonio, de máquina bien engrasada que funcionaba bien pero que no daba demasiado calor ni disparó jamás el potenciómetro. Cerró tras de sí la puerta con un portazo que produjo el estampido de una detonación de pistola. Bajar cuatro maletas por el ascensor, arrastrarlas como pudo por el garage hasta llegar al coche, embutirlas con esfuerzo en el maletero y en el asiento trasero... todo aquel esfuerzo le recordó a aquellas películas de Chabrol en las que el protagonista se las ve y se las desea para transportar un cadáver lejos de la escena del crimen, y pensó que quizá ella se llevaba en las maletas el cadáver de su matrimonio. Sacó fuerzas de flaqueza y pudo con el peso de las maletas y el de la tristeza. Por último, llamó a Alessia desde el móvil y le explicó que necesitaba quedarse en su casa por una temporada. Alessia no preguntó nada ni puso objeción alguna. Llevaban siendo amigas casi veinte años y su apoyo siempre había sido incondicional.

Te contaré algo que quizá te explique un poco las cosas, es una historia que pasó hace mucho tiempo, pero tienes que dejar que te la cuente a mi manera, despacio, sin interrumpirme, hasta que llegue al final (Víctor asiente con la cabeza, curioso). Fue a finales del primer curso de carrera, cuando yo todavía estudiaba en el CEU. Estaba muy deprimida porque había suspendido cuatro asignaturas y no sabía cómo iba a decírselo a mis padres, ni siquiera si encontraría valor para decírselo. Yo no había suspendido en toda mi vida, siempre fui una niña de notables y sobresalientes, el mayor disgusto que hubiera podido tener era un bien o un suficiente pelado. Pero la universidad era distinta, no era como el instituto, allí había que estudiar de verdad, no bastaba con leerse los apuntes dos días antes del examen, y yo no estaba acostumbrada a hincar codos porque nunca había tenido que hacerlo. En realidad, no había suspendido sólo por eso, sino porque durante la época de exámenes estuve tan deprimida que prácticamente no había abierto un libro. Y es que hacia el último trimestre fue cuando corté con mi primer novio, con el que llevaba saliendo casi dos años, desde COU, y encima me había dejado por una amiga de la pandilla, con lo que a la tristeza del abandono se añadía la vergüenza de la humillación pública, ya sabes lo que son las cosas a esas edades. (Víctor asiente con la cabeza de nuevo, aunque no entiende muy bien qué tiene que ver esta historia de adolescencia con la decisión de Natalia de irse de casa.) Había pensado no decirles nada a mis padres, estudiar como fuera durante el verano y presentarme a los exámenes de septiembre sin contarle nada a nadie, pero yo sabía que cuatro asignaturas son muchas, que prepararlas requerría mucho esfuerzo y muchas horas, y no sabía cómo iba a explicar el hecho de que me pusiese a estudiar en verano si nunca me habían visto hacerlo durante el curso. Pero lo que me dolía de verdad era la sensación de íntimo fracaso, de ser una estúpida que no valía para nada, porque yo nunca había pensado que pudiera suspender, nunca, nunca, y mucho menos cuatro materias. Cuando me dejó aquel novio me sentí fea y pocacosa, y ahora me sentía, además, tonta de remate. Alessia me vio tan mal y tan deprimida que insistió en que saliésemos juntas a emborracharnos, a corrernos la juerga del siglo como despedida del curso. En realidad, los alumnos ya habían organizado una especie de reunión de despedida, pero nosotras no nos llevábamos demasiado bien con el resto de la clase. La mayoría de los que asistían a aquella universidad privada tenían muchísimo dinero, gente que iba a clase en unos cochazos impresionantes y luciendo cada día un modelito distinto y carísimo, como si en lugar de ir a la universidad fueran a una recepción de gala, y a nosotras, que no éramos pobres de solemnidad ni nada de eso, pero que se veía a la legua que no podíamos permitirnos semejantes lujos, nos miraban un poco por encima del hombro. Precisamente por eso yo no había querido ir al CEU, porque ya sabía de antemano el tipo de gente con la que me iba a encontrar, pero mi madre insistió en matricularme allí porque se trataba de una universidad católica, y porque a ella siempre le ha encantado darse ínfulas y enviar a sus hijos a los mejores colegios, aunque casi no tuviera cómo pagarlos y tuviéramos que estar luego sin poder comer carne en casa y dando vueltas a los abrigos viejos porque no alcanzaba para comprar uno nuevo. Pues eso, que Alessia y yo decidimos organizar una juerga alternativa para nosotras solas. Como a ninguna nos dejaban llegar a casa más tarde de las doce, hicimos algo que ya habíamos hecho otras veces. Dijimos cada una que íbamos a dormir a casa de la otra, y como nuestros padres se conocían de siempre no se molestaron en llamar ni nada. Lo que hacíamos entonces era pasarnos la noche entera de bar en bar, irnos a las siete de la mañana a comprarnos unos bollos a aquella panadería que estaba siempre abierta en la calle Gravina, bajar luego al bulevar de la Castellana, al lado del estanque aquel con la estatua de la Mariblanca, a tumbarnos en el césped, que era lo que hacía tanta gente en aquella época de Tierno Galván, que aquello a primera hora de un domingo parecía Woodstock, y luego, a media mañana, pasarnos a desayunar a La Bobia, para después aparecer cada una en su casa a la hora de comer sin haber dormido todavía. Y ya en casa, aguantar el sueño como fuera hasta la noche, como si hubiéramos dormido toda la noche de un tirón, para que nadie notara nada. Ahora me resultaría imposible hacerlo, ya sabes que yo si no duermo ocho horas no soy persona, pero lo que es la energía de los dieciocho años, entonces no me importaba nada lo de no dormir, ni lo notaba. Tampoco necesitábamos dinero para salir, porque siempre alguien nos acababa invitando a una copa. Recuerdo que alguna vez salí de casa con quinientas pesetas y volví con mil, porque algún chico compasivo se empeñó en dejarme a última hora dinero para el taxi. Así que aquella noche yo salí de casa con una bolsa de mano en la que se suponía que llevaba el pijama y las zapatillas y el cepillo de dientes para dormir en casa de Ale, pero donde llevaba en realidad una minifalda negra y mi bolsa de maquillaje, porque mi madre no me dejaba usar faldas muy cortas ni pintarme, así que me cambié y me pinté como pude frente al espejo del ascensor, a una velocidad récord, y confiando en que ningún vecino se fijara en mí al salir por el portal. (El camarero se acerca a la mesa con dos platos en la mano, dos ensaladas idénticas, y coloca uno delante de cada comensal, Víctor lo agradece con un gesto de cabeza y una sonrisa, mientras que Natalia ni siquiera parece haber advertido su presencia. El camarero se retira.) En aquella época nosotras solíamos salir por Chueca, que, por aquel entonces, no era un barrio exclusivamente gay, a La Ola, o al Ras, o al Max, y si no, a Malasaña, a La Vía Láctea o al King Creole, pero aquella noche Alessia se empeñó en que fuéramos a un bar terriblemente pijo que había en la Castellana y que se llamaba La Corriente del Golfo, porque unos chicos de segundo, a los que ella había conocido en el bar del CEU, eran socios del bar y habían prometido invitarnos a unas copas. Efectivamente, los chicos estaban allí y era cierto que tenían mano en el bar, porque pudimos pedir todas las copas que quisimos a su cuenta. Yo por aquel entonces no bebía mucho, pero aquella noche estaba más que dispuesta a emborracharme para olvidar, así que aproveché la oferta de las copas gratis y pedí tres o cuatro, y me puse animadísima y dispuesta a contarle mi vida y milagros a cualquiera, y acabé largándole mi rollo a uno de los chicos de segundo, que era un pijo engominado vestido con una camisa a rayas horrible, muy alto, muy cachas, con pinta de jugador de rugby, pelirrojo, y al que, en circunstancias normales, yo no hubiera siquiera mirado, pero el chico me escuchaba y parecía interesado, así que yo seguía venga a largar y contándole lo del novio cabrón que me había dejado y lo de las cuatro asignaturas que me quedaban pendientes. Y él muy amable, que no me preocupara, que él también había cargado cuatro y que también le habían dejado varias novias y que no se lo tomaba así, y que me tomara otra copa, que esas cosas el alcohol las solucionaba. Así que nos dieron las tres de la mañana en el garito, y el bar cerró, pero nosotras nos quedamos allí, dentro del bar, a puerta cerrada, con los chicos aquellos, los camareros y algunas chicas que debían de ser amigas de ellos, unas veinte personas como mucho, y entonces alguien sacó una papelina de coca y empezó a hacer rayas sobre la barra, y aunque yo nunca había tomado coca me animé a hacerlo entonces, en parte porque Gonzalo, el pijo engominado, me dijo que la coca me despejaría, y en parte porque no quería parecer una estrecha o una anticuada delante de toda aquella gente, y vaya si la rayita me despejó, me puso como una moto, te lo juro, se me quitó la borrachera de golpe, así que luego me esnifé delante de todo el mundo otra y otra. Debían de ser como las cinco de la mañana cuando el tal Gonzalo propuso que fuéramos a su casa a bañarnos a la piscina, así que todos los que estábamos allí salimos y nos distribuimos en los coches. Alessia y yo nos fuimos en el de Gonzalo, que era un coche deportivo enorme, muy impresionante, una cosa como de James Bond que resultaría llamativo conducido por cualquiera, pero sobre todo por un chico de su edad. Y en el coche se montaron también otras dos pijas que, por lo visto, iban también al CEU, pero en las que yo nunca me había fijado. A la legua se notaba que no les hacía ninguna gracia tener que compartir el coche y, probablemente, el chico con nosotras. Porque ahora que los jóvenes se visten todos más o menos igual, con la uniformización de *Operación Triunfo* y esas cosas, resulta más difícil notar a primera vista la diferencia de clase o de actitud, pero no sé si recordarás que en los ochenta uno era según se vestía, y nosotras íbamos muy siniestras, de negro de pies a cabeza, con muñequeras de pinchos y chaquetas de cuero, el pelo cardado y teñido de negro, y ellas llevaban perlitas en las orejas, medallas de oro colgadas al cuello, sudaderas rosas de Don Algodón, pantalones Levi´s desteñidos, montones de anillos en las manos y mechas rubias en las melenas alisadas. No nos dirigieron la palabra en todo el trayecto, y sólo le hablaban al tal Gonzalo, venga a contar anécdotas de amigos comunes, como si quisieran dejar muy claro que ellos pertenecían a un grupo compacto del que nosotras no formábamos parte. (Víctor ataca tímidamente la ensalada, sin dejar de mirar a los ojos a Natalia, para que ella no piense que él no presta atención, si bien él sigue sin entender a qué viene esta historia.) Por fin llegamos a la casa, que estaba fuera de Madrid, en Aravaca, y que era la casa más grande que yo había visto en mi vida, un chalet con un jardín inmenso, enorme, enorme de verdad, extensión y extensión de terreno, con pista de tenis y piscina. Se veía que los padres de Gonzalo estaban fuera, porque nos instalamos allí como Pedro por su casa, desparramados por el jardín, y al rato alguien sacó vasos y botellas y seguimos bebiendo y esnifando rayas que otro alguien había preparado sobre la bandeja en la que llegaron los vasos. Y alguien más sacó un equipo de música con altavoces y todo, lo conectó y puso la música a un volumen atronador, porque por allí no parecía que hubiese vecinos. A Alessia y a mí sólo nos hablaban los chicos, porque las chicas que había eran todas como clónicas de las que habían venido con nosotras en el coche, vestidas y peinadas de manera parecida, y ninguna nos dirigía la palabra, como si fuéramos apestadas, y se notaba que no les hacía ninguna gracia que el dueño de la casa estuviera todo el rato pendiente de mí, que si quieres más hielo, que si te traigo algo, y yo le dirigía al tipo las mejores de mis sonrisas sólo por joder a aquella panda de bordes, por ver cómo les reconcomía la envidia, porque estaba claro que el tal Gonzalo debía de ser el chico más popular de aquella pandilla de pijos, se veía que andaban todas locas con el coche, la casa, el bar, todo con veinte años, debía de tener muchísima pasta la familia, eso se notaba a la legua. Luego él se sentó a mi lado y lió un porro, y me ofreció una calada. Yo había fumado dos o tres veces en mi vida, y no me había gustado, pero acepté sólo para que las demás lo vieran, para que me vieran en amor y compañía con aquel chico. Entretanto, Alessia se había planchado cuan larga era en una tumbona y se había quedado dormida frente a la piscina, probablemente demasiado borracha ya. Entonces alguien se tiró a la piscina y, en poco tiempo, había varios chicos en el agua, ninguna chica al principio, hasta que al final varias se desnudaron y se quedaron en ropa interior y yo pensé que debían saber que la fiesta acabaría así, que no sería la primera vez que acababan bañándose en la piscina de Gonzalo, porque llevaban todas unos conjuntos de ropa interior impresionantes, carísimos, de encaje y brocado, como si ya hubieran sabido al salir de casa que, al final de la noche, les tocaría enseñarlos. Alguien apareció después con toallas y las chicas que se habían bañado se secaron. Yo no había pensado en tirarme al agua, y todo por un detalle tan idiota como que no llevaba ropa interior especial, unas bragas y un sujetador de algodón de lo más simple, pero entonces Gonzalo insistió, que si me tiraba al agua con él, que venga, que por qué no, que no fuera cobarde, casi como si me retara, y yo estaba tan borracha que al final me lié la manta a la cabeza y me quité la ropa y me tiré la piscina sin sujetador, sólo en braguitas, sabiendo que iba a escandalizar a todo el mundo porque entonces, en los primeros ochenta, todavía no se veía *top less* por ningún lado, pero yo sabía que tenía el pecho bonito, me lo habían dicho muchas veces, y era la única forma de superar a las pijas, ellas tendrían sujetadores de La Perla, pero yo tenía noventa centímetros firmes y en su sitio. Así que me tiré al agua y me puse a hacer largos, a ver si de paso se me pasaba el pedo, porque me sentía realmente fatal, sobre todo después de pegarle aquellas caladas al porro. Y cuando salí de la piscina alguien me alargó una toalla y entonces noté que se me iba la cabeza, que me mareaba, lo veía todo borroso, y me caí redonda al suelo. No llegué a desmayarme, sólo me caí. Gonzalo llegó corriendo a preguntarme que qué me pasaba y yo le dije que no sabía, que me encontraba mal, y entonces él me sugirió que me fuera a tumbar un rato, me dijo que me enseñaría dónde estaba la habitación de sus padres, me tomó de la mano y me condujo al interior de la casa. Yo estaba muy, muy mareada y sólo recuerdo que subimos una escalera y llegamos a una habitación enorme, enorme, que parecía más bien un piso que un dormitorio. Entonces nos tumbamos sobre la cama, los dos, y yo me quedé dormida. Y al rato me desperté porque le tenía encima, literalmente encima, aplastándome y besándome y magreándome, y yo intenté quitármelo, pero era imposible porque el tío pesaba como una condena, y luego empezamos a forcejear, me agarró las manos por encima de la cabeza con una mano mientras con la otra intentaba abrirme las piernas, estuvimos forcejeando, peleando, y yo gritaba pero sabía que nadie me escuchaba, porque desde arriba oía la música y estaba demasiado alta para que nadie pudiera oírme. No hace falta que te explique más, ni que te cuente que me hizo daño, mucho daño, como comprenderás no me apetece nada hablar del tema, aunque hasta hace poco pensaba que lo tenía ya superado, pero no creo que este tipo de cosas se superen nunca. En fin, que el tío acabó, muy rápido, prácticamente al segundo de metérmela, y luego se levantó, volvió a vestirse y me dejó allí, llorando. (Víctor levanta la mano para coger el tenedor, pero luego decide que no le apetece comer más, que se le ha ido el apetito, y la mano queda por unos segundos suspendida en el aire. Después la baja lentamente y la deja de nuevo sobre el mantel, al lado de la servilleta, en un gesto automático, pues le han educado para no ocultar nunca las manos por debajo de la mesa.) Yo me quedé allí durante mucho rato, no sabía qué hacer, y por fin subió Alessia a buscarme, ya era de día, ya se habían marchado todos, nadie había preguntado por mí, ella se acababa de despertar y se encontró sola en el jardín desierto. En el salón de la casa había varios chicos durmiendo la mona en los sofás, despertó a alguno que le dijo que yo había subido a las habitaciones de arriba, y por fin me encontró. Se asustó cuando vio que tenía un ojo morado y un hilo de sangre seca en el labio. Yo, al principio, no quería contárselo, ni siquiera sabía cómo, creo que ella lo dedujo antes de que yo tuviera que decirle nada, y encima no teníamos ni idea de cómo salir de allí, estábamos perdidas en el culo del mundo, lejos de una parada de autobuses, de un metro, de nada. Salimos a la calle y de alguna manera llegamos andando a la estación de Pozuelo y allí cogimos un tren a Madrid. Yo no decía nada, no sabía qué decir, fue Alessia la que insistió en que fuéramos a la comisaría, en que debía denunciarlo, yo no sabía si quería hacerlo, no estaba segura, quizá ya sabía desde entonces que las cosas iban a acabar como acabaron, recuerdo que el vagón estaba casi vacío, pero había un señor que no dejaba de mirarme, le llamaba la atención el ojo morado y la cara hinchada, y Alessia insistía, al fin y al cabo su padre era abogado y ella estaba estudiando para serlo algún día, creía en la justicia como una ingenua, y me convenció, y en Madrid nos fuimos a la comisaría de la calle Huertas, la más cercana a la estación de Atocha, donde nos tuvieron esperando muchísimo rato sentadas en un banco incómodo en una sala de espera helada, y yo que decía que lo mejor era olvidarlo, tenía miedo de reconocer a mis padres que les había engañado, sabía desde entonces que dirían que yo tuve la culpa, pero Alessia insistía y yo siempre confié en Alessia. La policía me tomó declaración sin mostrar ningún tipo de sentimiento especial, ni pena, ni preocupación, ni tampoco desprecio, daba la impresión de que estaban acostumbrados a cosas así. Me dijeron entonces que era indispensable que acudiera a un centro de urgencias, y dos agentes me acompañaron al más cercano, que era el Centro de Salud de la Carrera de San Jerónimo. Allí me atendieron enseguida, estuvieron horas en el reconocimiento, debía de ser ya casi mediodía, habrían pasado siglos desde que aquel pijo me violó. Fue muy desagradable porque tuvieron que tomarme una muestra de flujo y aquello fue casi como una segunda violación, volver a abrirme de piernas, dejar que la señora hurgara ahí dentro, dolía, dolía el cuerpo y la vergüenza, pero la doctora que me atendió, gracias a dios que era muy amable, fue muy atenta, y yo, la verdad, estaba tan cansada que casi ya no me enteraba. Y esto quiero que se te quede en la cabeza, que la doctora firmó en su informe no sólo que había pruebas de actividad sexual, sino también lesiones. Porque yo tenía el cuerpo lleno de moratones, especialmente en la cara interna de los muslos, y arañazos en la espalda, y cardenales en las muñecas, esto quiero que te quede claro, que era evidente que yo me había resistido. Pues eso, vuelta a la comisaría, entregamos el informe médico, firmamos la denuncia y me marché a casa. En la denuncia no constaba el nombre del pijo, yo sólo sabía que se llamaba Gonzalo, que estudiaba en el CEU y que tenía un chalet en Aravaca. (Víctor pega un trago nervioso a la copa de vino, casi se diría que se va a atragantar.) No quería contar nada en casa, no sabía por dónde empezar, estuve dando vueltas horas y horas por la calle, y finalmente, cuando llegué a casa, no pasó nada, porque mis padres no estaban, habían ido a pasar el día al Club de Campo, creo, y yo me fui a dormir. Cuando al día siguiente mi madre me preguntó por lo del ojo morado le dije que me lo había hecho jugando al tenis, que Alessia me había dado con la pelota en todo el ojo. (El camarero se acerca a la mesa y se sorprende al ver los platos intactos. Pregunta si hay algún problema, si la ensalada no era de su gusto, si desean los señores que les traiga otro primero, Víctor le dice que estaba todo bien, pero que la señora no tiene demasiada hambre ni él tampoco, le pide que retire los platos. El camarero obedece sin rechistar. Si está sorprendido o enfadado, no lo hace notar. Natalia juguetea con el panecillo, lo desmiga y hace bolitas con los dedos, ya no mira a Víctor, parece abstraída, totalmente concentrada y absorta en la historia que relata.) No sé por qué pensé que ya había acabado todo, que la cosa no seguiría adelante, que nunca encontrarían al tal Gonzalo, que nunca tendría que volver a hablar de aquello, pero una semana después llegó a casa un telegrama en el que se decía que tenía que presentar declaración tal día y a tal hora en tal juzgado. Y ahí sí que me derrumbé y se lo tuve que contar todo a mis padres. Y fue horrible, porque no fueron nada comprensivos, sino que, como yo había esperado, parecía que la culpa de todo fuese mía, me cayó la bronca del siglo, imagínate, la niña que ha mentido a sus padres, que se ha ido de juerga hasta las tantas con unos desconocidos, que ha bebido, que se ha bañado desnuda... Mi madre se encerró en su cuarto a llorar y mi padre no me dirigía la palabra. En fin, te voy a resumir la historia porque no tenemos horas y como eres abogado ya conoces los trámites en un caso así. Dejémoslo en que el caso nunca llegó a juicio, no llegó a pasar ni la fase de instrucción, lo archivaron sin más porque dijeron que en mi declaración había serias contradicciones, y que, agárrate, las lesiones que yo presentaba no eran de importancia y podían haber tenido lugar como consecuencia de una relación sexual apasionada. De una relación sexual apasionada, figúrate. Como si lo normal después de un polvo «apasionado» es que te levantes llena de moratones y con el labio partido. Por lo visto, él había declarado antes que yo y había dicho que yo había consentido, y también había habido una investigación policial en la que declararon la mayoría de los que estaban en el jardín aquella noche y resultó que había unas veinte personas que me habían visto tomar drogas, bañarme desnuda en una piscina y marcharme de la mano del chico, con el que había estado de lo más cariñosa toda la noche. Y para colmo, yo no era virgen, y así constaba en el informe médico, y en aquellos años se esperaba que una señorita de mi edad lo fuera. Y, por supuesto que mi declaración fue incoherente, el juez me acosaba a preguntas, yo no recordaba muchas cosas, no recordaba si subió él primero por la escalera o si subí yo, si íbamos de la mano o no, a qué hora exacta sucedieron los hechos, y por supuesto que incurrí en contradicciones, prácticamente el juez me manipuló para que me contradijera, porque me acribillaba a preguntas y me puso nerviosísima, y por supuesto que yo no recordaba los hechos punto por punto, aquella noche estaba borracha y asustada, no sabía cuánto tiempo había pasado desde que subimos a la habitación hasta que él bajó, ya te digo que me había quedado dormida, pero, por lo visto, los demás dijeron que habíamos estado dos horas allí arriba, y yo había dicho que todo ocurrió muy rápido, porque era así como lo recordaba. En fin, contradicciones, todo contradicciones, o eso dijo el juez. Yo era muy joven y la familia de él tenía mucho dinero. No sé si sobornaron al juez, es posible, pero ni siquiera creo que hiciera falta. A mí nunca se me ocurrió seguir adelante, buscarme un abogado, luchar, no se me ocurrió que el juez que me tomó declaración era un retrógrado incompetente, no se me ocurrió nada, pensé que yo tenía la culpa de todo y me hundí en una depresión profundísima. Durante un año dejé de estudiar, en realidad lo dejé todo, no quería salir, no quería ver a nadie, me pasaba el día encerrada en casa, llorando. Engordé casi quince quilos en un año. Por fin empecé a acudir a la consulta de una psicóloga porque a mi madre, por mucho que pensara que todo era culpa mía, que lo pensaba seguro, le asustó verme así, y con el tiempo y gracias a la psicóloga me di cuenta de que yo no tenía la culpa de nada. Y ya te digo, el problema en sí no fue la violación, sino la actitud de la gente, el hecho de que todo el mundo, excepto Alessia, pensara que me lo tenía merecido, el no contar con unos padres que creyeran en mí, el no creer en mí yo misma. Creo que si no llega a ser por la psicóloga y por Alessia me habría suicidado. Pero no me suicidé. No tenía valor para hacerlo, y para morirse no basta con desearlo. Tú te quieres morir, pero tu cuerpo se empeña en seguir adelante. El cuerpo quería seguir viviendo, se abría paso laboriosamente hacia la vida, el corazón latía, la sangre circulaba, los pulmones se expandían y se contraían, era como hacer un crucero en un barco de recreo, en el que no te tienes que preocupar del avance o funcionamiento de la nave porque para eso está la tripulación, seres anónimos en la sala de máquinas que hacen que todo siga adelante. Pero yo no me sentía pasajero sino capitán, un capitán asustado y encerrado en su camarote cuando debería estar en el puente de mando, dando órdenes, decidiendo qué rumbo tomar. Alessia y yo dejamos el CEU y nos matriculamos en la Complutense, yo había perdido dos años de carrera, pero luego saqué todo con sobresalientes, como tú ya sabes. Me dediqué a hacer ejercicio como una loca. He hecho karate durante años, eso también lo sabes, nadie podría violarme ahora. El ejercicio me daba sensación de seguridad, de poder, me subía la autoestima, y, según dirían algunos, me quitaba la depresión porque incrementaba mi nivel de serotonina, o eso dicen todos los monitores, que el ejercicio es antidepresivo. Encontré un trabajo en un bufete y empecé a trabajar, no como penalista, porque eso no lo hubiera soportado, no habría podido ver cómo se repetía la injusticia en un caso como el mío, o en cualquier otro caso, por eso me especialicé en sucesiones, que no es algo que no dé problemas precisamente, toda esa gente peleándose por las herencias como aves de rapiña, la sangre contra la propia sangre, pero donde no se suelen ver grandes dramas ni injusticias excesivamente tremendas, tú me entiendes. (El camarero vuelve a la mesa, esta vez con dos platos de solomillo a la pimienta. Los deposita frente a cada uno de los comensales y se retira. Ni Natalia ni Víctor, absortos en el relato, y atrapados por una especie de vaho gris e imperceptible que va envenenando la atmósfera, el espacio y el aire que los separa, le miran.) Dejé la casa de mis padres, y eso me vino muy bien, empecé a quererme a mí misma un poco. No volví a acostarme con un hombre durante diez años, parece increíble, diez años sin sexo. A veces salía con chicos, con hombres, quedaba para cenar, íbamos a bailar, pero nunca llegaba más allá de algún que otro beso o magreo tímido. En cuanto la situación llegaba a más dejaba de llamarles, o no me ponía al teléfono, inventaba excusas tontas para desaparecer. No era el trauma de la violación, no pensaba que me fuesen a atacar, era que me sentía sucia, una puta, no podía soportarlo. Y el caso es que fuiste tú, precisamente, con el que me atreví a romper el celibato, pero no porque tú fueras maravilloso, sino porque la terapia, el ejercicio, el trabajo y el tiempo, que seguía su curso inexorable, ya habían hecho su efecto. De todas formas sabes que nunca he disfrutado mucho en la cama. Cuando leo esos artículos de las revistas femeninas sobre el orgasmo, tengo claro que yo no soy de ésas, que puedo llegar a disfrutar de la intimidad física, de la ternura y el afecto, pero no del sexo propiamente dicho, nunca me ha acabado de gustar, y quizá todo este tiempo hayas pensado que era por tu culpa, pero tú no tenías nada que ver en lo de mi actitud respecto al sexo, y siempre te agradecí, además, que no te quejaras. Claro que nunca te lo conté, porque nadie, aparte de Alessia y mi familia, y del psicólogo, claro, lo han sabido nunca. Incluso cuando aprendí a entender que yo no tuve la culpa, me seguía doliendo mucho contarlo, quería borrar toda la historia de la memoria, hacerla desaparecer, enterrarla bajo paletadas de días iguales, de rutinas, de obligaciones, de monotonía, de hábitos. Era como si ya casi no me acordara, como si el tiempo hubiese ido borrando la historia en silencio, me hizo falta olvidar para sobrevivir, para que los fantasmas del pasado encontraran por fin un lugar de reposo y dejaran de acosarme. Pero en aquella cena, cuando te referiste al caso en el que habías trabajado, me vino la historia de golpe a la cabeza, como un rebote duro de pelota, un vómito de recuerdos, lo veía todo como una película, el agua de la piscina, el techo azul de aquel dormitorio enorme, el plafón de la lámpara, la sala de espera de la comisaría, la bata verde de la doctora, la sala del juzgado, el juez y el abogado, el abogado defensor que estaba sentado en la sala, durante aquella declaración que tuve que hacer, un abogado que no abrió la boca, que sólo me clavaba la mirada, como si estuviera allí para acusar en lugar de defender, un abogado que tenía a su lado un chico muy joven, vestido también de traje y chaqueta, que entonces yo no supe quién era, pero ahora sé que era el pasante, un pasante que allí no pintaban nada, que quizá sólo estaba para impresionar al juez, para que el juez viera que el acusado estaba bien representado, que había pagado a unos buenos abogados, de los que hacen mucho ruido y papeleo y van a los juzgados siempre de a dos, y, rebobinando toda la historia en imágenes, caí en la cuenta de por qué la primera vez que te vi tuve la impresión de que ya te había visto antes, recuerdas que siempre te lo dije, que me sonabas, y tú decías que era porque estábamos predestinados, pero entonces, en la cena, supe que sí que te había visto antes, en aquella sala de juzgado, mucho más joven, más delgado, con más pelo, que te había visto diez años antes de conocerte con nombre y apellidos, diez años antes de que nos besáramos en aquel bar, que te había visto en la sala del juzgado, sentado en un banco al lado del abogado defensor, mirándome con aquellos ojos de desprecio, convencido de que aquella niñata se había buscado todo lo que le había pasado.

El tiempo parece haberse detenido sobre el mantel, los cubiertos, los vasos, las servilletas y los bistecs a la pimienta. Los dos comensales permanecen callados, pero no se escucha el silencio, más bien se diría que el silencio respira gracias a un ruido de fondo que ronronea como un motor: entrechocar de cubiertos, idas y venidas de camareros, otros clientes que conversan, ruidos que llegan desde la cocina y que podrían ser ollas o peroles colisionando o electrodomésticos en funcionamiento, quizá una batidora o un lavavajillas. Ese audible silencio parece cobrar vida, llenar poco a poco el restaurante como el agua que asciende en un depósito, rodeando estrechamente a Víctor y a Natalia, coagulándose a su alrededor, oprimiéndolos. Víctor piensa en los puzzles que solía hacer de pequeño. Había una pieza parecida en todos ellos, parecía un cuadrado con dientes, y aquella pieza central resultaba ser la clave del puzzle, y en cuanto uno la colocaba, toda la imagen adquiría sentido y se hacía muy fácil reconstruirla. Y entonces, mientras procesa en la cabeza la historia que su mujer acaba de contarle, algo ilumina repentinamente su expresión, algo que le anima a acabar de una vez con aquel silencio tiránico.

—Natalia, dices que todo aquello sucedió cuando tú tenías dieciocho años, ¿no?

Natalia no contesta

—¿En el ochenta y tres, Natalia?

Natalia asiente con la cabeza.

—Natalia, en el ochenta y tres no estaba en Madrid, estaba haciendo el máster en Estados Unidos y, además, yo no empecé a trabajar hasta el ochenta y cinco. Estuve dos años preparando unas oposiciones que luego abandoné. Así que te equivocas, es imposible que me vieras en aquella sala de juzgado. No fui yo, Natalia. Yo no estaba allí.

Natalia se le queda mirando fijamente con los ojos muy abiertos. Es una expresión de sorpresa la que compone, pero la sorpresa no se deriva del hecho de que su marido no fuera quien ella pensaba que era, sino de que su marido sea tan ingenuo, tan estúpido como para pensar que lo que acaba de decir cambia las cosas.

—¿Y qué?

—Pues eso, Natalia, que me has juzgado mal. Siempre he admirado tu temperamento, tu carácter tan ardiente, tan impulsivo, pero a veces es extremado. No se pueden tomar las decisiones de un modo tan rápido, tan irreflexivo y tan inexorable como siempre lo has hecho tú. Sobre todo cuando se trata de decisiones tan importantes como las de tirar un matrimonio por la borda.

Natalia prefiere guardar su dolor en el silencio. Sigue desmigando el pan, muda, mecánicamente. Ni siquiera se plantea responderle, explicarle las cosas, decirle que no importa que no estuviera en aquella sala en particular, pues pudo haber estado. Pudo haber sido uno de los chicos que se quedaron dormitando en el salón de aquella casa enorme, indiferentes a lo que pudiera haber sido de la chica que subió las escaleras con paso vacilante y borracho. Pudo haber sido, y fue, uno de tantos ojos anónimos e inquisidores que sólo ven la superficie de la realidad, que prefieren no profundizar demasiado en lo que no les concierne, que condenan a cualquiera que se atreva a perturbar el orden establecido de las cosas. No la condenó a ella, pero sí condenó a otra. Aguantará el resto de la comida con educación y elegancia, hablando poco, sin pedir postre ni café, y luego se marchará por donde ha venido, y dejará que Alessia, que además de ser su mejor amiga es abogada matrimonialista, se encargue de todo. No siente pena ni remordimiento por lo que hace. Había pensado hacerlo hacía tiempo, pero nunca encontró la valentía suficiente, se había dejado llevar por el miedo y por la culpa, como hizo veinte años atrás. Se había mantenido en aquella inercia porque era lo que de ella se esperaba. Y lo que él dijo en la cena confirmó sus peores temores, que no estaba viviendo la vida que quería vivir, que no quería pertenecer a una raza de mujeres que, como su madre, nunca conocieron la magnitud exacta del amor o el placer, que no quería seguir compartiendo la estupidez que sacrifica vidas y destinos a convenciones absurdas, que no quería vivir encerrada en una estructura hueca pero bien barnizada, pasando del amor a la ternura, de la ternura a la lástima, de la lástima al resentimiento. Natalia pega un trago al vino, Natalia indiferente a los ojos de Víctor que reclaman ansiosos una excusa, o que ella diga que volverá pronto, que fue una decisión irreflexiva. Pero ella no piensa decir nada de eso, se arrepiente de haber venido, pero no va a levantarse y marcharse, sino que piensa actuar con dignidad y calma. La decisión ya está tomada, alguien recogerá la mesa, quizá el mismo camarero complaciente y sumiso, ejemplo de discreción como Natalia lo fuera hace poco, quizá él, quizá otro, recogerá las migas, se limpiarán las manchas, y mañana este mismo mantel se extenderá en otra mesa y nadie sabrá que sobre él sobrevoló una conversación entre Víctor y Natalia, el mantel cambia de mesa, la vida sigue su curso, la vida siguió su curso entonces y también lo seguirá ahora, Natalia ya sabe que puede sobrevivir, cambiar de mesa y de piso y de cama, ya levantó la cabeza, va a volver a levantarla, lo sabe, de la misma forma que sabe que la lluvia de hoy se repetirá mañana.

SINTIERRA

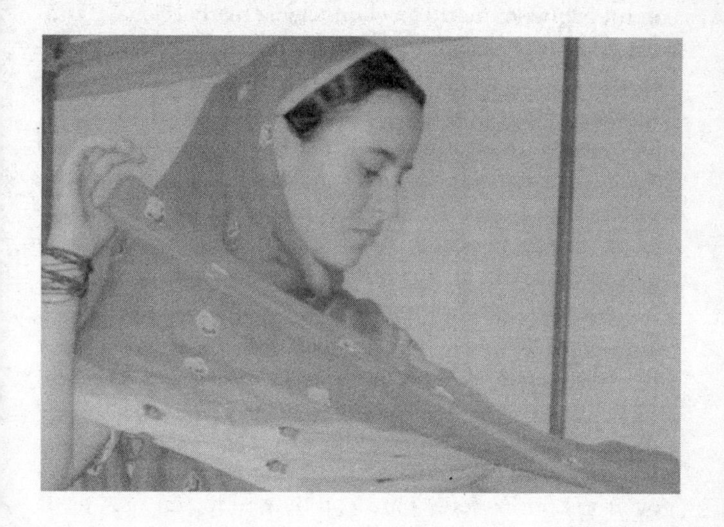

Para entender mi historia tienes que entender la historia de mi pueblo, porque todo lo que yo he hecho y todo lo que soy no se entiende sin saber de dónde yo vengo. Yo sé que hay gentes que no creen en la fuerza de la tierra, a la que no les importa el nombre del país donde nacieron, y esas gentes no entenderán por qué sacrifiqué yo mis sueños a otro sueño más grande, incluso cuando sé que el sueño no es más que un imposible. Yo sólo soy yo si soy parte de un yo más grande, que es mi pueblo.

No siempre hemos vivido aquí, cubiertos de polvo y arena, sin casas que puedan llamarse casas, sin una sola brizna de hierba. Mis padres, por ejemplo, vivían en una casa con un pequeño huerto en el que había hierbabuena, jazmines y hasta un naranjo. Y en la casa había sillas y mesas y armarios y camas, todos esos muebles que para la mayoría de la gente son tan normales, pero que yo no vi hasta que cumplí doce años. Hasta un coche tenían, yo he visto fotos. Yo no llegué a disfrutar nada de eso, porque salí de allí en el vientre de mi madre, y nací en esta tierra que no es mi tierra, porque ésta no es la tierra de mis padres, porque en esta tierra no están enterrados mis antepasados. Ésta no es tierra de nadie.

Hace más de un siglo mis antepasados vivían en el Sáhara, al lado del mar. Se organizaban en tribus nómadas, y cada una de ellas estaba presidida por un jefe, elegido por su pueblo, que la representaba ante las otras. Vivían de la pesca y de la agricultura en paz, armonía y felicidad. Después llegaron los colonizadores españoles, que primero negociaron con los jefes para convivir todos en paz, en la costa. Pero después los españoles traicionaron a las tribus y se internaron tierra adentro, con el apoyo de Francia y de los marroquíes, y así invadir y someter a nuestro pueblo. Nuestro pueblo estaba dispuesto a compartir la tierra y a vivir en paz, pero eso no lo quisieron los españoles. Por eso empezó mi pueblo a luchar por su independencia contra los españoles, y se fundó el Frente Polisario. Finalmente empezaron a ceder los españoles y anunciaron que abandonarían el territorio. Entonces el rey de Marruecos reclamó el Sáhara como suyo, diciendo que aquella tierra pertenecía a su pueblo. El rey mentía, porque nuestra tierra siempre había sido independiente, y nuestro pueblo, aunque hermano en el Islam de los marroquíes, nunca fue marroquí. No hablamos la misma lengua, porque ellos hablan bereber y nosotros hassedya, y la lengua, tú sabes, es el oxígeno de la vida, es la que define a un pueblo. Además, nuestras costumbres, nuestras tradiciones, nuestros ritos, nuestro modo de vida, era diferente todo, porque nosotros éramos hombres azules, hombres del mar, y ellos eran hombres de la tierra.

Pero Marruecos sabía que nuestra tierra era tan rica como nuestro mar: bajo la arena había fosfatos y minerales, petróleo abundante y de buena calidad, y en el agua nadaba un rico banco pesquero del que nuestro pueblo se alimentaba. Por eso inventó Marruecos que el territorio era suyo, y que nos unían lazos de sangre. Enseguida los franceses y los yankis, que querían el petróleo, ofrecieron su apoyo al rey marroquí a cambio de que les permitiera instalar sus compañías en nuestra tierra, y les cediera parte de los beneficios de los fosfatos y el petróleo, de las riquezas de una tierra que explotarían juntos, a través de compañías de capital francés o americano y nombre alauita. Y así armaron al rey marroquí, que inició una guerra contra nuestro pueblo. Una guerra que ni siquiera era guerra, porque guerra se le llama a la lucha entre dos ejércitos iguales. Aquello no fue guerra sino invasión. Invasión del poderosísimo ejército del rey, armado hasta los dientes con armas yankis, invasión de un pueblo que sólo contaba para defenderse con piedras, palos y fusiles oxidados.

Los españoles habían prometido que iban a respetar nuestros derechos, pero luego hicieron lo contrario. Cuando abandonaban el territorio saharui los soldados españoles, recibieron órdenes de dejar aislada a la población, de poner alambradas alrededor en los barrios, y de quitarles la gasolina a los coches para que las gentes no pudieran huir. Y así los marroquíes ocuparon los cuarteles españoles, y nos arrasó una máquina que escupía fuego y destrucción, que llenaba el aire de pájaros negros, y el suelo de cadáveres abandonados como carne en una bandeja. El Frente, que había luchado contra los españoles, luchó entonces contra los marroquíes, con más dureza y empeño, porque la represión marroquí estaba siendo más dura todavía que la española.

Entonces Marruecos construyó la Berma para aislar a nuestro pueblo, un muro de defensa de arena y piedra que se extiende a lo largo de dos mil kilómetros. Con esta construcción, todo el área saharaui ocupada quedó del lado Oeste. Así Marruecos puso a salvo las ciudades de Laayoune y Smara, la costa atlántica y las minas de fosfato. Puso a salvo el petróleo, no las vidas.

En el muro hay más de trescientos puntos fuertes, unidos por trincheras y protegidos por campos minados y alambradas, donde los soldados marroquíes vigilan armados, e impiden que nadie entre o salga. Cada tres o seis kilómetros hay batallones de seguridad. Como estas fuerzas no tienen movilidad, las apoyan en retaguardia sistemas de artillería, vehículos todo terreno y la Fuerza Aérea, y así Marruecos dificulta la táctica polisaria, la de desgastar a los soldados marroquíes en el frente de batalla. Todo esto, la artillería, los coches, los aviones, los soldados, lo paga el dinero de Occidente.

En el muro hay siete brechas, siete zonas de paso, permanentemente controladas por fuerzas marroquíes. Estas brechas las usan los medios de la ONU para transitar de una zona a otra del Sáhara. Frente al muro se han construido campos minados, hasta un kilómetro tienen los campos. Como las posiciones defensivas de los marroquíes cambian constantemente, para poder controlar al pueblo, ahora es difícil precisar dónde están los campos. Ni siquiera las fuerzas de la ONU saben bien dónde están, y por eso es muy arriesgado intentar escapar.

Gracias a los miles de millones que Francia y Estados Unidos le regalan, el rey de Marruecos es hoy rico, pero su pueblo es pobre. El rey es ahora Mohamed, hijo de Hassan, el primer rey marroquí que reclamó nuestra tierra como suya. Veintiocho años han pasado, un rey ha muerto, otro le sucedió, el conflicto no ha cesado, la lucha continúa. El dinero de Occidente no sólo fue para la construcción del muro, para los tanques y los fusiles para controlar al pueblo, sino que también fue a parar a los bolsillos del rey, para que pagase sus palacios, sus juergas europeas, su champán, su mansión de Gstaad, las empresas de su familia. Mohamed VI ha dilapidado el dinero de su pueblo, y por eso sus propios súbditos le han perdido el respeto. Ya no le llaman Rey, sino Majesquí. Otros le llaman Su Majestad de los Coches Veloces o de las Fiestas Privadas. Hace poco, para la fiesta de cumpleaños de su amigo, el rey organizó en Marrakech una celebración que duró cinco días y que costó un millón de dólares. Esto sólo es un ejemplo entre tantos del tipo de vida que el rey lleva, que le gusta. El tipo de vida que no debería llevar un hermano del Islam, porque el Islam exige que los hermanos cuidemos los unos del bienestar de los otros. ¿Sabes los hospitales que se hubieran podido construir con un millón de dólares? Un millón de dólares se gastaron en una sola fiesta. Se llenaron aviones para llevar a los invitados desde Nueva York y París, se abrieron hoteles y palacios, se encargó el mejor champán, se pagaron a los mejores músicos, a las más bellas bailarinas, y entretanto en Marruecos seguía muriendo, como siempre, uno de cada dos niños que nacen, porque no hay médicos para el pueblo, ni seguridad social, ni comida, ni nada. Lo viejo no acaba de morir, lo nuevo no acaba de nacer. El resultado es el paro, las pateras, la desesperación, los jóvenes sin futuro que venden los escasos bienes de la familia para comprar un billete con destino a la muerte, que se embarcan en las falúas de la fortuna de Tánger, o en las pateras que se dirigen a la costa andaluza, los hijos que dejan atrás a su tierra y a los suyos, que dejan a los padres sin brazos para trabajar la tierra, a los ancianos sin nadie que los cuide. Y quien manda en Marruecos es, como siempre, el sistema, los poderes tradicionales, la camarilla que forma la corte, las presiones y las redes de favoritismo, el nepotismo, la corrupción, el abuso de poder. En una palabra, el majzén. ¿Tú crees que quiere nuestro pueblo obedecer a un rey así? Un rey no recibe honores de quienes son viles, un rey no vende a su pueblo sin que por ello pierda su derecho y su honra. Siempre fue libre y justo nuestro pueblo, y prefiere morir con dignidad antes que vivir bajo el puño de un tirano. Malditas sean sus sandalias allí donde le lleven.

Cuando Marruecos invadió nuestro pueblo se quedaron a luchar los hombres, y las mujeres y los niños que pudieron escapar a pesar de los tanques y las alambradas decidieron partir. Parte del pueblo saharaui huyó hacia el desierto, perseguido por los aviones y las tropas de Marruecos. El Frente Polisario hizo frente a la ocupación y organizó la huida y el acogimiento de los refugiados. En su huida, y para evitar los ataques de Marruecos, llegaron los refugiados hasta las proximidades de Tinduf en Argelia, y se instalaron en cuatro campamentos en la Hamada, en el peor de los desiertos, en el más duro.

Nadie creía que pudiéramos sobrevivir allí, porque cuando un musulmán quiere insultar a otro le dice «que Alá te envíe a la Hamada», que es lo que vosotros hacéis cuando enviáis a alguien al Infierno. En la primavera de la Hamada no hay flores ni mariposas, no hay parques, ni columpios ni fiestas, y a los muertos se los entierra sin flores, en la arena. Pero hemos sobrevivido. Casi treinta años llevamos sobreviviendo. En la actualidad, hay cuatro *Wilayas* o provincias en la Hamada (Smara, Dajla, El Aaiún y Auserd), donde convivimos unas doscientas mil personas, en su mayoría mujeres, niños y ancianos, porque la mayor parte de los hombres se unieron al Frente. Y muchos hombres perdidos, y muchos paralizados. Cada *Wilaya* está dividida en seis o siete ciudades o *dairas*, y éstas a su vez en barrios llamados *hay*.

Aquí yo llegué en el mismo vientre de mi madre, y aquí nací, pero siempre supe que mi tierra no era ésta. Ésta no puede ser la tierra de nadie, porque el Creador no hizo esta tierra para que nadie la habitara. Y aquí crecí, y creo que crecí feliz, porque era feliz entonces cuando nada sabía. Cuando yo era pequeña vivía muy feliz y contenta, y conforme con lo que había. No me importaban la miseria y la pobreza, porque para mí el mundo brillaba, estaba en limpio y en orden ante mi ojos de niña. Nada temía, porque sentía que los ojos de mi familia eran mi refugio. En los ojos de madre veía a Dios cuando me sonreía. Mi padre luchaba en el Frente Polisario y sólo podía venir a vernos cada muchos meses. Cada vez que venía le hacía un hijo a mi madre, siempre niñas. Un día ya no volvió más porque había caído en el Frente. Mi madre esperó unos años y se volvió a casar después. Yo no sabía qué era el destino ni lo que había en el camino, no sabía que había problemas, que mi pueblo no vivía en su tierra, no sabía que yo era una niña del mar porque nunca había visto el mar. Era feliz jugando con mis amigos, yendo a la escuela, con mis padres y con mi familia. Porque yo llegué aquí en el vientre de mi madre, y nada sabía. Nací aquí, y fui creciendo aquí, en esta tierra. Como nunca vi mi tierra natal, yo dije «soy feliz aquí».

En la escuela era de las mejores, de las primeras que aprendí a leer y los números, el orgullo de mi familia era, y por eso me eligieron para enviarme lejos. Porque elegían a los mejores de entre los niños y las niñas para formarlos lejos de aquí, para que aprendiéramos cosas útiles y pudiéramos más tarde utilizarlas en beneficio de nuestro pueblo. Por eso nos eligieron a un grupo de muchachas para enviarnos a Cuba, a estudiar lo que aquí no se podía.

En sexto grado salí yo de aquí, tenía doce años, pasé siete años en la isla, hasta el bachiller. Era la primera vez que salía de la Hamada, de los campos, y fue muy duro para mí, porque yo amaba a mi familia, demasiado los quería. Yo sé que vivís vosotros de una manera diferente, que para vosotros no son tan importantes los primos y los tíos y los abuelos, que vuestras familias viven lejos las unas de las otras, pero aquí la familia lo es todo, es una gran familia, no sólo padre, madre e hijos, sino tíos y tías, primos y primas, abuelos y abuelas, amigos y amigas, todos alrededor de los niños para cuidarlos y protegerlos. Por eso me sentía yo feliz y no quería marchar lejos de ellos, me sentía demasiado chiquita como para dejarlos. Sabía que mi madre no estaría conmigo en mi primera menstruación, y eso me daba miedo y pena.

Recuerdo que cuando tuve que subir al avión y vi la escalerilla para subir, me dio vértigo y no me atrevía, porque aquí en la daira no hay escaleras, ninguna escalera. Nuestras casas no tienen más que un piso, son construcciones toscas, porque no hay dinero para más, y en doce años de vida no había subido yo a escalera ninguna. Cuando el avión se separó del suelo, tuve que cerrar los ojos y rezar, porque creí que no iba a soportarlo. Luego me atreví a mirar por la ventanilla y vi el mundo allá lejos, chiquito, el mundo visto desde el cielo, y algo raro noté, la mezcla de dos emociones opuestas. Por un lado me mareaba, tenía miedo, por el otro me parecía lo más bello que en la vida viera.

El bachiller lo estudiamos en una escuela en la isla de la Juventud. Allí vi yo cosas diferentes por vez primera en mi vida, las pilas de agua, las escaleras, las aulas. Las sillas, las camas, los armarios. En la daira no hay sillas, no hay mesas, no hay muebles, nos sentamos siempre en el suelo, y dormimos sobre las mantas, y para mí al principio eran incómodos los muebles, me cansaba, me dolía la espalda, no tenía costumbre. Pero no importaba, porque para mí Cuba era como vivir en el paraíso, todo me parecía bello, todo. Lo único que echaba de menos era a mi familia. Con mi familia, la vida en Cuba habría sido perfecta. Y por primera vez pensé que por qué en mi país no teníamos esas cosas. No teníamos algo tan simple como camas, mesas, armarios. No soñábamos con lujos como televisión, agua corriente, ascensores, ropas bonitas, hospitales grandes, líneas de buses, salas de baile, comida abundante, parques con columpios, escuelas con pupitres y pizarras y lápices de muchos colores distintos, muñecas, autos de juguete, autos de verdad, autos grandes y pequeños, chatos y alargados, de todos los colores. Tantas cosas había. Después vino el bloqueo y todo empezó a ir mal. Disminuyó la comida, las actividades, las medicinas. Pero con bloqueo y todo, se seguía viviendo mejor que en la daira.

Pero en la daira se vive mejor que en los territorios ocupados. Algunos familiares tengo allí. Simplemente por ser saharui te arriesgas si sales a la calle, te pueden llevar a la cárcel y torturarte. Nosotros podemos visitar a los parientes, y ellos a nosotros, pero no aquí ni en el Sahara, sino en Mauritania, y te digo que ellos son mucho más revolucionarios que nosotros, porque aquí estamos mal, pero no nos torturan. La represión es allá, los maltratos son allá, las mujeres son violadas, matan, de todo, todo lo hacen allí. Hay una tía mía a la que le falta un seno, hay otra que no tiene pies. Hay otra de mis familiares a la que llevaron a la cárcel embarazada, y murieron, ella y el niño, a causa de las torturas. Y hay muchos desaparecidos, pero cuando Amnistía Internacional va a las cárceles a buscarlos les dicen siempre que allí no están.

Cuando acabé el bachiller, hice la prueba de ingreso y aprobé, y pude ir a la universidad, en La Habana, para estudiar Ciencias Químicas, porque mi pueblo necesitaba químicos, pues hacen falta expertos en tratamiento de aguas. Nunca pensé en estudiar algo que me gustara a mí, sino en estudiar algo que les gustara a los otros. Y cuando elegí Químicas nunca pensé, ni imaginé, que en mi curso casi no habría mujeres. Pasé mi primer año de universidad rodeada de hombres, pero no les miraba. No les miraba porque sabía que tendría que volver a mi tierra, a casarme con uno de los míos, y que no debía enamorarme de un extranjero. Pero aunque no les mirara, por primera vez sentía algo por los hombres, porque cuando era chiquita nunca había visto a los niños como algo especial o distinto, como personas que pudieran interesarme, nomás que como compañeros de estudios o juegos. Pero cuando me hice mujer fue cuando comencé a desear el amor, a mi pesar, aunque mi corazón sabía que no debía desearlo. Yo al principio no quería saber nada de esas cosas. Cuando me hablaba un hombre pensaba ¿qué me estará diciendo éste? De verdad que no sabía nada de ellos. Y ya el segundo año me fijé en un hombre, no lo pude remediar. Él estaba en mi grupo de prácticas de laboratorio, así que tenía que trabajar con él, como compañeros, casi a diario. Él era latinoamericano, y era distinto a los hombres que yo había conocido, más dulce. Desde el primer día ya me decía cosas, me llamaba linda, me invitaba a salir, me embaucaba con palabras perfumadas que brotaban de su boca. Pero yo se lo dije desde el primer día, que no podía salir con él, que en mi país es así, que no podía tener novio allí, porque si se enteran de que tienes novio allí, vuelves acá. Así que segundo lo pasamos aquí, él insistiendo y yo resistiendo. Más resistía yo, más insistía él. Él estuvo conmigo como seis meses insistiendo, desde el mes nueve hasta el mes seis, y yo le decía que no sabía nada, y él me decía «te voy a enseñar» y yo le decía que no quería saber nada de eso. Y ya al final no resistí más y empecé a salir con él.

Así que lo llevamos todo a escondidas, las mujeres lo sabían pero los hombres no. Por ejemplo para ir a la parada del bus, él iba primero y se montaba en el primer autobús y me decía que me bajara en la parada tal, y yo me montaba en el siguiente autobús y me bajaba en la misma parada y me reunía con él. Y pasamos juntos el final de segundo, tercero, cuarto y quinto, tres años y medio juntos. Al principio yo me resistía a verlo como amante, quería sólo un amigo, pero al final la flor del cariño brotó en mi corazón y lo amé como una mujer ama a un hombre, y perdí mi virginidad. Fue como si dos copas chocasen, como una tempestad sin viento. Fue hermoso, y yo no me arrepentí ni me sentí sucia, no, al contrario. Sentí como si mi corazón de un salto subiera a mis labios al besarle. Pero él no creyó que yo era virgen hasta que lo vio. No le culpo, porque allá en Cuba no es como acá, es distinto, lo de la virginidad no es un tema importante, las chicas se entregan muy pronto y a quien quieren, no esperan a que llegue el que haya de ser su marido. Cuando él vio que yo era virgen me dijo que quería casarse conmigo, pero yo no podía hacerlo. Entonces él se quería casar pero ya tuve yo que decirle que no, que eso no podía ser. Y el último mes yo le dije tú no eres para mí ni yo seré para ti, yo tengo que irme a mi casa, y tú te tienes que ir a la tuya. Regresaré, le dije, es necesario que vuelva, no importa mi sufrimiento, tengo que volver con mi pueblo. Pero él no lo acababa de entender y lloraba, y me pedía por favor que me quedara en Cuba, que viviéramos juntos, pero yo le dije que no, que tenía que volver, que eso lo habíamos sabido desde el principio y que las cosas no podían ser de otra manera. Mi religión no me permite casarme con él por más que yo quiera, por más que él me fuera más querido que la lluvia, como aquí decimos, y yo no puedo estar en contra de mi familia. Además yo pensaba, si el día de mañana esto se acaba y yo tengo mis niños y él se va ¿con quién me quedo? Porque yo me habría quedado sin familia para siempre. Pero todo lo hice en realidad por mi madre, porque la quiero demasiado y siempre hice lo que le gusta a ella.

Llegué hace un año y cuatro meses. Realmente no me dolió exactamente algo que me quedó, porque estaba preparada. Sabía que esto es así, como es, yo nací aquí y nada podía sorprenderme. No puedo echar de menos las cosas o el agua porque yo en mi corazón soy consciente de que todos mis hermanos aquí viven lo mismo, mis padres, mi familia y mis amigos, y debo resistir por mi pueblo igual que ellos. Éste es mi pueblo, el que me envío a estudiar, el que espera algo de mí, al que tengo que servir y serle útil. Nadie se quedó, que yo sepa. La mayoría de las que han llegado de Cuba han vivido lo mismo. Dieciséis muchachas saharauis había en la universidad mía, todas tuvieron un novio, si no cubano, latinoamericano. Algunas estuvieron con saharuis, las menos. Era inevitable, porque la propia sociedad lo pedía. La cubana es una sociedad distinta que la nuestra, los cubanos creen en el amor entre el hombre y la mujer. Nosotros también, pero de distinta manera.

Cuando vi a mis padres y a mi familia que estaban vivos y estaban bien me eché a llorar, porque casi no había tenido noticias de ellos en once años. Nos escribíamos, pero poquísimas veces. Tenía que ser a través de una gente que viniese aquí o que iba allá. Yo, si sabía de alguien que iba allá, siempre insistía en que visitara a mi familia, en que les dijera que me mandaran cartas, fotos, cintas grabadas para saber de ellos, quería saber cómo estaba el ambiente, o la familia, si habían nacido nuevos primos o sobrinos, porque les echaba mucho de menos. Ellos no podían llamarme porque no tenían dinero para hacerlo. Sabes que aquí en el campamento hay un solo teléfono, y sólo puede utilizarse para cosas muy graves. Había dos niñas nuevas que habían nacido después que yo. Eran mis hermanas, mis hermanas chiquitas, medio hermanas, hijas de mi madre y mi padrastro, y nunca las había visto. Tenían nueve y siete años. Mi madre ha parido cinco hijas, nunca un hijo. Esto aquí se ve mal porque en nuestra tierra siempre ha sido importante tener un heredero varón. Pero el consuelo de mi madre es que las mujeres no van al Frente, pues si no hubiera podido perder a sus hijos como perdió a su marido y a sus hermanos. A veces pienso que sólo tuvo hijas porque no deseaba hijos. Porque a veces el cuerpo hace, sin saberlo, lo que el corazón desea.

Pero también fue difícil volver. Yo ya pasé mi juventud y adolescencia en Cuba. Vengo aquí y todo es diferente. Un simple ejemplo: la melfa, pues. Aquí es obligatorio llevarla.

Nunca hay que enseñar el pelo. Y si no te cubres la cabeza, por más decente que seas, van a hablar mal de ti, ya eres una mala mujer. O el calor, y el frío. El calor del verano no te deja vivir, porque no tenemos casas bien construidas y no resisten al calor. Por eso vamos tan tapadas, es una forma de protegerse del calor, de guardar la humedad del cuerpo. Pero luego, por la noche, el viento del desierto hace caer a plomo la temperatura, y entonces te pasas la noche tiritando.

Echaba también de menos la playa de Cuba, me encantaba la playa. Me gustaba ir no precisamente a nadar, sino a tomar el sol, a leer algo, a mirar el mar simplemente. Cuando tenía alguna prueba me iba siempre a la playa a estudiar. Creo que me gustaba el mar porque mi pueblo es de mar, y aunque hayamos vivido aquí, mi corazón sigue amando el mar, porque en mi sangre llevo su historia, la historia de mi pueblo.

Echaba de menos el mar. Y echaba de menos a la gente, mucho. Me gusta el pueblo cubano, porque son muy cariñosos, muy amistosos, menos serios que aquí, menos solemnes. Y echaba de menos la libertad, pues en Cuba, si yo quiero salir a las doce de la noche, voy a la discoteca. Pero aquí no hay discotecas. Aquí si tú quieres salir después de las nueve de la noche, no a una discoteca porque no las hay, sino, por ejemplo, a la casa de tu amiga, no puedes hacerlo. Si estás casada sí, puedes salir con tu marido o sin tu marido. Una se casa para tener la libertad. Pero es libertad entre comillas. Antes de casarte tus padres te dicen que no puedes salir porque eres señorita, y la gente te va a ver con malos ojos, y va a hablar de ti. Así que te casas para poder salir. Pero cuando estás casada te dicen «¿pero a ti qué te pasa, por qué quieres salir si estás casada ya?». Así que casada o soltera nunca puedes salir cuando quieres.

Todavía echo de menos muchas cosas, pero el trabajo me ayuda. Me gusta trabajar porque es algo diferente a la rutina diaria que pasa aquí. Porque aquí no hay gran cosa que hacer ni adonde ir. Arena, arena, arena y calor. Sol que cae a plomo desde el corazón del cielo, cielo amarillo sin nubes, camellos flacos, moscas, polvo, los ojos fijos en el vacío. Si has estado fuera, si has estudiado, es todavía peor, porque pesa más estar todo el tiempo en casa, las rutinas domésticas. Levantarse temprano, limpiar la casa, las casas de alrededor, y cuando termines los quehaceres puedes leer y a veces ver la tele, si es que en tu casa la hay, que es una cosa rara. Ahora alguna gente tiene televisión porque sus parientes que trabajan fuera se las compraron, y muchos de los hombres que el pueblo envió a estudiar se hicieron ingenieros y cuando volvieron sabían instalar antenas. Pero es peor tener la televisión, porque es una ventana abierta a todas las cosas que existen fuera, en el mundo, y que nosotros no podemos tener: agua, duchas, hierba, muebles, espacio para moverse, libertad. Limpiar la casa, leer, ver la televisión, visitar a las amigas o los parientes, eso es todo lo que se puede hacer aquí, es una vida muy triste. Al menos trabajando conoces gente nueva, amigos nuevos, además ejerces algo de lo que aprendiste. Yo, como estudié químicas, ahora trabajo en la agencia de tratamiento de agua, en un laboratorio, analizando los problemas que hay en el agua. La mayoría de los que han nacido aquí tienen los dientes amarillos debido al yodo que hay en el agua, muchos tienen bocio, y hay mucho cáncer porque el porciento de cinc es altísimo. Pero no hay solución. La única solución es una potabilizadora y no podemos conseguirla. Por eso a veces es un trabajo muy deprimente y frustrante, a pesar de que yo adoro trabajar, trabajar hace que me olvide de que no soy feliz.

Cuando yo llegué aquí me encontré además con un problema muy serio que no había yo previsto, que me tenía que casar. Me tenía que casar porque tengo hermanas, no sólo las chiquitas que nacieron cuando yo estaba en Cuba, que ésas son medio hermanas, porque son hijas de mi padrastro, sino las otras dos que nacieron aquí, las hijas de mi padre. Y ellas tenían las dos novio desde hace tiempo, porque aquí las mujeres que no marchan a estudiar se comprometen pronto, desde los quince años a veces. Realmente yo no quería casarme, pero aquí, en la sociedad saharui, en una casa donde hay mujeres la primera que ha nacido tiene que casarse primero. Y a mis hermanas ya les habían pedido la mano. Había una que llevaba diez años esperándome a mí. Y por eso me pidió mi madre que me buscara un marido enseguida, para que mi hermana se pudiera casar. Mi madre me dijo que no podía esperar dos o tres años, que tenía que casarme enseguida.

Así que pronto conocí al hombre que mis padres querían para mí como compañero de vida. Lo conocí en mi casa. Estaba él con mi padrastro, haciendo té en la casa. Yo volvía del trabajo y lo vi, nada más lo vi. No sentí nada especial, no pensé que él me gustara, mi corazón estaba frío. Él me miró con dulzura y yo no quise responder a su mirada, así que salí de la casa. Desde ahí lo volví a ver más veces y a la semana vino y habló conmigo, que quería ser mi novio. Nada de matrimonio, por ahora, dijo, conocernos y hablarnos poquito a poco. Yo no contesté, sólo miré al suelo, sin saber qué decir. Y él entendió que mi silencio era un sí, así que me estuvo hablando como novio seis meses. Pero seis meses es muy poco para conocer a una persona. Él no estudió en Cuba, sino aquí en Argelia, no es hispano-árabe, sino franco-árabe, pero igual me entiendo con él bien, aunque hubiera preferido alguien que hablara español. Al final dije que sí, sobre todo para complacer a mi madre. Pero fui sincera con él. Le expliqué que no era virgen, y le dije también que para mí seis meses es muy poco para conocer a una persona, y que no estaba segura de amarle. Pero él dijo que de todas formas se quería casar conmigo.

Aquí el hombre tiene que pedir la mano de la mujer delante de su familia. Su familia habla por él y habla con la familia de la novia, si ellos aceptan y ven que este hombre es el ideal para la hija, ellos aceptan. Si ellos no aceptaran, el hombre tendría que volverlo a intentar. Si no lo aceptasen otra vez, entonces no habría boda. Así que nuestras familias hablaron entre sí y se pusieron de acuerdo. Si no lo hubieran hecho no nos habríamos podido casar, pues estos asuntos los deben decidir las familias. Pero mi familia estaba muy interesada en que yo me casase, y aceptó a la primera. Y la boda se dispuso para después de un mes.

Antes las bodas se hacían en siete días, cuando estábamos en El Aiún, pero desde que bajamos a los campamentos sólo duran veinticuatro horas, un día y una noche, porque ya no tenemos medios. Por eso tuve una boda triste. Triste porque fue una boda corta y pobre, y triste porque yo también lo estaba.

El día de la boda me emocioné tanto, tanto, tanto, que no paraba de llorar, desde por la mañana tenía el sollozo atravesado en la garganta, los ojos heridos en llanto. La gente me preguntaba «¿y por qué lloras tú tanto?», y yo les contestaba «será de emoción, qué sé yo». No podía decirles por qué de verdad lloraba, no lo habrían entendido. La primera noche tenían que ponerme henna en las manos y en los pies, decorarme para mi noche de bodas, y allí estaban todas las mujeres de mi familia, y mis amigas, y yo tenía que morderme los labios para no llorar. A la madrugada, como a las cuatro o a las cinco, vino él y pasamos solos un rato, sólo diez minutos. Normalmente los esposos deben pasar más tiempo juntos, pero en mi casamiento pasó algo muy extraño, que todo el mundo estaba mirando por las ventanas, siseando, murmurando. Yo sentía a las muchachas que estaban fuera, y yo me molesté y dije «ya, se acabó», salí y ya está. Así de corta y de triste fue mi noche de bodas. Esa noche tendría que haber sacado la sábana ensangrentada para probar que me había casado virgen, pero claro que no la saqué.

La segunda noche me escondí, porque ésa es nuestra

costumbre, que la novia se esconde y el novio tiene que encontrarla. Yo estaba con mis amigas y me dije «si me quedo aquí me van a encontrar», así que me quité la ropa que me había puesto para la boda, me puse otra ropa y salí corriendo, sin sandalias. Corrí y corrí y llegué a casa de mi amiga. Pero no entré en la casa, sino que me quedé en una habitación fuera, la despensa, diríais vosotros, donde guardan la comida, y me acosté en el suelo, y me tapé con las mantas, y cerré el pecho en soledad y me quedé dormida hasta el día siguiente. Mientras yo estaba dormida, todas mis amigas me buscaban, empezaban a asustarse porque no sabían dónde estaba, pero yo seguía dormida, dormida, dormida. Dormí todas las horas que no había dormido antes, porque el mes antes de la boda no había podido dormir ninguna noche, de pena y de frustración, y es que algo dentro de mí me decía que quizá no había tomado la decisión correcta porque el pensamiento no cesaba de dar vueltas en silencio y de hervir y de arder en la cabeza y de abrasar como el fuego de los sentimientos. No sabía que todos me buscaban, y cuando la mamá de mi amiga entró en la pequeña habitación para buscar comida me encontró allí, vestida aún con las galas de novia, y se asustó y empezó a gritar, y sus gritos me despertaron. La tuve que tranquilizar y decirle que era yo. No sé si ella pensaba que yo era un ladrón o un animal o un fantasma. Después fui a buscar a mi marido y le dije que había que hacer algo, porque la mamá de él decía que quería la sábana, la sábana de nuestra primera noche. Yo le expliqué a él que de todas formas mucha gente no sangraba, que yo misma no había sangrado, o al menos no lo recordaba, pero aquí si no sangras tienes que sangrar. Lo que pasa es que aquí ellos, los hombres, lo hacen sin delicadeza, sin besos ni nada, directamente, no hacen un previo calentamiento antes, y por eso sus mujeres sangran, cómo no iban a sangrar, así cualquiera sangra. Por fin una amiga mía que es doctora se fue al hospital y me trajo un frasco con sangre, y así pudimos darle a mi suegra la sábana que ella tanto quería, y ella la pudo enseñar a sus amigas para probar que su hijo se había casado con una virgen.

Yo no me siento casada, me siento igual como si no estuviera casada. Yo voy al trabajo de sábado a viernes en Smara, jueves y viernes lo paso en casa, en El Aiún. Tardo una hora en llegar de un lugar a otro, en el jeep. Sólo paso con mi hombre dos días. Pero tampoco como marido y mujer llega una pareja a conocerse mucho, porque aquí no es costumbre que un hombre y una mujer conversen durante el día, que vayan juntos a todas partes como hacéis vosotros. Si un hombre se dejase ver con su mujer, si fuese a todas partes con ella, la gente diría que lo habían hechizado. Aquí la pareja sólo puede verse durante la noche nomás. Por el día a veces, pero no mucho. Yo, que paso cuatro días sin verle, cuando entro no puedo darle un beso, ni cogerle la mano y decirle hola qué tal estás, sino que debo sentarme lejos de él y esperar a la noche. No puedes hacer nada espontáneo, a veces quieres darle un beso y no puedes.

De todas formas, yo imaginaba que sería peor. Él habla árabe, y yo poquito árabe sé, y pensaba que nunca llegaríamos a entendernos. Yo pensé que él no me dejaría trabajar, que no me iba a dejar salir de casa, y luego me dijo que sí, que podía seguir viviendo mi vida. Además, él tiene cualidades de un hombre que a mí me gustan. Es bella persona, es trabajador, tiene hermosos ojos. Es un hombre al que una mujer podría amar.

Yo pensaba antes de casarme: «si no me entiendo con él, me divorciaré y se acabó». Pero ahora veo que no va a ser tan fácil. Ahora hay una ley que dice que si han pasado siete años y el marido no ha atendido a la mujer ni hablado con ella, una mujer puede reclamar a la justicia para que la consideren divorciada. Pero esta ley es para las mujeres que tienen maridos que se fueron al Frente y no volvieron. No para casos como el mío.

Yo le dije a él que a lo mejor el día de mañana le decía que no, y se acabó y se acabó. Pero no es tan fácil la cosa porque yo no me puedo divorciar si él no me concede el divorcio. El sí, él se puede casar con otra mujer si quiere, porque el Islam le permite tener tres mujeres, pero yo no puedo si él no me lo permite, y desde luego no podría tener relaciones con otro hombre.

Porque aquí si una mujer tiene un hijo sin estar casada, o estando casada con un hombre tiene un hijo de otro hombre, entonces la mandan a la cárcel hasta que nazca el niño. Desde luego es imposible que aborte porque el Islam dice que el hombre no debe deshacer lo que Alá ha hecho. Entonces la mujer embarazada va a juicio, pero casi ningún hombre admite que el hombre es de él. Dice «igual que te acostaste conmigo pudiste haberte acostado con otro», que es una idea estúpida. Y como aquí no hay prueba de ADN, no hay nada que pruebe que la mujer dice la verdad. Sólo que a veces los niños salen igual que el padre, pero eso sólo se ve después de unos años, y la gente empieza a decir «éste es el hijo de aquel hombre», pero para entonces la mujer ya vive con una mancha negra con la que tiene que vivir toda la vida. Todo el mundo dirá que el hijo es bastardo, o que la mujer es una mala mujer. Cualquiera puede tener un problema, a cualquiera le puede pasar, cualquiera se puede enamorar. Pero aquí no hay anticonceptivos, al menos no para las mujeres solteras, de ninguna manera. Y si tienes un hijo bastardo ya nunca en la vida te vas a casar, nunca en la vida. Yo tengo una prima que le pasó lo mismo, y ya nadie entra en su casa, sólo yo. Dicen que yo estoy loca porque voy a verla, y gracias a que me casé, porque si no ya dirían que soy igual que ella, una mala mujer, y yo tampoco habría podido casarme, porque enseguida los chismes corren, se cuelan por las ventanas y se meten en la casa, y ya nunca te quitas la mancha. Entonces yo les digo ¿qué culpa tiene ella, y qué culpa tiene su hijo? El hijo, ninguna. ¿Y por qué nadie culpa al hombre en vez de culparla a ella?

Pero las mujeres mismas no luchan, no quieren cambiar las cosas. Aquí las mujeres tienen derecho al voto, como no lo tienen en la mayoría de los países del Islam, igual que aquí podemos enseñar la cara, nadie nos obliga a llevar velo, o podemos no ayunar en Ramadán si no queremos, y algunas lo hacen, pero otras no. Pues eso, si tenemos derecho a voto ¿por qué no lo usamos? La mayoría de los habitantes de la daira son mujeres y niños, porque muchos hombres murieron en la guerra, y los pocos que quedan están en el Frente. Pero todas las mujeres votan por un hombre, aunque haya una mujer. Y por eso los jefes de todas las dairas son hombres, excepto en una. Y esa única mujer seguro que lo hace mejor que un hombre, porque conocerá a todas las mujeres, a todas las familias. No lo entiendo, si ya hay doctoras y abogadas y maestras. Hace pocos años se creía que sólo un hombre podía ser doctor, pero ahora aquí casi todas las doctoras son mujeres.

Entonces yo pienso ¿de qué me ha servido casarme? Yo no era casada y no me dejaban salir y ahora que me caso tampoco me dejan salir, entonces ¿dónde está la libertad de verdad? Mi marido sí me deja salir, pero mi madre me dice que no. Entré en un problema para sacar a mis hermanas del suyo, y ahora ¿cómo salgo yo? Las saqué de un problema para meterme en otro, en otro más grande. Si hubiera podido esperar dos años me habría podido casar con quien yo quisiera. Mi única esperanza es que si esto no avanza, si alguien se tiene que divorciar, él acepte el divorcio y me deje libre. Si le pido el divorcio y me dice que no, pues es que no. A mi tía, que era muy bonita, la casaron obligada por la familia, pero ella estaba en contra y nunca se ha acostado con él, y hasta hoy en día sigue sin haber conocido a un hombre. Pero él se ha vuelto a casar dos veces, tiene diez hijos, y ella ahora es una vieja de cincuenta años y no se puede casar. Ahora hay una ley que prohíbe casar a una chica sin que ella lo acepte o antes de la primera menstruación, pero al final las chicas siempre hacen lo que sus familias les piden, como yo, por amor o por respeto.

En el tiempo que llevo aquí mi antiguo amor me ha mandado cuatro o cinco cartas diciéndome que me quería. Pero es imposible amar a distancia, confiar el cariño al seno de la brisa cuando sopla y que lo lleve más allá de las dunas, cruzando el mar. Yo he sufrido demasiado, incluso ahora me acuerdo de él, en un recuerdo que llena el corazón, y cuando pienso a solas en aquel tiempo y aquella dulce vida, el recuerdo de sus cualidades es como un frasco de perfume que se derrama y que me atonta. Bendiga el Creador cualquier lugar que él habite. Porque aunque aquel amor ya acabó, aunque ya acabaron todos aquellos deseos que habían sido más dulces que la sonrisa en los labios, él me dejó una señal que el tiempo no borra, porque él era muy cariñoso, y el de ahora no. No por él, porque creo que él, el de ahora, mi marido, es un buen hombre, sino por como es el hombre aquí. Los hombres aquí están siempre más por ellos mismos que por sus mujeres. Porque sus madres siempre les han tratado como si ellos fueran los reyes de la casa. Y esperan que todo sea igual con sus esposas. Que ellos sean siempre lo primero, lo más importante, y que el interés de sus esposas esté siempre por debajo del suyo. A ninguno se le ocurre que pueda ser de otra manera.

Yo estoy buscando el visado para poderme marchar, hacer una maestría o algo. El año pasado había conseguido una beca para ir a estudiar a España, pero la perdí porque no pude conseguir pasaporte. Hijos no quiero, y he conseguido que me pongan la T, la T de cobre, el Diu que decís vosotros, en el hospital, porque una amiga mía trabaja allí, sabe que estoy casada y sabe la historia, y no me hizo más preguntas. Es la misma amiga que me dio el frasquito con la sangre para la sábana. Se lo dije a él y lo entendió, dijo que él tampoco quiere tener hijos ahora, porque sabe que lo nuestro aún no es seguro, porque no tendría sentido tener un hijo hoy para separarnos mañana. Le pregunté si me dejaría marchar en el caso de que yo consiguiera un pasaporte, un visado y una beca nueva, y me dijo que sí. Tantas cosas que él aceptó, otro no hubiera aceptado. Que yo no fuera virgen, que yo quisiera trabajar después de casada, que quiera viajar al extranjero para terminar mis estudios... y cosas así aquí nadie las acepta, casi nadie. El fin de año yo salí de casa, fui a ver a mis amigas y pasé la noche con ellas, y le dejé solo en casa, y esto muy pocos hombres aquí lo tolerarían, pero él sí. Y la gente le hablaba a mi marido y le decía «¿por qué tú le has dejado irse?». Y él respondía que eso no era asunto de ellos, sino de nosotros dos. Por eso pienso a veces que con el tiempo yo podría llegar a quererle. Te preguntas entonces por qué se casó él conmigo si ya sabía que yo no le quería, que podía yo marchar en cualquier momento, que no quería hijos suyos. Pero hablándome como novio casi no podía conocerme, casi no podía estar a solas conmigo, y casándose conmigo era la única manera de que pudiera estar a solas conmigo, de que pudiera conocerme como un hombre debe conocer a una mujer. Además él sabe que si la cosa sale mal, puede volver a casarse, no como yo. Él no arriesgaba tanto. Por eso creo que se casó, para poder conocerme, con la esperanza, quizá, de que con el tiempo yo llegara a amarle, que es la misma esperanza que tengo yo en el corazón, que algún día yo llegue a amarle y así me sienta más feliz si es que alguien puede sentirse feliz en la Hamada, sin dignidad, sin tierra, sin sangre en las venas, sin vida.

Yo de verdad ya he perdido las esperanzas, yo tengo mi papá que es mártir, mis cinco tíos muertos, casi todos los hombres de mi familia muertos, hombres que se vistieron con la gloria de sus acciones, hombres cuya huella presente pervive, pero hombres que ya no están, que dejaron unas familias de mujeres con los ojos secos, y llevamos veintisiete años aquí esperando. Años esperando. Mañana, mañana, pasado mañana, semanas, meses, años, prolonga, prolonga, para nada. Decepciones tras decepciones que te van consumiendo. Años viviendo de la ayuda de los demás, viviendo en el hambre, sin poder cultivar nuestra propia tierra, sin poder criar más que camellos, condenados a vivir sin orgullo, de lo que nos den los demás. Porque en esta tierra no crece nada, en la arena nada puede crecer. El rey de Marruecos ha dicho que nada de referéndum, y nada de referéndum. Algún día habrá referéndum, seguro, pero ese día llegará cuando Marruecos haya exterminado a los saharauis y la población que viva en nuestra tierra sea ya marroquí, colonos recién llegados a una tierra fértil que sus padres no labraron, sino los míos. Francia apoya a Marruecos, Estados Unidos apoya a Marruecos, más y más dinero para el rey, para su muro, sus ejércitos, sus mansiones y sus fiestas, y a nosotros no nos apoya nadie. No nos apoya nadie porque el petróleo importa mucho más que nosotros. Porque estorbábamos, como cucarachas en una cocina. Y como cucarachas en una cocina quieren exterminarnos. Creo que no tenemos ninguna posibilidad, que los hombres de mi familia murieron, que mi madre dejó su vida, su casa, su tierra, que yo sacrifiqué mi amor y mi libertad por nada, por un sueño, por un imposible. Ay de nosotros, tristes pedazos de un pueblo refugiado, perseguido. Ay de nosotros y de nuestra vida de esclavos. Yo preferiría la guerra, aunque me muera yo, aunque la perdiéramos, que vivir aquí en la Hamada, en este vivir que es como no vivir. Temo que la desesperación habite en mi corazón, que acabe desistiendo de mis fines. Temo que nunca pase por nuestra casa la dicha, que nuestra vida la vivamos siempre en la humillación. ¿Qué puedo esperar de la vida si me han privado de beber en ella? Y por eso prefiero morir por algo. «En el Día del Juicio, los derechos serán restituidos a aquellos que fueran desposeídos», eso dice el Corán. Por eso prefiero morir por algo justo, sobre todo en un mundo donde imperan la sinrazón, la injusticia, la ley del más fuerte. Un mundo que se alza sobre sangre, gobernado por los necios y los crueles con engaño sobre engaño, un mundo al que la desolación agita de odio en odio, un mundo que adora a la riqueza y destroza a los que cantan, un mundo en el que hay vidas de primera y de segunda categoría, en el que una vida puede valer menos que un barril de petróleo. Palestinos, iraquís, saharauis: todos sacrificados a la misma pasión, la pasión de occidente por el oro negro. ¿Cómo hacer frente a un ejército de codiciosos cuando para luchar no tenemos más arma que el grito? ¿Acaso puede un grito perforar la roca sorda? Preferiría morir por algo antes que vivir en este vivir que es como no vivir. Preferiría morir de pie que vivir de rodillas, como dijo el Ché. Preferiría lanzarme al torrente de balas, poner a prueba la suerte que se me ha destinado, para que la mi vida fuese por fin algo noble o para que acabase en una tumba que no sería más oscura que mi casa. Para mí el sacrificio sería un honor. El Islam dice: «Hay que obrar como si uno va a morir mañana, pero al mismo tiempo como si fuera a vivir toda la vida». Y eso hago, porque yo no sé cuánto tiempo resistiremos, qué va a ser de mi vida. La libertad es como un espejismo en el desierto: a veces la creo próxima, pero cuando voy a alcanzarla se disuelve. Y las heridas de los mártires siguen clamando venganza. Por eso te digo que no puedes entenderme si no conoces a mi pueblo, que yo no soy yo sin mi pueblo, sin mi gente, aunque sea una sintierra. No tengo tierra, pero tengo patria. Y esa es la fuerza que me mueve, igual que el camellero guía a la caravana.

La realidad supera a la ficción
(Unas cuantas puntualizaciones de la autora)

Un amigo mío leyó estos cuentos y comentó que los personajes masculinos estaban caricaturizados. Le respondí que, en todo caso, no serían caricaturas sino retratos, pues el libro estaba basado en historias reales. Pero he de aclarar que cuando digo «basado», quiero decir basado, no calcado, pues como bien dice ese escritor ciego que tanto le gusta a la protagonista de «Un corazón en el techo», el hábito literario altera detalles, intercala rasgos circunstanciales y altera los énfasis. *El escritor, por cierto, era Borges.*

Con esto quiero decir que si bien todas las historias que has leído están inspiradas en algún hecho real, eso no significa que se trate necesariamente de historias reales, sino de interpretaciones literarias de la realidad.

En muchos de los casos, las historias están basadas en testimonios directos de mujeres que han hablado conmigo. Para proteger su identidad y hacer imposible que ningún familiar, vecino, allegado o conocido pudiera identificarlas, he variado siempre sus nombres, profesión, ciudad de residencia, edad y otros detalles personales, como número de hijos, rasgos físicos, estudios, etcétera. Lo esencial permanece, lo accesorio no.

Un ejemplo para ilustrar la creación de un relato: Me desperté una mañana con una imagen rescatada del sueño: una prostituta que hacía la calle dándole vueltas al anillo que llevaba en el dedo. Quizá había construido esa imagen porque los anillos han tenido siempre una fuerza simbólica muy importante en mi vida y me han sucedido infinidad de historias relacionadas con la aparición o pérdida de una sortija. Anillo y prostituta eran los dos únicos elementos con los que contaba para empezar a escribir una historia que reclamaba páginas a gritos, amén de un sentimiento interior muy poderoso de que debía escribirla, puesto que mi propio inconsciente me lo había ordenado. Por razones varias, he conocido a alguna que otra prostituta a lo largo de mi vida, pero, hasta entonces, a ninguna que trabajara en la calle. Así pues, me fui a la calle Montera en busca de información y encontré a varias chicas dispuestas a hablar conmigo. Una de ellas resultó que vivía en mi barrio. A partir de las historias que me contaron construí el relato «Cincuenta pasos». Toda la información sobre tarifas y sistema de trabajo que en el relato se incluye es rigurosamente real, por más que a algunos de mis amigos los precios les resultaran tan escandalosamente bajos como para creer que me los había inventado (de hecho, los precios en Montera siguen bajando). Las historias personales que se narran también tienen su correlato en la realidad, pero no le han sucedido a una única persona.

Algunos de mis amigos (de entre el pequeño grupo de los que leen mis borradores antes de que mis libros se publiquen) opinaron que «Una historia de amor como otra cualquiera» era «excesivamente tremendista». Por si algún lector piensa lo mismo, aporto algunas estadísticas:

—Entre un veintiocho y un treinta y tres por ciento de las mujeres han sufrido abusos sexuales antes de los quince años.

—Un diecisiete por ciento de las mujeres han tenido experiencias de incesto antes de los quince años (y entre un dos y un tres por ciento de los casos es incesto padre/hija).

—Entre un setenta y cinco y un ochenta por ciento de los abusos sexuales son cometidos por adultos conocidos del menor (en la mayoría de casos por familiares).

—Se calcula que alrededor de un setenta y cinco por ciento de los hombres que maltratan a sus mujeres también abusan de sus hijas[1].

[1] Según las *Actas de las I Jornadas de Sexología de Castilla y León*, 10-13, y datos del Instituto de la Mujer.

El abuso de menores es una lacra tan extendida como oculta. Casi ningún afectado quiere denunciar los hechos y, en muchos casos, cuando por fin se atreven a relatarlos, no se encuentran con una madre tan comprensiva como la del relato, sino con un adulto que niega absolutamente la veracidad de la historia y atribuye a la víctima una excesiva imaginación o una necesidad de llamar la atención. Entre un setenta y cinco y un ochenta por ciento de los casos de violencia sexual no llegan a ser denunciados. Se estima que esta cifra es mayor en el caso de niñas menores de dieciocho años.

Cambiando de tema, la discoteca en la que Miren presencia la escenita de celos entre Iñaki y Goyo en «Alicia o los disfraces del amor» se llama Komplot y está ubicada en el barrio de Amara Viejo, en San Sebastián, en un sótano al que se accede a través de una escalera descendente. La zona de la izquierda es la zona gay, y además es donde se sitúa la pista, que está algo más alta que el resto. En cuanto a las raves de las Supernenas (organizadas por el Cogam), que yo sepa, se siguen organizando en el Long Play los últimos jueves de cada mes.

Para «Mal acompañada» he contado con el asesoramiento legal de Raquel Franco, amiga del alma a la par que abogada, que me ayudó a buscar jurisprudencia sobre casos parecidos. Lo que he deducido de los casos que he leído es que, tanto en España como en otros países, si el violador es conocido de la víctima, ésta tiene muy pocas posibilidades de ganar el caso.

Cualquiera diría que nada puede haber de real en la historia de «La Luna de Plata», ¿no? Craso error. El módulo Trans Hab del que habla el cuento está ya diseñado, y diseñado, precisamente, para que pueda servir en el futuro como casa en la Luna o casa en Marte, pero, por el momento, no es más que un prototipo. Quien desee ver planos y más información no tiene más que teclear «TransHab» en su buscador de internet.

También parecerá muy fantástica la historia de «Una noche en el cementerio», pero debo decir que todos los conjuros que cito los he llevado a la práctica con sorprendente éxito. Por ejemplo, después de hacer el ritual para impedir que personas ajenas entraran a mi casa, me encontré con la puerta de mi casa forzada, pero no abierta. El cerrajero al que avisé estaba sorprendidísimo de que los ladrones no hubieran entrado en mi vivienda, pues para abrir la puerta, ya cedida la cerradura como estaba, habría bastado simplemente con empujarla. Los problemas domésticos de las amigas ennoviadas de la protagonista vienen a ser, más o menos, los que me cuentan mis amigas, convenientemente cambiados los nombres, por supuesto. He de decir también que conozco a alguna persona que sí ha hecho el amor sobre una lápida y bajo la luna llena en un cementerio escocés.

Respecto al término «borderline» que se explica en el cuento «Sola», diversos autores lo utilizan desde hace más de un siglo para dar cuenta de un grupo de pacientes que se caracterizan básicamente por constituir una patología de frontera o de borde entre la neurosis y la psicosis. La primera vez que aparece el término «borderline» es en 1884. En ese año Hughes designa así a los estados borderline (fronterizos) de la locura. Los rasgos característicos del paciente fronterizo son la falta de sentimientos normales y el profundo trastorno de la personalidad.

En 1967, Grinker y otros autores hablan del síndrome borderline, cuyas características serían, entre otras, la rabia como único o esencial afecto, la inestabilidad, la depresión sin sentimiento de culpa, autoacusación o remordimiento, la intolerancia a la ansiedad y el control inadecuado de los impulsos. En las relaciones interpersonales, la incapacidad de soportar la soledad. Los fronterizos necesitan del otro en todo momento: son dependientes, masoquistas, manipuladores y desvalorizadores. Gran parte de sus estallidos emocionales constituyen un intento por superar su insensibilidad. Aunque anhelan experimentar emociones genuinas, no pueden tolerarlas. Se protegen contra el sentimiento manteniendo las relaciones en un nivel muy superficial o cambiando frecuentemente de trabajo o de pareja. Aunque algunos tienen inteligencia superior o verdaderas condiciones intelectuales, carecen de perseverancia y de capacidad para la concentración. Otros elementos que contribuyen a la inestabilidad laboral o de pareja son su baja tolerancia a la frustración, la hipersensibilidad a las críticas y la espera de alabanzas y recompensas totalmente desproporcionadas, que condicionan que sean despedidos de sus empleos o que ellos mismos los abandonen. También es destacable la incapacidad para aceptar las reglas y la rutina.

Según algunos autores, la sociedad actual, con su hundimiento de los valores consensuados, y con la autoidealización narcisista como sustituto de los ideales culturales, fomenta la aparición de trastornos fronterizos. La abolición de puntos de referencia se relaciona con la patología del límite, buscando precisamente eso: un perímetro, un cierre. Los padres a menudo están imposibilitados de marcar o brindar tanto límites como objetivos, porque ellos fueron los primeros en recibir el impacto del cambio social, y por tanto la transgresión de los valores éticos y culturales aparece en muchísimos casos como el modelo a imitar, sobre todo cuando el consumo se convierte en la única ética vigente.

Por lo demás, me queda agradecer los favores de todos mis amigos, todos, pero muy en particular los de Israel Fernández, Gracia Rodríguez de Miguel, Alessia Putin, Raquel Franco y Lilla Anekino, a los que he mareado en busca de datos, sentencias judiciales y cosas por el estilo. Gracias también a Silvia Marsó y a Natalia Vergara por las aclaraciones y correcciones sobre técnica y terminología vocal para el cuento «Flores para Sally». A la Plataforma de Mujeres Artistas contra la Violencia de Género por haberme invitado a su viaje al Sáhara, experiencia que me sirvió para escribir el relato «Sintierra». A Constanza Aguilera por creer tanto en mí, y a todos mis sobrinos por haberme hecho reír tanto con sus historias.

Para sugerencias, amenazas, puntualizaciones, declaraciones de amor, envíos de junkmail y demás, os podéis dirigir a la siguiente dirección de correo electrónico: perravida@espasa.es. Atención: la autora no responde a los mensajes, más que nada, porque no tiene tiempo para atender el correo diario. Diréis que exagero, pero recibo más de cien cartas semanales de admiradores, detractores, stalkers, curiosos, frikis de todo pelaje y condición, y demás fauna ciberespacial. Garantizo, eso sí, que leo todo lo que recibo y que me encanta (como a todo el mundo, por otra parte) recibir mensajes agradables.